LE TEMPS DES SEIGNEURS

Projet dirigé par Élyse-André Héroux, en collaboration avec Éric St-Pierre

Conception graphique : Claudia Mc Arthur
Mise en pages : Pige Communication
Révision linguistique : Élyse-André Héroux et Chantale Landry
En couverture : Photographie par Martine Doyon

Québec Amérique
7240, rue Saint-Hubert
Montréal (Québec) Canada H2R 2N1
Téléphone : 514 499-3000, télécopieur : 514 499-3010

Nous reconnaissons l'aide financière du gouvernement du Canada par l'entremise du Fonds du livre du Canada pour nos activités d'édition.

Nous remercions le Conseil des arts du Canada de son soutien. L'an dernier, le Conseil a investi 157 millions de dollars pour mettre de l'art dans la vie des Canadiennes et des Canadiens de tout le pays.

Nous tenons également à remercier la SODEC pour son appui financier. Gouvernement du Québec – Programme de crédit d'impôt pour l'édition de livres – Gestion SODEC.

Canada

Canada Council for the Arts

SODEC Québec

Catalogage avant publication de Bibliothèque et Archives nationales du Québec et Bibliothèque et Archives Canada

Bigras, Dan
Le temps des seigneurs
(Biographie)
ISBN 978-2-7644-3466-6 (Version imprimée)
ISBN 978-2-7644-3467-3 (PDF)
ISBN 978-2-7644-3468-0 (ePub)
1. Bigras, Dan. 2. Chanteurs - Québec (Province) - Biographies. I. Titre.
II. Collection : Biographie (Éditions Québec Amérique).
ML420.B53A3 2017 782.42164092 C2017-941652-9

Dépôt légal, Bibliothèque et Archives nationales du Québec, 2017
Dépôt légal, Bibliothèque et Archives du Canada, 2017

quebec-amerique.com

Imprimé au Canada

DAN BIGRAS

LE TEMPS DES SEIGNEURS

BIOGRAPHIE

QuébecAmérique

À Guillaume et Jean-François

AVANT-PROPOS

IL ÉTAIT DEUX FOIS

Il a fallu être deux. Un, ce n'était pas assez. Tout seul, je me serais mal débrouillé. Je ne serais peut-être même pas là. Je serais peut-être en prison, à l'hôpital psychiatrique ou mort. Je ne sais pas.

L'un sommeillait dans l'autre. C'était prévu depuis le début. Le grand Dan s'occuperait de la protection rapprochée, du confort, du plaisir, du déni, il essaierait de ne pas devenir un monstre, peut-être même qu'il deviendrait quelqu'un. Bref, il s'occuperait des affaires d'adultes. Et le petit Daniel dealerait avec les choses habituelles : la rage, la tristesse, le vide…

Le petit Daniel est plus dangereux que le grand Dan. C'est lui qui est enragé. Moi j'en ai juste l'air un peu des fois, pour me rassurer vaguement, mais c'est du cinéma. Le petit, il a pas juste l'air, il a toute la chanson. C'est pour ça que c'est lui qui écrit. Après tout, c'est lui qui a besoin d'être écrivain. Je me fais donc régulièrement tasser par le petit Daniel. Souvent, je crois que j'écris… mais l'âme du crayon, c'est lui.

Le petit Daniel parle de nos parents de façon épouvantable. Il a en partie raison… en partie seulement. Je dois souvent mettre de l'eau dans son vin.

Il dit :

« Ma mère m'aime pas. Son regard fâché me donne toujours l'impression que j'ai fait quelque chose de mal, de grave. Elle me tend des pièges de cochon pour que je me fasse crisser des volées. Elle a pas pour moi les gestes qu'ont les autres parents pour leurs enfants. Elle m'aime pas. »

Il dit aussi :

« Mon père me bat, mais il m'aime. Il me montre souvent de l'affection pis de la tendresse. Il est une bombe à retardement. Il me fait peur… Il m'enseigne la jungle. Fait que je suis en état de survie 24/7, mais j'ai de l'amour aussi… C'est pas mal mélangeant. »

Moi, je suis toujours un peu inquiet pour le petit. Je me suis souvent demandé s'il ne pourrait pas tuer un jour.

Ça va être ma job de faire du sens de notre histoire. De comprendre mes parents, mes Bigras et ma société, pour trouver une paix, une vraie paix dans le torrent de mes guerres. C'est passionnant, mais c'est de l'ouvrage. C'est comme écrire tout un livre juste pour tourner la page.

Alors j'écris, je compose, je cherche. En même temps, je gère le petit qui veut tout le temps se pogner avec des grands et, bien souvent, avec son grand lui-même. Je le gère en le surveillant du coin de l'œil, en le calmant. Lui, en retour, m'anime ; je suis souvent un peu apathique. On fonctionne bien comme ça. C'est une symbiose naturelle. C'est comme une légère schizophrénie, sauf qu'on est au courant… Un peu comme si je m'étais rencontré sur Tinder. Et ça va très bien, je suis encore ensemble.

Tous les deux, on s'organisera pour faire quelque chose avec ce qu'on a en dedans. C'est comme ça que le petit va frapper son piano et hurler des notes, que je vais harmoniser, arranger, enregistrer pour tenter de rendre ça écoutable. Je vais aussi essayer de faire écouter ça à tout le monde ; ça fait du bien au petit.

C'est comme ça que le grand va boire une bière « pour le fun », pendant que le petit deviendra alcoolique.

C'est comme ça que le grand va essayer de survivre, pendant que le petit va essayer de se tuer...

Bref, ça roule bien. Il faut se prendre à plusieurs pour être quelqu'un au temps des seigneurs.

Ça se répare être blessé
Il n'y a pas de mauvais sort
Tant que moi je peux t'aimer
À la vie et à la mort
L'ombre-soleil nous fait voler
Les lumières dansent dans le nord
Tant que moi je peux t'aimer
À la vie et à la mort

INTRODUCTION

LE PIÈGE

Je cours, paniqué. J'ai encore été piégé par ma mère. À moins d'un miracle, mon père va me tuer à soir. Le même style d'arnaque que d'habitude. J'ai beau courir, l'horizon s'éloigne et l'enfer approche à grandes claques, avec un verre de vin dans une main.

Ma mère est en colère tout le temps. Contre le mauvais temps, contre le beau temps, contre les hommes en général, quoique « les hommes en général » ont l'air de ressembler beaucoup à son papa à elle et au mien… Elle est en colère contre beaucoup de choses, mais surtout contre moi.

Je n'ai jamais vraiment su pourquoi. C'est évidemment de ma faute, ça se peut pas autrement. Je suis très mauvais à l'école. Comme le trouble de déficit d'attention (TDA) n'existe pas encore, ma mère croit que j'essaie de la rendre folle et honnêtement, quelquefois, c'est ce que je croirais à sa place. Quelquefois c'est dramatique, comme lors des crises de rage causées par la remise des bulletins, et quelquefois c'est carrément comique.

Je perds mes mitaines. Tout le temps. Ma mère m'en achète et m'en rachète, et automatiquement je les perds toutes, toujours. Ma pauvre mère, à bout de nerfs, m'a acheté une clip pour attacher les mitaines avec le manteau… Perdu le manteau.

Régulièrement, la colère habite ma mère comme un ours habite sa grotte. Ça hiberne tranquille, mais quand ça sort, ça a faim. Vaut mieux ne pas se trouver à côté. Le problème est que je suis très souvent à côté de ma mère, ce n'est pas vraiment un choix. Je ne sais pas pourquoi elle devient si enragée. Je ne connais pas encore son histoire. Alors quand sa rage l'habite, elle me tend des pièges de cochon. Comme aujourd'hui.

Avant que je parte à l'école ce matin, elle m'a chargé d'aller acheter des choses à l'épicerie. Elle m'a bien spécifié de ne pas me tromper avec le change. Elle avait déjà le regard furieux, comme si elle prévoyait que ce serait l'enjeu de la soirée. Elle m'a envoyé dix minutes avant que l'école ne commence, donc, pas assez de temps pour faire la course et revenir à la maison porter les commissions et le change. Elle le sait, ça fait partie de son plan. Elle sait aussi qu'à l'École nouvelle Saint-Germain à Outremont, il n'y a pas de cadenas et de toute façon, pas de cases. Ses crises de rage ne sont pas toujours machiavéliques, mais là chapeau, c'est super bien pensé.

Je cours comme un fou, j'ai les poumons en feu. Je voudrais faire les courses et revenir à la maison avant l'école, mais elle ne m'a pas donné assez de temps. Ça fait partie de son plan. Je fais les courses à toute vitesse, mais si j'arrive à l'école en retard, je vais me faire tuer, alors je continue de courir jusqu'à l'école, chargé comme un mulet de mon matériel d'école et des sacs d'épicerie. Je serre fort dans ma main le change dont dépend ma vie ce matin.

J'entre dans la cour d'école. Je cours comme un fou le long du corridor pour finalement arriver dans ma salle de classe avec mes sacs de courses, les mains pleines de monnaie. Je sais très bien qu'est-ce que le prof va me dire. Effectivement, le professeur me regarde et me dit :

— Bigras, combien de fois il faut te le dire ? Pas de cochonneries dans la classe.

— Mais…

— Il n'y a pas de mais, tu laisses tes affaires sur ta tablette.

À l'École nouvelle Saint-Germain, les tablettes et les crochets au lieu d'un casier avec un cadenas, c'est une nouvelle approche éducationnelle, ça s'appelle «la confiance». Ça part quand même d'une bonne intention, mais quand tu as une mère qui s'inspire de Sun Tzu pour t'élever, ça pose problème.

Je pose le sac sur la tablette avec les commissions et le précieux change, pas le choix. J'aurais au moins dû mettre le change dans mes poches, mais chus trop nerveux; dans ma tête, j'ai juste les images de la volée qui m'attend ce soir. Alors je pousse le sac le plus profond possible sur la tablette dans l'espoir vain que personne ne le remarquera, et je vais m'asseoir en classe.

La cloche sonne la fin des cours. Je redoute ce moment. Évidemment, quand je sors de la classe, le sac n'est plus là et la monnaie non plus. Un gros frisson me parcourt l'échine. Je n'entends plus les bruits de l'école, je n'entends plus rien. Je prends mon sac d'école et je rentre à la maison, où ma mère m'attend sur le perron.

Sur le trottoir en face de chez nous, je regarde la maison en pensant que des gens paient pour voir des maisons terrifiantes dans des films d'horreur, alors que moi, je vis cette terreur à chaque fois que je reviens à ce que je suis bien obligé d'appeler chez moi. Honnêtement, ça serait bien que papa meure, pour vrai... Trop de peur, ça finit par rendre assassin. C'est comme ça qu'on forme les chiens de combat, en les terrorisant.

— Où sont les courses?

Je sais tellement qu'elle sait. Elle passe son temps à me faire des coups de cochon comme celui-là. Mais chuis trop petit pour la confronter.

— Je les avais mis sur la tablette, pis quand je suis ressorti, elles étaient plus là.

— Et en plus, tu mens ?

D'un geste rapide, elle agrippe d'une main mes deux poignets et va pour me foutre des claques su'a gueule. Mais chuis quand même juste un petit peu trop vieux, fait que je tire fort et vite, me libère et me sauve. Elle n'a pas eu le temps de me foutre une seule claque, elle n'est pas assez forte. Pas grave, papa est fort, lui.

Le soir, toute la famille est assise à table pour le souper. Papa, maman, moi et mes frères : Jean-François, plus jeune que moi de quatre ans, et Guillaume, plus jeune de sept ans. Après le dessert, papa ordonne aux petits d'aller se coucher. Je reste seul avec mes parents. Je sais très bien ce qui s'en vient, mais il y a autre chose ; les yeux de mon père ont commencé à changer.

Mon père travaille de huit heures du matin à sept heures le soir, pratiquement sans interruption. Contrairement au grand Dan plus tard, il n'a pas beaucoup de temps pour boire sa bouteille de vin à chaque soir, alors il boit vite et, rapidement, son humeur change. Ma mère le sait, et elle joue avec son humeur comme Angèle Dubeau de son violon. Quand il s'agit de pousser papa à bout, Machiavel est un amateur à côté de ma mère.

Elle commence :

— C'est facile pour toi, tu n'as aucune responsabilité en dehors de tes patients. C'est moi qui tiens la famille à bout de bras et je n'en peux plus. Daniel passe son temps à mentir et à voler, et c'est moi qui me ramasse toute seule avec ça. Tu t'en fous complètement.

Elle dit toujours ces choses en pleurant doucement. Ça marche super bien sur papa, et que ça dure dix minutes ou trente, le résultat est toujours le même : papa explose. Ça se passe par étapes. Tranquillement, il se retourne vers moi et le rituel commence. Il me regarde dans les yeux sans parler pendant ce qui semble être une éternité. Ensuite, il me dit calmement :

— Je t'écoute.

Je dis rien, figé par la terreur.

— Je te conseille vivement de me parler.

Alors, je dis la vérité. J'y mets tous les détails et comment je me sens, passant sous silence ma conviction de complot de la part de ma mère. Puis elle dit tout bas comme ça, presque pour elle-même:

— Il ment.

— Je sais qu'il ment, pis il va se prendre une criss de volée… Daniel, tu sais que s'il y a une chose que je ne supporte pas, c'est le mensonge.

Mais chais pas quoi dire d'autre. J'ai tout dit. Fait que je reste silencieux. Aucun moyen d'éviter ce qui s'en vient. Mon père me dit, avec son regard qui ferme le mien:

— Approche.

J'en suis incapable, chuis pétrifié. Papa répète doucement:

— Quand je dis approche, ça veut dire approche. Si tu t'arranges pour que j'aille te chercher, tu vas profondément le regretter.

En dehors de la hargne hypocrite de ma mère, c'est l'expression de ce sadisme qui va le plus longtemps me perturber, même quand je serai le grand Dan. Me faire obliger d'aller moi-même à mon massacre, d'y participer.

Lentement, j'avance. À la vitesse d'un serpent, la main gauche de papa part, m'emprisonnant les deux mains dans un étau. Avec de grands allers-retours, sa main droite me frappe avec une violence inouïe. Pendant qu'il cogne, ma mère pleure.

— Julien, arrête s'il te plaît.

Et ça, c'est l'autre chose qui m'a le plus marqué: l'hypocrisie. Même pas capable d'assumer son sadisme, elle joue à la victime. J'en suis scié à chaque fois.

Quand la main frappe du retour, comme au tennis, les jointures marquent mon visage, ça fait que papa frappe souvent plus fort à l'aller, comme un smash. La paume laisse moins de marques, mais sonne plus. Au bout de quelques allers-retours, il arrête et me demande :

— Alors, la vérité maintenant ?

— Mais je T'AI dit la vérité, c'est...

BAM ! Ça repart. Ça me semble durer une éternité, mais il s'arrête de nouveau.

— Alors, vérité ?

Et moi, à bout de forces, à moitié assommé, pour que tout ça finisse, j'ai pour la première fois de ma vie une idée extraordinaire : le mensonge à l'envers.

— La vérité, c'est que...

— Oui ?

— J'ai pris l'argent pis j'ai acheté des chips.

Ma mère me regarde et dit :

— Il y avait plus d'argent que ça.

La tabarnac. Le sacre le plus sincère de toute ma vie. Mais il restera dans ma tête, chus pas fou.

J'ajoute précipitamment :

— Pis j'ai acheté plein de chocolat pis du Seven-up pis j'ai tout mangé.

La figure de papa s'illumine. Il me fait un grand sourire.

— Tu vois, mon garçon, c'est pas sorcier. Tu aurais pu dire la vérité dès le début. Tu te serais évité tout ça. Dans la vie, la première chose qu'on ne doit pas tolérer, c'est le mensonge. Je déteste le mensonge.

Il passe gentiment sa main dans mes cheveux et m'envoie dans ma chambre.

J'ai très bien appris ma leçon. Cours de mensonge 101. Sous la violence, n'importe qui dira n'importe quoi pour que ça arrête.

Mon père pouvait être aussi ratoureux que ma mère. Son truc favori, et je n'ai jamais réussi à trouver une entourloupette pour m'en sortir, c'était de m'appeler d'en haut de l'escalier quand j'étais dans ma chambre, dans la cave :

— Daniel, viens ici, je veux te parler.

Alors je montais dans son bureau-salon et me tenais devant lui, prêt à pisser dans mes culottes. C'est tellement facile de terroriser un enfant. Au lieu de me « parler », il me fixait en silence en roulant son osti de cigare entre ses doigts. (Je me souviens de m'être dit que je souhaitais que son cigare lui donne un criss de cancer. Ça a marché, des années plus tard. Heureusement pour moi, il s'en est sorti.)

Au bout d'un temps interminable, il disait :

— Je t'écoute.

Ayoye. Bravo, ça c'était brillant. Il fallait que j'avoue la gaffe ou le mauvais coup que j'avais fait, sans ça je me serais fait tuer sur place. Le problème, c'est que j'en avais généralement fait plusieurs, il fallait que j'avoue la bonne. Je me suis toujours trompé. Et comme toujours, après la violence, une caresse dans les cheveux, une remarque gentille, une marque de tendresse

Et c'est ce qui va me laisser le plus mêlé, cette violence mélangée à de l'amour. La volée et la main dans les cheveux. Je passerai une bonne partie de ma vie à essayer de mettre mon père dans une case, celle du salaud une journée et celle du bon papa qui aime son fils le lendemain. Ça me rendra à moitié fou, jusqu'à ce qu'un jour je comprenne que les gens ne sont pas juste bons ou méchants. Ils sont les deux. Des humains, quoi.

Les enfants ne naissent pas menteurs, ils le deviennent. Ils mentiront une fois pour éviter de la violence, de la tristesse ou par gêne, mais s'ils se sortent d'une situation merdique en mentant, ils auront appris que ça fonctionne et éventuellement, ils le referont.

C'est comme ça qu'on enseigne le mensonge aux enfants, au temps des seigneurs.

L'ÉCRIVAIN

Le lendemain, j'arrive à l'école en arborant une joue deux fois plus grosse que l'autre. Qu'est-ce que je vais répondre aux questions ? Les autres enfants sont toujours à l'affût du nouveau sang, c'est-à-dire d'une nouvelle raison de rire de moi, de me moquer. Il y a même un prof qui y participe. C'est comme ça pour les « niaiseux d'école ». Cinquante ans plus tard, seul le terme a changé ; maintenant on dit des « rejects ». C'est peut-être moins honteux à dire en anglais.

J'entre dans l'école en essayant de ne regarder personne. Généralement, je réussis à éluder les questions, chuis habitué, mais cette fois, ma pommette gauche est décidément trop grosse et trop colorée pour que je fasse semblant de rien. Comme de raison...

— Hey Bimaigre, qu'est-ce que t'as ?

— Come on, Biafra ! Qu'essé ça ?

J'essaie stoïquement de cacher ma pommette et les émotions qui vont avec. Je suis assis à mon pupitre et fais semblant de regarder des devoirs qui ne m'intéressent absolument pas. Le prof m'interpelle :

— Bigras, debout !

À regret, je me lève et attends d'être humilié. Le prof m'observe d'une espèce de regard blasé, légèrement exaspéré, déjà certain qu'il s'agit d'une autre « chicane de cour d'école ».

— Bon, qu'est-ce qui est arrivé ?

Je vais pour répondre un de mes mensonges habituels, qu'on puisse passer à autre chose. Une hésitation, et je prends une des plus grandes décisions que j'aie jamais prises. Cette fois je dis la vérité :

— C'est mon père.

— Quoi ton père ?

— Il m'a battu.

Regard interloqué du professeur. Silence de mort de toute la classe. Le prof pousse un soupir.

— Bon. T'as rien trouvé de mieux aujourd'hui pour te rendre intéressant ?

La classe part bruyamment à rire, comme soulagée d'avoir trouvé une explication logique. Comme si tout ça était stressant pour tout le monde et que le professeur avait trouvé la solution évidente. Osti de Bigras *loser* qui fera toujours tout pour se faire admettre par les « normaux ».

Quand je mangeais des volées à l'école, par des gars mais aussi quelquefois par des filles, le pire, ce n'était pas les coups. C'était l'odeur de la violence que portaient ces coups. « Pourquoi tout le monde te frappe ? Tu leur inspires ça ? À tous ? Tu dois sûrement être une marde, une écœuranterie, comme un méchant dans un film. » Il n'y a aucune raison de cogner sur quelqu'un à répétition s'il n'est pas un monstre, ou à tout le moins une bibitte qui inspire la méchanceté.

En vieillissant, je me suis questionné longtemps sur comment on devient la cible de la cruauté de toute une école. De tout un quartier. C'est tout bête. L'anxiété apprise à la maison se ramène à l'école sans même que l'enfant s'en aperçoive, reproduisant les comportements qui lui sont enseignés, puis son cauchemar se socialise et il ramène son anxiété de société à la maison. Ce sont des cercles vicieux qui perpétuent la mauvaise estime de soi, la dépression et l'anxiété de génération en génération. Que ce soit les enfants victimes, les enfants bullies ou les autres, la vérité est qu'aucune place n'est facile. L'apprentissage de la société ne se fait pas avec ce que l'enfant veut, mais avec ce qu'il a… et avec ce qu'on peut lui donner si on se déniaise un peu.

Si j'avais été admis au sein du groupe, est-ce que je me serais comporté différemment des autres ? Bien sûr que non. Quand un enfant trouve sa place au sein de la seule société qu'il connaisse, il n'est pas prêt à la perdre en refusant de suivre la direction du groupe.

Petit Daniel interprétait ses liens avec ses parents en disant : « Mon père m'aime et me frappe, et ma mère ne me frappe pas mais ne m'aime pas. » Maintenant que je suis le grand Dan, son interprétation, je n'en achète qu'une petite partie. J'ai trop vu de gens écorchés incapables de démontrer l'amour qu'ils éprouvaient pour accepter bêtement les apparences. Mes parents psychanalystes fuckés – je sais, c'est un pléonasme – m'ont fait vivre de la violence, mais m'ont aussi appris comment chercher et même comment créer de l'amour dans le désert. Je suis une espèce de bédouin de la tendresse. Je sais marcher aussi longtemps qu'il faudra pour trouver les oasis. On est beaucoup comme ça.

Maintenant, quand je pense au nombre d'enfants que je croise qui veulent devenir écrivains sans même savoir encore écrire, j'ai toujours un petit sourire du cœur. Je sais pourquoi.

À la fin de cette belle journée de marde à l'école, marchant tout seul, comme toujours, sur le chemin de la maison, je réfléchissais :

« Ils ont ri de moi, pis j'ai fait l'énorme effort de tout dire… Un jour, je vais trouver le moyen de la raconter, l'histoire. Pis ils vont l'écouter. »

CHAPITRE 1

LA PAIX DANS MES GUERRES

« Le grand Dan est de nature méfiante,
mais il croit toujours les enfants. »

Je suis attentif aux autres. C'est très commode quand on veut écouter quelqu'un, mais ça ne vient pas d'une nature généreuse. Petit, ma survie au jour le jour dépendait de l'humeur de tout le monde. J'étais comme un animal aux aguets, extrêmement sensible à tous les mini signes de danger ou de sécurité. Quand je revenais de l'école, si tout le monde était joyeux, je savais que je survivrais à la soirée qui s'en venait. Au moindre changement d'humeur dans la maison, je savais que ça pouvait se terminer dans la violence. Alors j'ai développé mes oreilles, comme un animal dans la jungle.

Avec le temps et beaucoup de recherches, j'ai fini par bien comprendre l'épouvantable souffrance qui habitait mes parents et qui a, forcément, déteint sur leurs enfants. J'ai eu des parents qui, de par leur anxiété, m'ont blessé, mais comme je le mentionnais plus tôt, ils m'ont aussi construit. Ils m'ont creusé des trous dans le cœur, des trous sans fond que je ne pourrai jamais remplir, mais ils m'ont aussi enseigné à les décorer, à en faire quelque chose, à essayer de faire du beau avec du laid. Avec eux, j'ai appris les émotions contradictoires.

Plus tard, je saurai que c'est comme ça que sont fabriqués les bandits et les saints. Les enfants qui ne se sentent pas ou mal aimés vont souvent réagir de deux manières à ce manque dans leur cœur. Les premiers vont devenir des « saints ». C'est évidemment une névrose et non une sainte qualité. Leur raisonnement émotif est : « Tu vois, tu avais tort de ne pas m'aimer, je suis une très bonne personne. » Les autres vont faire l'inverse, ils vont devenir des bandits. « Tu m'as traité en bandit, watch-moi ben aller, je vais t'en faire un osti de bandit, moi. » En ce qui me concerne, je n'ai pas pris de chance, j'ai fait un peu des deux.

Quand on est parent, on voudrait beaucoup de choses pour nos enfants. En premier lieu, ne pas leur infliger ce qu'on juge que nos parents nous ont fait subir. Alors on crée nos propres bons coups et nos propres bêtises en croyant éviter un pattern, mais ce pattern est toujours mieux caché qu'on ne le croit. On ne passe pas à nos enfants ce que l'on veut. On leur passe ce que l'on a. Mes parents m'ont donc passé ce qu'ils avaient.

Je peux maintenant mettre en mots plus clairs ce que je ressentais confusément enfant ; que lorsqu'on subit des blessures et qu'on cherche vengeance, on ne fait que perpétuer le cycle de violence. Quand on vieillit, on devient gros et grand et on a plein pouvoir sur nos enfants. La rage enfouie n'éclabousse que très rarement ceux qui nous ont fait mal, généralement ils sont rendus loin. Les gens qui subissent les conséquences de notre colère sont toujours ceux qui sont le plus près de nous, ceux qu'on aime.

Très jeune, quelque chose en moi savait instinctivement cela. Bien sûr, pas en ces termes. Mais le « osti, y'est fou criss, moi j'vas jamais être de même » est tout aussi valable dans la bouche d'un enfant de six ans qui mange une volée que le « je ne chercherai pas vengeance » sous la plume d'un vieux musicien qui cherche sa paix. Je sais comment on fabrique les monstres, et maintenant j'apprends tous les jours à prendre soin d'eux... et de moi.

LES SEIGNEURS ET LES BIGRAS

De 1600 à 2017, de La Rochelle à Montréal

« Est-ce que j'en ai dans mon sang ? »

Je connais bien le processus : l'écrasement crée l'anxiété qui crée la rage. Je veux savoir si, moi, je porte ce gène de l'agression.

Bien sûr que je le porte. Mais il a fallu que j'aie mon fils (à trente-sept ans) et que je l'aie sobre pour comprendre que ma violence ne se trouvait pas là. Je n'ai jamais pogné les nerfs après mon fils, jamais eu envie de le frapper. J'ai eu cet avantage sur mes parents ; ma mère m'a eu à vingt et un ans. Cela dit, est-ce que j'ai été un bon père ?

J'ai bien fait pas mal de choses, mais il serait imbécile et naïf de croire que des problèmes enfouis si profondément dans mes gènes se sont arrêtés à ma porte. Ce n'est pas parce que je n'ai pas perpétué le cycle de la violence à la maison que j'ai mis fin au cycle de l'anxiété. Je l'ai transmis comme les autres. On passe ce que l'on a. L'anxiété et la rage de l'humilié se sont transportées depuis des siècles dans la famille Bigras. Certains s'en sont mieux tirés que d'autres. Mon père en était habité. Mon grand-père Bigras ne battait pas ses enfants, mais pouvait tout casser dans la maison quand la colère le prenait. Ça aussi, ça transmet l'anxiété aux enfants. Il avait lui-même été élevé à coups de chaînes dans la grange familiale. Une éducation d'une violence inouïe a fait de lui un écorché vif. Deux de mes oncles ont été hospitalisés pour sévère dépression, et un d'eux y est mort dans la souffrance.

Tout ça tracassait beaucoup mon oncle Simon Bigras. Il a fait un travail de moine pendant une quarantaine d'années afin de désembrouiller cette grande colère, d'identifier autant que faire se peut le malaise des Bigras et, ce faisant, le sien. Cette étude, qui couvre treize générations de Bigras, s'intitule

L'identité en héritage, et je crois que je peux dire que ça a été l'œuvre de sa vie. Mon père y a même participé. Mon oncle et lui étaient extrêmement proches. Sur son lit de mort, mon cher oncle Simon m'a demandé de lire son étude. J'ai eu des discussions extraordinaires avec lui pendant ses derniers jours.

La relation des Bigras avec les seigneurs est une histoire violente, faite d'abus, de vols et d'humiliations. Je l'ai lue avec avidité et avec passion.

L'histoire a volontairement oublié les Premières Nations dans notre inconscient collectif. Nous savons pertinemment maintenant qu'il y beaucoup plus de sang « amérindien » dans nos veines que ce que l'histoire nous en dit. Dans ma lignée, il y a donc une histoire « indienne » enfouie. J'écris « indienne » entre guillemets parce que c'est un terme mensonger ; les explorateurs cherchaient l'Inde et se sont plantés. Ils se sont aperçus de leur erreur, mais étaient trop orgueilleux pour la reconnaître complètement. Ils ont donc nommé les habitants de l'Amérique du Nord « Amérindiens », comme s'il existait une Amérinde…

L'histoire n'oublie pas seulement les Premières Nations. Mon oncle Simon était le premier à le reconnaître : une étude généalogique patrilinéaire ne présente qu'un très petit côté de la médaille. On y oublie les femmes, toutes les femmes, toujours les femmes. L'histoire, écrite par les hommes, a encore une fois abandonné nos mères.

Dans l'histoire de ma famille, treize générations de femmes ne sont pour ainsi dire jamais mentionnées. Remonter les branches généalogiques de sa famille par les pères repose sur une aberration, nous aurions dû remonter par nos mères. Elles nous ont vu sortir de leurs ventres, elles sont certaines de leur maternité. L'homme, lui, fait un orgueilleux acte de foi. Il prend la parole de sa femme et c'est très bien, il est crucial de prendre la parole de sa femme. Mais comme protocole de recherche scientifique, c'est complètement nul.

Treize générations, ça fait beaucoup de monde. Beaucoup plus de gens que ce qu'il me semblait à prime abord partagent mon arbre généalogique. Alors quand je parle de l'histoire des Bigras, je pense évidemment à beaucoup plus de Québécois que ce qui est indiqué sur cette lignée d'hommes orgueilleux et naïfs. Je suis aussi Lafortune, Lavoie, Champagne, Brisebois, Charron, L'Écuyer, Richer-Louveteau, Bautrion-Major, Brunet-Létang, Parenteau et Cholette par nos mères, de 1629 à aujourd'hui, mais je ne sais pas grand-chose sur ces membres de ma famille, tout aussi importants pour mon histoire que les Bigras. Sur ces treize générations, il manque 4995 personnes.

Ma lecture des branches de mon arbre généalogique ne forme donc pas une étude scientifique, mais a été excellente pour me permettre de visiter les méandres de la forêt de ma famille élargie. Doris Lussier disait que le pays, c'est la famille des familles.

Nos histoires de Québécois se rejoignent toutes. Je reste convaincu que des familles de fous comme la mienne ne sont pas l'exception, mais sont plutôt très près de la norme, chacune à sa façon. Le mignon modèle « papa a raison » proposé par tous les conservateurs de la terre n'est que tapis pour cacher la marde du chat. La nature humaine est bien plus complexe que tous les modèles proposés par des gens qui ne veulent que véhiculer des tabous. Il faut tout détaboutiser, il faut casser la gueule des silences ; les cochonneries qu'on garde secrètes finissent par pourrir en dedans de nous, et la paix ne se crée jamais dans l'ignorance.

L'étude faite par mon oncle révèle que mes ancêtres rochelais Bigras, Bigran, Bigros, Bigrau, Bigreau, Biguereau et Biguerelle étaient ce qu'on appelait des portefaix, des manœuvriers et des laboureurs à bras, catholiques et illettrés. Ils étaient de la classe de travailleurs la plus pauvre, celle qui faisait perpétuellement abuser d'elle. Ils vivaient au pied de La Rochelle, ville fortifiée protestante, dans une France catholique où le roi affamait son peuple pour mener son train de vie fastueux.

Les rois avaient besoin des seigneurs pour imposer leur loi au peuple. Ces seigneurs ne payaient donc pas leur juste part d'impôts, ce qui entraînait des taux d'imposition extrêmement élevés pour les autres classes sociales. Le petit peuple était le premier à souffrir. Les classes plus élevées hiérarchiquement pouvaient toujours taxer et esclavagiser les plus faibles. Histoire de notre civilisation, ça prend beaucoup de pauvres pour faire un riche. Le grand miracle de la démocratie n'est trop souvent que poudre aux yeux. La seule chose qui s'est vraiment transmise depuis la nuit des temps est ce système de caste.

Comme de nombreux autres Canadiens français, les Bigras souffraient beaucoup à cette époque. Ils subissaient humiliation sur humiliation. Ils vivaient dans la misère, dans la colère, souffraient d'une faible estime d'eux-mêmes. On leur rappelait perpétuellement leur petite condition. S'élever de quelque façon que ce soit leur était interdit, leur laissant deux choix et deux choix seulement: la soumission ou la rébellion. Ce qui causait énormément de ravages chez les Bigras, dont la profonde anxiété s'est transmise aux enfants par résignation et dépression, rage et violence, sur au moins treize générations.

À l'été 1682, François Bigras quitta La Rochelle, comme plusieurs, rêvant d'une vie meilleure dans la colonie. Il fut le premier Bigras de la Nouvelle-France. Comme beaucoup d'autres par la suite, il préféra faire la route de la trappe au lieu de «prendre ses responsabilités», comme le prêchait l'Église, et de se marier pour cultiver la terre et sa femme afin de créer d'autres petits Bigras obéissants. La résignation était violemment enseignée, et c'était à l'époque très mal vu de choisir l'aventure.

En ce qui me concerne, je me reconnais dans mon ancêtre, dans ceux qui ont choisi la trappe plutôt que la terre. Je me serais complètement éteint dans cette vie d'agriculteur, monotone et soumise aux seigneurs. Déjà, l'Église pointait du doigt les Bigras qui baissaient la tête et grognaient en silence.

Quand les Anglais ont envahi la Nouvelle-France, l'Église catholique romaine est immédiatement allée voir l'envahisseur pour lui proposer le même arrangement qu'elle a presque toujours appliqué au cours de l'histoire. Elle a fait la même chose avec les massacreurs de l'Amérique du Sud sous les ordres de l'infâme Cortez, et même avec l'Allemagne nazie. Bref, c'est la politique vaticane.

L'arrangement était simple: le dictateur anglais prendrait tous les postes et commerces avantageux, et en échange de son propre salut, l'Église allait s'assurer que les Canadiens français se comporteraient en bon peuple soumis. On appelle cela des «collabos». L'Église a par la suite sévi contre son propre peuple en utilisant la menace, le chantage et la violence. Cette culture a duré jusqu'à la Révolution tranquille et, quoi qu'on en dise, on n'en est pas tout à fait débarrassés aujourd'hui.

À force de se faire écraser, l'estime de soi se détruit. Les gens qui se font voler vivent comme ce qu'ils sont: des dominés. Et un dominé, ça a honte, c'est en colère, c'est triste. Et ça passe cette anxiété à ses enfants, qui la passent aux leurs. C'est un pattern, une génération après l'autre. Le pattern de l'enfer, qui fait que les gens, ne pouvant se révolter contre ces oppresseurs, ramènent leurs frustrations et leurs rages chez eux, faisant des dégâts. Créant d'autres rages, d'autres brisures.

C'est le mal qu'une minorité de gens, capables de détourner toutes les richesses pour eux-mêmes, réussissent à imposer aux autres. Il y a treize générations, c'était le roi de France. Plus tard, ce furent les Anglais qui ont gardé les meilleures jobs et les richesses pour eux, en laissant la merde à la majorité francophone. Maintenant, ce sont les boss de la grosse business internationale qui gardent tout. On les connaît, on les appelle les « un pour cent ». Moi je les appelle les « seigneurs ».

LA COLÈRE FAMILIALE

Papa me parlait de son père avec affection. Il me parlait avec fierté de ce qu'il appelait son « autorité naturelle ». Il me racontait que mon grand-père n'avait qu'à lancer un regard à ses enfants et ils s'arrêtaient de bouger, pétrifiés par la peur. Je sentais que mon père enviait et idéalisait cette autorité naturelle. Lui devait utiliser la force pour me terroriser. Moi, j'en dis que frapper ou terroriser un enfant démontre un manque total d'autorité. Et ça concerne tous ces soi-disant « meneurs d'hommes ». Facile de terroriser tout le monde quand tu es backé par tes boss. À un contre un sans témoins, ils sont très généralement beaucoup plus modestes.

Il faudra du temps au petit Daniel pour comprendre, pour remettre les choses à leur place. Son père passait pour le violent et sa mère pour la victime. Il est facile de reconnaître un colérique violent s'il a les deux poings dans les airs. C'est plus compliqué dans le cas d'une enragée silencieuse qui camoufle habilement sa propre rage sous une bonne couche de victimisation. On ne peut pas confronter une « victime », on ne peut pas la raisonner non plus et on ne peut pas se sauver. Dans tous les cas de figure, si on affronte une « victime », on est automatiquement un agresseur. Alors elle a toujours le dessus.

Si les deux forment un couple, c'est qu'ils se complètent. Mes parents se complétaient très bien à ce moment de leur vie. L'enragée passive-agressive semble tout faire par en dessous, et le colérique « pattes en l'air » fait un spectacle de sa colère. Alors on croit que tout est clair, exposé, mais c'est un mirage.

J'ai connu un couple de sado-masos, et je vous jure qu'on se demandait souvent lequel était lequel.

J'aimerais bien vous dire que c'est pas beau la colère, sauf que non seulement on n'a pas à la cacher, mais on n'a pas le choix de la ressentir, on ne peut pas l'enfouir, on va crever étouffé. Très bien, alors on fait quoi ? Pour commencer, on vise. Si on ne veut pas splasher partout, faut apprendre à viser. Ça prend pas un doctorat en sciences sociales, c'est tout simple. Première règle : ne pas faire de victimes. C'est LA règle essentielle. La deuxième : quand tu vois du laid, fais du beau avec, et ensuite, fais de l'utile avec le beau. Certains appellent ça « l'utilitarisme ».

Après ça, choisis tes combats.

Mon premier sera toujours contre le silence, la perversion et le tabou qui couchent toujours avec la colère cachée, qui elle-même tripote la fausse vertu, le bigotisme et le conservatisme hypocrite. Même ce conservatisme qui me déclenche régulièrement la colère, je le comprends ; c'est de la peur, la terreur que tout change et qu'on perde ce que l'on a.

Le chemin naturel en société, pour une victime qui a honte, est la plupart du temps le silence. Pour éviter d'être pointée du doigt, d'être désignée comme étrange, vaguement responsable de sa propre agression. Il faut briser cette honte et ce silence, ils portent la solitude et la destruction. Je suis bien placé pour le savoir. Ma famille a payé le gros prix pour l'apprendre.

Alors je refuse l'étouffement et j'occupe de l'espace, l'espace qu'on m'accorde et celui que je prends. Avec l'âge, c'est devenu pas mal le même. Quand je suis heureux ou non, tendre ou fâché, je le dis. Avec des tounes, des couleurs, des rires, des hurlements, de l'amour, du sexe (du beau sexe, pas de la merde égoïste). Des poèmes, des discours, des pamphlets, des jokes niaiseuses et de la voracité de vie. Je fais la guerre au malheur et j'existe férocement. Bref, je brasse de la marde, mais je ne reste pas là à m'étouffer dedans.

LES BRISURES DE MON PÈRE

Mon père a été élevé sur une ferme dans une famille de douze enfants, dont un mort à la naissance, par une mère qu'il trouvait froide (et que moi j'adorais – les relations sont généralement plus faciles quand elles sautent une génération). Il m'a raconté qu'elle le pinçait fort, très fort, et que c'est une violence qui l'avait marqué.

Ces grandes familles affectaient les enfants à la terre, mais il était coutume de prendre une des filles pour en faire une religieuse, et d'envoyer un des garçons chez les Jésuites afin qu'il fasse des études pour devenir prêtre. De ce que j'ai compris, ça ne s'est pas très bien passé entre mon père et les Jésuites, mais il a pu faire des études qui l'ont mené à une vie loin de la ferme. Il est devenu psychanalyste.

Mon père aussi était un écorché vif.

Pendant son agonie à l'Hôpital Notre-Dame en 1989, il acceptait de voir sa femme, ses enfants et même ma mère une fois. Mais il a refusé de voir sa propre mère, et ça lui a brisé le cœur. Elle m'en a parlé quelques années plus tard en me demandant pourquoi. Je ne savais pas quoi répondre.

LES POUPÉES RUSSES DE MA MÈRE

Ma mère est plusieurs personnes superposées, comme une poupée russe avec toujours une autre poupée en dedans et une autre qui n'est pas encore la bonne. On ne trouve jamais la petite, la dernière.

Elle avait une sœur, sa sœur aînée Micheline, diagnostiquée « attardée » ou « débile », c'est ce qu'on disait dans le temps. Je l'ai toujours crue un peu plus schizophrène qu'autre chose, et je la trouvais souvent plus intelligente que tout le monde. Évidemment, aucune aide n'était fournie aux familles en ce temps-là. Ma grand-mère a donc refilé ce poids trop lourd qu'était sa première fille à sa deuxième.

Ma mère a dû porter sa propre sœur comme un boulet toute sa vie. Elle n'a jamais eu le droit de jouer avec quelque ami que ce soit si elle n'emmenait pas sa grande sœur. Nulle part, avec personne, jamais. J'ose à peine imaginer sa vie sociale et ses premières amours. Elle n'a jamais pu faire de « necking » avec un amoureux dans une voiture au ciné-parc, avec sa sœur qui les observait de la banquette arrière. Elle n'a même jamais pu aller sur cette fameuse banquette arrière. Elle a été forcée par sa mère à être une mère contre son gré, étouffant toute son enfance et son adolescence.

Je crois qu'elle s'est mariée en grande partie pour échapper à tout ça, pour pouvoir enfin essayer, une fois dans sa vie, de profiter de son temps à elle… et là je suis arrivé. Alors non, elle n'était pas particulièrement enchantée, et je la comprends.

Au Québec, je suis très loin d'être le seul dans cette situation. Quand les curés lapidaient publiquement nos grand-mères parce qu'elles ne pouvaient pas avoir un dix-huitième enfant, croyez-vous que ça a donné des bébés très aimés ? Socialement, ça a créé la fameuse « revanche des berceaux » qui a redonné une majorité aux Québécois francophones, mais individuellement, ça a créé quoi ? D'après moi, beaucoup d'aînés ont peut-être été désirés, mais les autres ? Les quinzièmes, seizièmes ? Je suis persuadé que cela a créé des générations de mal aimés qui ont été forcés d'être plus créatifs que d'autres pour l'amour, et pour tout.

Ma mère a dû reprendre le contrôle dont elle avait été cruellement privée toute sa jeunesse. Au lieu de devenir une guerrière comme les Bigras, elle a choisi le silence. Ma mère est devenue Machiavel. Ma mère était hot en maudit. Elle a choisi de manipuler les guerriers, et les guerriers sont très facilement manipulables. Elle s'est réfugiée dans le silence des stratèges, sous des couches de silence épaisses comme des murailles.

Pour prétendre connaître un tant soit peu ma mère, il faut gratter ces couches. Elle vivait dans un secret si profond et si déroutant que personne n'a pu bien la comprendre. Ses proches comprenaient une couche ou deux… moi, avec le temps, trois, mais au fond, elle était un coffre barré à double tour enfermé dans une cellule cachée dans une forteresse au fond d'un brouillard de solitude.

Une maladie comme faite sur mesure a enfoncé la fin de sa vie dans la démence et le silence. Cette maladie semblait presque avoir été commandée par elle, comme on commande une pizza. Ce n'était pas une maladie mentale, mais bien un lupus. Une jolie merde dégénérative rare et imprévisible qui, après s'en être prise à ses poumons, la noyant presque dans son sang, s'est attaquée au lobe frontal de son cerveau, lui enlevant sa mémoire, et même jusqu'à sa tristesse.

Une maladie qui semblait lui éviter le ménage qu'on doit souvent faire avec ses proches et soi-même avant de mourir. J'ai pris ça un peu comme si ma mère avait préféré son silence muraille et les questions non résolues. Comme si elle avait préféré garder ses cartes dans son jeu et contrôler tout son petit monde. Ma mère a souffert de rage profonde, mais a dû choisir la ruse plutôt que les poings. Elle est donc devenue psychanalyste.

On appelle ça des « cordonniers mal chaussés ». Une expression que j'ai toujours trouvée un peu cave. C'est évident que si on devient cordonnier, c'est justement parce qu'on est mal chaussé. Même chose pour les psychanalystes. Ils deviennent spécialistes de ce qui les fait souffrir. Les psychanalystes font partie des cordonniers qui vont passer leur vie à tout faire pour se chausser.

Beaucoup de gens souffrants sont devenus psys afin de mettre des mots sur ces mystérieux maux qui les dolorifiaient. Mais je crois aussi que ma mère a travaillé très fort pour être psychanalyste afin de devenir experte dans l'art de « ne pas dire ». Elle s'est protégée jusqu'à sa mort, et même entourée de ses enfants, à mon avis, elle est morte seule. Quoique si papa est devenu un psychanalyste-écrivain connu dans la francophonie, je n'ai de toute ma vie jamais rencontré aucun de ses patients, alors que j'ai rencontré plusieurs ex-patients de ma mère qui gardaient un souvenir extraordinaire de leur thérapeute. Et elle a même trouvé des idées pour moi aussi…

Petit Daniel est certain qu'elle ne l'a jamais aimé, moi je suis pas mal certain du contraire. J'ai le souvenir d'une crise d'asthme extrêmement violente qui, un soir de mon enfance, m'a fait passer la nuit à quatre pattes sur mon lit, seule façon de pouvoir respirer un tout petit peu. Il n'y avait pas de médicament connu contre l'asthme en ce temps-là. Le dernier souvenir que j'ai eu en m'endormant était ma mère assise juste à côté de mon lit m'observant, inquiète. Quand je me suis réveillé le matin, toujours à quatre pattes, elle était toujours là. Pour moi, c'est énorme.

J'ai aussi entendu plusieurs fois ses amis me raconter à quel point elle parlait de moi avec affection, et même avec fierté. C'était juste devant moi que toutes ces belles choses se cognaient à je ne sais quoi. Devant moi, elles ne sont jamais sorties.

MES DEUX FRÈRES

Je suis le plus vieux. Jean-François est le deuxième et me suit de quatre ans, de distance prudente. C'est un super gentil petit frère, mais très silencieux. Il garde tout pour lui.

Petit, il me semblait mélancolique. Un jour, sur le voilier de mon grand-papa maternel (que j'appelais gros-papa, ne comprenant pas l'idée d'appeler quelqu'un « grand » alors qu'il était gros), j'ai été surpris d'entendre mon frère siffloter. Il semblait avoir le cœur léger. Je ne le connaissais pas comme ça. Des années plus tard, je lui ai rappelé ce moment, en lui disant qu'il m'avait donné l'impression de vouloir se construire un bateau pour fuir les Bigras. Il m'a répondu avec un joli sourire que je n'avais pas tout à fait tort.

J'ai un souvenir rigolo de l'âge de la préadolescence; ma grand-mère paternelle avait demandé à Jean-François s'il suivait les traces de son grand frère. Il a répondu que quand il voyait mes traces, il avait plutôt tendance à partir à courir dans l'autre sens.

Jean-François est devenu ingénieur naval, s'est construit plusieurs bateaux et est souvent parti voir ailleurs si les Bigras n'y étaient pas.

Mon frère Guillaume, le benjamin, sept ans plus jeune que moi, était la star de la famille. Extraverti, il serait devenu acteur, et brillant acteur d'après moi. Il était aussi assez énervant. Passait son temps à nous picosser. Et quand on partait après, il se cachait dans les jupes de ma mère en nous faisant des grimaces. Je le comprends, c'est une arme de petit dernier contre deux grands frères qui le torturaient quand même pas mal. On jouait au football tous les trois, et il en avait plein le cul d'être toujours le ballon.

Entre Guillaume qui voulait devenir acteur, mon père qui était écrivain et moi qui voulais être musicien… avec les egos qui venaient avec et toute la place qu'on prenait, je suis surpris que Jean-François ne soit pas devenu aviateur pour sacrer son camp plus vite.

L'ÉGLISE ET LA FAMILLE

« Si on essaie de te vendre un sauveur qui marche sur l'eau, capote pas. C'est juste qu'il ne sait pas nager. »

Dans mes premières années à l'école primaire, quand je n'étais qu'un (le grand Dan n'était encore qu'un rêve très flou), ma relation avec les enculteurs de Dieu était déjà difficile. Les curés, qui avaient pour mission de faire de nous des enfants sages et pieux, nous avaient dressés une journée entière à être de « bons enfants » pour nos parents. C'est-à-dire qu'ils continuaient de faire la même job depuis des siècles : faire de nous des moutons obéissants qui ne remettront jamais en cause l'ordre établi. Ils nous avaient entre autres consciencieusement entraînés à toujours répondre à nos parents par un très docile et surtout très prononcé « Oui papaa, oui manman », avec un accent qu'ils estimaient être « à la française » et articulé de façon extrêmement pointue. Une espèce de « à la française dans un français qui n'existait pas ».

En rentrant de l'école, donc en état de semi-terreur et toujours prêt à essayer de nouveaux trucs pour éviter la claque su'a gueule, je me suis mis à répondre allègrement à mes parents comme on me l'avait enseigné toute la journée, avec un accent français que les Français auraient probablement trouvé très drôle :

— Oui papaa, oui manman.

Ce qui, évidemment, m'attira une retentissante mornifle de la part de mon père qui me demanda :

— Es-tu devenu fou, criss ? Qu'est-ce qui te prend ? Pourquoi tu te fous de notre gueule comme ça ?

Et pour la première fois, j'ai senti les raisins de la colère grimper dans mon esprit.

— Voyons calvaire ! Les ostis de curés de marde nous ont forcés à faire ça toute la journée, sinon on se pognait des coups de règle sué doigts. Moi je fais c'qu'ils disent pis j'prends encore une claque su'a gueule. Faut que je fasse quoi au juste?

Mon père rougissait sous mes propos orduriers, qui commençaient à ressembler aux siens. Il semblait même ému. Il finit par dire:

— Désolé mon fils, c'est de ma faute. Ça n'arrivera plus.

Je l'entends encore marmonner dans le couloir:

— Les ostis de curés de mon cul. Je vais les placer juste une fois, tu vas voir.

Je ne sais pas ce qu'il leur a dit, mais ça a semblé très clair, et ce fut la fin immédiate et abrupte du programme «oui papaa, oui manman».

Et moi ce soir-là, pas encore tout à fait calmé, je me suis pris pour la première et dernière fois à engueuler Dieu.

J'y repense en souriant. Maintenant, j'engueule encore un peu les curés, mais jamais Dieu. Je n'engueulerais pas le père Noël non plus, je ne crois pas plus à l'un qu'à l'autre. Mais encore aujourd'hui, je ne cherche jamais à former des enfants sages. J'aime beaucoup mieux les enfants heureux.

LE FANTASME

Presque tous les jours de son enfance, petit Daniel montait sur une chaise pour essayer de s'imaginer ce que ça faisait «d'être grand». Il asticotait sa grand-mère chaque fois qu'il la voyait pour qu'elle le mesure. Personne ne s'en était aperçu, mais grand Dan était déjà en construction dans sa tête.

À ce jour, si je mesure six pieds trois pouces (deux pouces… Je viens de me mesurer, et ce n'est pas une légende urbaine, on rapetisse avec l'âge), je suis à peu près convaincu que je l'ai fait exprès. Un peu comme ces petites filles mal aimées qui deviennent des beautés. La beauté ne me semblant pas représenter le meilleur investissement en ce qui me concernait, j'ai donc choisi les hauteurs. C'était plus atteignable... et peut-être plus sécurisant.

Plusieurs petites filles devenues grandes et belles ont été amèrement déçues par leur grande beauté. Pourquoi ? Parce que la beauté est consommable. Souvent, les petites filles mal aimées devenues de très grandes beautés sont beaucoup plus consommées qu'aimées. Elles n'ont donc jamais été réchauffées ou aimées de façon réconfortante. Moi j'ai juste grandi, c'était moins compliqué.

Devenir connu, c'est autre chose. On est aimé parce qu'on a fait quelque chose. Faut être prudent, on ne vaut que ce qu'on vient de faire. Moi ça me convient parfaitement, je réussis une chose, rate l'autre, on parle de moi, on m'oublie. Ça m'est arrivé tant de fois que je ne me juge plus sur une réussite ou un échec. Les gens m'ont donné cent fois ce que je demandais. Je suis comme La Poune, je ne rigole pas avec l'amour du public. Ce n'est pas l'amour de mon fils ou de ma blonde, ce n'est pas l'amour d'un ami intime, mais c'est un vrai amour à prendre très au sérieux. On croit souvent rêver, mais c'est très réel. Ça part et ça revient.

Quand tu es petit, tout est rêve. Même devenir alcoolique comme un méchant dans les films peut devenir un fantasme. Assister en cachette à ton propre enterrement pour voir les gens qui t'ont battu pleurer en disant de belles choses sur toi est le fantasme de plusieurs.

Alors être grand, fort, aimé, tu peux en rêver. Mais pour le devenir, il faut une stratégie.

LE PLAN

« Un plan, c'est un fantasme avec un deadline. »

Je me souviens encore clairement de l'image d'un clavier de piano à la hauteur de ma tête, je devais être très petit, et des doigts de ma mère qui jouaient dessus. Elle était réellement inspirante. D'ordinaire si froide, quand elle écoutait Brel, Ferré ou Piaf, une larme coulait toujours sur sa joue. Ça me bouleverse encore. Je ne suis pas étonné d'être devenu musicien.

Ça n'a pas pris longtemps avant que je commence à gosser sur le piano. Comme ma mère voyait que je faisais n'importe quoi (ce que j'ai d'ailleurs continué de faire toute ma vie), elle a décidé de m'engager une prof de piano. Elle ne voulait absolument pas m'enseigner quoi que ce soit elle-même. Encore aujourd'hui, je suis plutôt d'accord avec elle. Avec mon déficit d'attention et sa colère, ça aurait tourné en guerre nucléaire.

Mon prof se nommait Hélène Huard. Un petit bout de bonne femme extraordinaire. Elle me donnait un morceau classique à apprendre en deux semaines. Deux semaines plus tard, en constatant que je n'avais même pas pratiqué, au lieu de me donner plus de temps, elle m'en donnait moins.

— Si tu apprends ton bout de sonate en une semaine, la semaine d'après je te montre un boogie-woogie.

Oups ! Là ça devenait très intéressant. À ce jour, si je peux enligner deux phrases musicales et que ça ait une forme, c'est grâce à elle.

Quoique c'est le délire qui m'a construit en premier. Je pouvais m'enfermer dans mon piano pendant quatre, cinq heures. Je n'entendais plus le monde « réel ». Personne ne venait me taper dessus, me parler, me faire chier. Dans ma chambre dans la cave, j'étais seul, et j'étais bien dans mon piano-spatial.

Papa m'avait acheté le dernier *live* des Rolling Stones, *Get Yer Ya-Ya's Out*. Plus tard, je découvrirai ceux de BB King, Robert Johnson, Muddy Waters, Luther Allison et bien d'autres. J'écouterai James Brown. Et même si j'aime beaucoup les Stones, regarder Mick Jagger danser juste après James Brown, c'est plutôt rigolo. Personne n'arrivait à la cheville du « King of Soul ». Le blues me tuait presque à force de me faire revivre, à grands coups de « *my baby left me* ».

Tout ça constituait un univers musical extraordinaire pour le petit Daniel en manque de rêve. Mes parents m'ont donné ça, ce n'est pas rien.

Et ça a mené à quelque chose un certain soir d'automne.

Je m'en souviens de façon très nette. Je dois avoir sept ou huit ans et je suis assis à l'arrière de l'auto de mes parents. Je mélancolise doucement ma vie de jeune qui n'ira nulle part, tandis que nous passons sur la rue Saint-Laurent. À ma gauche, j'aperçois un gros écriteau blanc sur rouge où est écrit : « Piano bar ». Je vois un gros monsieur noir y entrer. Il allait probablement juste y prendre une bière, mais dans ma tête d'enfant, il jouait là. C'était lui, le pianiste du piano bar.

Alors le déclic se fait automatiquement. Je sais ce que je vais faire de ma vie : je serai un gros monsieur noir qui jouera du blues dans un piano bar.

LA SOIGNITUDE

Il faut écouter les rêves des enfants. Si on leur permet de s'exprimer, ils connaissent leurs besoins, leurs aspirations, leurs rêves. Il faut faire attention avant de rejeter le rêve d'un enfant parce qu'il est farfelu. Plus le rêve semble farfelu, plus il est personnel. Si un jeune rêve de devenir pompier, comptable ou danseur avec des plumes dans les oreilles, il faut respecter son rêve. On a toujours peur que nos enfants se fassent mal. Nous sommes prêts à endurer beaucoup de choses pour nous-mêmes, mais pas pour nos enfants. On a peur que s'ils s'éloignent d'un coin de rue de trop, ils vont se faire casser la gueule par une gang de glutens. Je comprends cette peur, je la ressens moi-même, mais en leur évitant toujours de se casser la gueule, on les empêche d'apprendre à se relever, et c'est la chose la plus importante qu'ils devront apprendre, qu'on le veuille ou non. Félix Leclerc disait: « Malheur à celui qui n'est jamais tombé. »

J'écoutais le commandant Piché, cet extraordinaire pilote de ligne qui a réussi à poser un avion en vol plané sur une île grosse comme un kleenex dans l'océan, sauvant la vie de centaines de personnes. Il disait:

— Le première chose que tu dois faire quand tu te rends compte que l'avion ne vole plus, c'est prendre une décision.

— Ah oui, pis si elle n'est pas bonne?

— Tu la renverses. Pendant ce temps-là, tu as pris deux décisions au lieu de zéro.

Voilà. On ne peut pas laisser zéro décision à nos enfants sur leurs rêves. Si leur rêve n'est plus bon pour eux, ils changeront. Et auront pris deux décisions au lieu de zéro.

Ce rêve d'enfant dans sa bulle, assis à l'arrière de l'auto de mes parents, m'a tout donné. La vision que j'ai eue ce jour-là, ça a été mon grand plan de carrière et, ma foi, j'ai pas trop mal réussi; j'ai été ce gros monsieur noir qui a joué dans les bars de blues près de dix-huit ans.

Et au fond, c'était ça le plan, le seul: être un gros monsieur noir qui sait d'où vient son blues et qui sait en faire quelque chose, briser le silence de la honte et de la solitude en construisant de la fierté et de l'amour fou par la musique, avec un public venu briser ses propres solitudes dans le même bar, tous ensemble.

On chenille-papillonne comme on peut.

PLUS JAMAIS

Mon père chenille-pape aussi. Un jour, il me convoque à son bureau de son air sérieux. Sérieux, mais pas furieux. Je ne suis pas trop inquiet. Il me regarde dans les yeux et me dit :

— Je sais ce que je t'ai fait. Je le sais et ça n'arrivera plus jamais.

J'étais sidéré. Je n'osais pas trop y croire. J'aurais dû, il a tenu parole. Ça a l'air que c'est extrêmement rare chez les hommes violents. Moi, ça m'a montré qu'il essayait de toutes ses forces de se soigner… et aussi, encore une fois, qu'il m'aimait.

LE DIVORCE

J'ai douze ans. Moi et mes frères sommes, comme à chaque année, dompés dans un camp de vacances. C'était la grande mode en ce temps-là, et ça donnait un break d'un mois à tous les parents qui en avaient un peu plein le cul de leurs enfants au bout des onze autres mois. Malgré la violence de mes parents, j'étais toujours paniqué quand je m'éloignais trop. Je m'ennuyais pour mourir tout l'été et je n'arrivais pas à m'amuser.

C'est assez courant chez les enfants insécures : ils voyagent mal. Les enfants tenus émotivement au chaud et rassurés par l'amour de leurs parents partent plus facilement et vont plus loin plus longtemps, parce qu'ils savent qu'ils pourront revenir, se faire aimer et réchauffer le cœur.

À chaque année, mes frères et moi étions donc plutôt contents quand mes parents venaient nous chercher. Mais cette année-là, nous avons été un peu surpris quand ma mère s'est pointée seule. Il y avait du malaise dans l'air. Ma mère nous a amenés à son chalet à Saint-Sauveur pour nous expliquer que nous ne reviendrions plus à la maison. Papa et elle avaient divorcé. Je n'ai rien dit, mais je suis parti me promener dans le bois, une étrange boule dans la gorge.

Plus tard, ma mère me demandera :

— Tu n'as jamais remarqué que ça n'allait pas bien entre papa et moi ?

Et dans ma tête : « Euh… non. Quelle étrange question. Si vraiment j'avais été capable de remarquer des choses, j'aurais commencé par remarquer que ce n'était pas normal de manger des volées. »

Papa était, disons… volage. C'était le terme accepté dans ce temps-là. Chaque été, il partait en séminaire chez un ami psychanalyste italien. Un mois par année en Italie, je crois que ça devait les reposer de leur couple. Finalement, ce mois-là servait à prendre des vacances de tout le monde dans cette famille.

Un jour, ce psychanalyste fait « la » gaffe : il téléphone à la maison pour parler à mon père qui n'est pas là. C'est donc ma mère qui répond. Il lui dit étourdiment :

— Ah Mireille, si tu savais à quel point je suis content que tu viennes enfin nous rejoindre cette année…

Ma mère l'a immédiatement interrompu :

— Ah non. Je suis désolée, mais ce n'est pas moi.

Oups.

L'ami de papa a raccroché, et elle n'a pas fait de scène. Mon père est parti avec sa maîtresse, qui allait des années plus tard devenir sa femme, et quand il est rentré le mois suivant, les huissiers étaient dans la maison. Paniqué, ses seuls mots ont été :

— Criss, mes enfants.

Après le chalet de ma mère, nous avons donc emménagé dans notre nouvelle maison avec elle et, bien sûr, sans notre père. Elle lui avait laissé la maison contre une pension, avait gardé son chalet et avait pris les trois enfants. Mon père était dévasté. Moi j'étais triste, mais au moins je n'étais plus menacé par ses humeurs, qui restaient quand même... changeantes.

Mon caractère troublé ainsi que mon déficit d'attention non diagnostiqué transformaient mon école en osti d'enfer sur terre. J'y étais tellement mauvais, et comme les profs ne semblaient pas me croire vraiment stupide, ils concluaient tous à de la mauvaise volonté. Ça rendait ma mère folle de rage. Elle appelait mon père pour qu'il vienne me «discipliner». Je savais très bien ce qu'elle voulait dire et j'en avais une trouille bleue, mais papa ne lui obéissait plus. Il venait me parler doucement, gentiment, essayant de comprendre. Ce qui enrageait encore plus ma mère.

Après son divorce, elle a dû faire son doctorat pour ne pas perdre son poste d'enseignante à l'UQAM. Ça a été extrêmement dur pour elle. La société ne se rend absolument pas compte de tout ce qu'on exige d'une femme qui veut se construire une vie avec trois morveux à la maison. Elle fut laissée à elle-même et a quand même réussi. Ma mère était une battante. Mais bon, les difficultés qu'elle devait perpétuellement affronter ne la rendaient pas vraiment souriante et enjouée.

Un jour, elle reçoit mon dernier bulletin. Mes notes sont minables, je ne comprends rien aux cours. Elle pleure et me dit qu'elle n'en peut plus.

— J'ai tout fait pour toi mais je ne peux plus. Tu es un monstre.

Elle a littéralement utilisé le terme « monstre », pas comme une expression, mais au sens propre, pour cogner. Ça a cogné. N'étant pas assez forte pour me battre elle-même et papa refusant désormais de le faire, sa rage devait s'exprimer autrement. Elle m'annonce qu'elle me renvoie chez mon père.

— Non non non, osti, pas ça…

Je suis vert de trouille et j'ai les larmes aux yeux, je n'ai aucune confiance au calme passager de mon père, mais je le vois bien, elle est contente. Cette fois-là, elle m'a enfin cassé.

Je retourne donc vivre chez mon père en marchant sur la pointe des pieds. Plus tard, elle renverra aussi Jean-François, puis Guillaume. J'avais compris. Elle ne nous avait pas vraiment pris à mon père par amour, même si elle nous aimait, mais par vengeance. Je crois aussi qu'elle avait besoin de sa liberté… Elle n'en avait jamais eu.

Des années plus tard, Jean-François me dira :

— Coudonc, elle nous a pas beaucoup protégés, hein ?

Quand je reviendrai de mes années à Québec, je la confronterai à ce sujet. Elle me dira de son ton de psy, comme si j'étais un patient récalcitrant et un peu borné :

— Non non, c'est parfaitement normal. Ma théorie est qu'il faut toujours tout dire à ses enfants.

Je n'en ai plus reparlé. Je me trouvais déjà assez fou comme ça, pas besoin de m'obstiner avec une psy ratoureuse.

HENRY

Mon père a refait sa vie avec Zab, sa maîtresse qui est devenue ma belle-mère et que j'ai, jeune, beaucoup aimée. Ma mère a eu deux tentatives de couples. Un début d'amourette à distance pas conclue avec Robert Rivoirard, ingénieur vivant au Maroc qui s'est tué dans un accident de voiture là-bas. Puis une liaison avec celui qui est devenu un peu pendant quelques années mon beau-père : Henry Morgentaler.

C'était un homme d'une force de caractère extraordinaire. Il a mené une lutte incroyable pour faire reconnaître le droit des femmes à un avortement légal et sécuritaire. Évadé dans sa jeunesse du camp de concentration de Dachau avec son frère lors d'un bombardement allié, il a ensuite immigré au Canada où il a obtenu son doctorat de médecine en 1953.

Il a été envoyé en prison en 1975 par un tribunal d'appel qui avait outrepassé la décision du peuple, c'est-à-dire du jury. Henry ayant vécu le ghetto de Łódź et les camps d'extermination d'Auschwitz et Dachau, la prison ne le terrorisait pas vraiment. Une fois en dedans, il y eut une chicane entre les gardes et lui, et ils l'ont… brassé. Ce qui lui a déclenché une crise cardiaque. Jérôme Choquette, alors ministre de la Justice sous le gouvernement Bourassa, qui le persécutait autant qu'il pouvait, a eu une sainte frousse d'en faire un martyr. Tout le monde se serait soulevé contre lui, son gouvernement et tout ce qu'il représentait, transformant la victoire de le foutre en prison en défaite. Il a immédiatement transféré Henry dans un centre pour personnes âgées dans Ville-Mont-Royal, où ma mère, mes frères et moi allions le visiter régulièrement.

Henry a fini par gagner en cour suprême, et malgré toutes les menaces, attaques du pouvoir et attentats d'illuminés dangereux, il a fait progresser le droit des femmes à décider elles-mêmes de leur corps. Avant lui, c'était toujours des hommes qui imposaient aux femmes leurs décisions arbitraires, sous forme de lois et, plus tard, de comités de médecins hommes. C'était toujours la même chose. Le pouvoir appartenait à des hommes qui prenaient des décisions à la place des femmes même si, évidemment, étant des hommes, ils n'auraient jamais eux-mêmes besoin d'un avortement. Ce qui avait pour effet de forcer les femmes à avoir recours à des charlatans ; elles se faisaient atrocement mutiler et souvent elles en mouraient.

Ces hommes se donnent toujours de beaux titres. Pro-vie. Comme si les femmes étaient pro-mort. En fait, ils ne sont pas plus pro-vie que nous ne sommes pro-mort, ils sont anti-choix pour les femmes. Point.

De grandes victoires ont été remportées par les femmes, mais les rétrogrades veillent toujours. Toujours prêts à faire passer le droit du fœtus avant celui des femmes. Le fœtus ne parlant pas, la décision serait prise par des hommes. Brian Mulroney avait à l'époque déclaré : « Mon sens moral m'interdit d'appuyer le recours à l'avortement. » Eh bien, si tu considères que ton sens moral d'homme est supérieur à celui de centaines de milliers de femmes, tu ne te prends pas pour de la marde de pape.

Comme beau-père, Henry était vraiment super. Il avait été champion d'échecs en Pologne et c'est lui qui m'a appris à jouer. On jouait toujours de la même façon ; il me laissait commencer et à un moment donné il tournait le jeu, prenant donc mes pièces et me laissant les siennes, et me disait :

— Tu as trois coups pour me battre.

Comme chum, il était un peu différent. Vers la fin de leur vie commune, ma mère m'a raconté qu'elle le croyait avec deux femmes en même temps. Elle a donc mis fin à leur relation. Pour elle, ce fut, je crois, sa dernière. Elle a fini sa vie seule, en pestant contre mon père.

TDA, H OU PAS

Quand tu passes ton temps à survivre à tout à la maison, tu arrives à l'école la tête beaucoup trop pleine et bien trop fatigué pour apprendre quoi que ce soit. Alors ton esprit rêve. C'est ce qu'on appelle maintenant le « déficit d'attention ». À l'époque, personne ne savait ce que c'était.

Mon esprit laisse entrer certaines informations et bloque les autres. C'est toujours comme ça aujourd'hui, je ne choisis pas. La grande majorité des métiers nécessitent une attention que je n'ai pas. L'écriture part toute seule, pour elle-même, sans me demander mon avis, désordonnée. La musique aussi.

J'entends plein de mélodies, beats, harmonies, quelquefois avec des centaines d'instruments dans ma tête. Faire le ménage est plus complexe, mais il finit par se faire, alors seulement j'enregistre. Je ne mets jamais les pieds dans mon studio avant que la chanson ne soit finie. Et là, tout va vite. Tout se confirme ou s'infirme. Ça se tient debout ou pas. Le moi « musicien écriveux » n'accepte de dialoguer avec le « moi producteur » que quand toute son idée a été poussée jusqu'au bout.

C'est ce que je sais de moi maintenant, et ça me fait une très belle vie. Le fait que des gens m'ont suivi là-dedans a brisé l'image de bon à rien que j'avais de moi-même. Mais quand tu es petit et que personne, même pas toi, ne te sait, tu es seul. Littéralement. Ça va plus loin qu'une solitude. Les autres ne te savent pas, donc tu n'existes pas.

La seule explication possible à tes échecs scolaires est que c'est quelque part de ta faute, toujours. Tu es débile ou tu fais exprès. Les comportements écrasants des adultes sont constants et te répètent toujours la même chose : « C'est de ta faute. »

C'est comme ça pour tellement d'enfants. C'est un cercle vicieux érigé en système dont l'enfant ne sort jamais. Quand on ne savait pas ce qu'était un déficit d'attention, on ne pouvait pas faire grand-chose, mais maintenant on sait. Que nos gouvernements coupent dans l'aide aux enfants est extrêmement dangereux, violent et destructeur. Nous pouvons aider nos enfants à se construire, mais nous ne le faisons pas. On fabrique tellement d'enfants foutus. C'était vrai à l'époque, ça l'est toujours aujourd'hui.

Après le choc du divorce et les années d'ajustement, ma vie continue. Je suis toujours aussi pourri à l'école. Pour éviter que je coule mon année, mon père a réussi, je ne sais pas comment, à me faire inscrire au secondaire IV dans une école pour adultes. Pour moi, c'est plus rapide, mais pas plus facile. J'étudie comme un malade, mais je panique, je ne comprends à peu près rien et j'oublie tout. Mon père, croyant comme tout le monde à un problème de paresse, croit malin de me forcer à faire deux heures d'étude chaque soir dès mon retour à la maison.

Il faut le comprendre. Pour lui, les études représentent ce que la musique représente pour moi. C'était la seule façon qu'il a trouvée de se construire à sa façon. Il est donc très triste et inquiet que ça ne fonctionne pas sur moi. Zéro pis une barre.

Alors évidemment, je ne fous absolument rien à la maison. Ce que je ne comprends pas le jour, je ne le comprends pas plus le soir. Un de mes trucs, c'est d'aller à la toilette pour rêvasser et gagner du temps à en perdre, avant de commencer à faire semblant de travailler.

Un jour, il m'attrape et me fait adorer son sens de l'humour. Ma mère avait cette perversion consistant à se donner le beau rôle en me psychanalysant chaque fois qu'on n'était pas d'accord. Mon père, jamais. Ça ne faisait pas partie de ses armes. Toutefois, ce jour-là, il me dit en souriant des yeux:

— Je viens de comprendre ce que tu as. Je vais te l'interpréter psychanalytiquement.

— Ah ouin?

— Ah ouin. Travailler, ça te fait chier.

On a rigolé comme des bossus pendant dix minutes. Ça a été un joli instant de complicité entre mon père et moi.

BRIGITTE

Mon premier grand amour adolescent s'appelait Brigitte. Pendant quelque temps, elle a tout changé. Jusque-là, ce que je pensais de moi, c'était que j'étais quelque chose de pas digne d'amour. Elle, elle me disait et me répétait sur tous les tons qu'elle m'aimait. Le paradis existait donc.

Tout se réparait d'un seul coup avec elle. Alors, comme fou, je faisais des projets d'avenir, des projets d'amour, peut-être même un jour des enfants, qui sait. La passion a été dévorante. On faisait l'amour tout le temps. Puisqu'elle me répétait toujours son amour, timidement, j'ai commencé à lui dire le mien, en mots, en vrais mots qui résonnent, qui ne sont pas que des pensées, qui rendent tout ça vrai et tangible.

Et un jour je lui téléphone. Elle ne me répond pas. J'ai un sentiment étrange. Généralement, le téléphone ne sonnait qu'une fois et elle accourait pour répondre à grands coups de jet'aimemonamour. Je faisais la même chose.

Je la rappelle le lendemain. Toujours pas de réponse. Trois fois, quatre fois. À la cinquième, une voix de gars me répond :

— Elle veut pas te parler. Elle dit que tu l'as suffisamment fait souffrir, pis moi, je m'occupe de sa sécurité...

Sécurité ? Fait souffrir ? Tout tourne dans ma tête. Je ne l'ai jamais menacée, on ne s'est même jamais engueulés ni tapé sur les nerfs. Et soudain, l'explication rentre dans ma tête comme une balle de fusil : elle m'a laissé pour ce gars qui m'a répondu au téléphone, et elle n'a même pas eu le courage de me le dire.

Aujourd'hui je comprends. C'était une jeune fille aussi troublée que moi qui avait un besoin pathologique de jouer à l'amour, mais avec moi, elle ne pouvait que jouer. Sauf qu'à l'époque, je me croyais enfin digne d'amour, et quand elle est partie, ça a volé en éclats. Criss, moi j'y avais cru.

Bon, me suis fait des châteaux en Espagne. Ma fin du monde. Le reste s'est passé dans mon cerveau de robot. Vide, plus d'émotions. J'ai continué à faire automatiquement ce que j'avais à faire, comme si j'étais quelqu'un d'autre. T'es pas bon, t'es de la marde. Va donc chier, va donc te tuer. Plus rien pour toi ici.

Je n'avais jamais identifié mon black fog. Churchill l'appelait son black dog… Mon brouillard noir s'est présenté à moi. Enchanté, moi c'est Daniel.

Avec le temps, j'ai appris à bien l'aimer. Quand il me pogne la gorge, ça déclenche toujours des changements importants pour moi. Mon brouillard est une catapulte. Il fait, comme le soleil, partie de ma construction, alors on est pas fâchés.

C'était quand même sa plus grosse attaque. Cette fois-là, il m'a littéralement transformé en zombie. Plus de pensées, plus de sentiments, le vide. Comme un robot déprogrammé, je suis entré dans un restaurant de l'avenue du Parc, j'ai fait semblant de vouloir aller aux toilettes, ramassé un couteau à steak, suis sorti par en arrière, me suis trouvé un endroit calme dans une ruelle et me suis ouvert les veines.

Me suis réveillé à l'Hôpital Sainte-Justine. Un médecin zouf qui avait dû gagner son doctorat au poker m'explique que ce-n'est-pas-bien-de-faire-cela-c'est-beau-la-vie. Câlisse, j'espère qu'il travaille pas en psychiatrie.

La petitesse de mes cicatrices démontre que je ne voulais pas vraiment mourir. Mais je ne savais plus vivre. Il n'y avait plus aucune solution, aucune sortie.

J'ai quand même fini par comprendre que la belle Brigitte devait me trouver lourd à réparer. Qu'il faudrait donc que je me remette en un morceau plus loin, sans faire porter ça à une pauvre fille qui en avait suffisamment sur les épaules avec la faim dans le monde sans avoir à porter mon osti de cas en plus; le seul « plus loin » que je connaissais était dehors. Hors de la maison, hors de l'école et hors de la ville.

DÉPART POUR LA RUE

J'ai seize ans me semble. Je vis toujours chez mon père, et je dois dire que je le trouve très bon. Attentionné, aimant, drôle. Il a depuis longtemps arrêté de cogner. Il m'avait promis de se soigner, et il l'a fait.

Mon souvenir de cette soirée d'hiver est très précis. Je suis dans la salle de bain et mon petit frère Guillaume m'emmerde sérieusement, au point où je me retourne vers lui et lui crie une saloperie quelconque, comme seuls les frères savent vraiment en garrocher. Il se sauve en hurlant et court se cacher derrière mon père. Mon père, qui croit que je l'ai attaqué, fonce sur moi avec un visage furieux et lève la main pour me frapper. Avait-il vraiment l'intention de le faire ? Je ne le saurai jamais.

Toutes mes années de terreur et de violence explosent hors de moi. Je vois rouge. Je connais l'expression « voir rouge » pour décrire un accès de colère, mais moi je vois littéralement rouge, j'ai un voile rouge devant mes yeux.

Quand j'en émerge, j'éprouve une sensation bizarre. Je ne peux plus bouger mes bras. Complètement immobilisé. Ma vision s'éclaircit. J'aperçois mon père par terre et ensuite Zab, ma belle-mère, qui me tient les bras. Je suis assez surpris, elle est toute petite. Je ne suis pas lourd et pas très toff, mais je mesure quand même six pieds trois. Malgré ça, je ne peux déplacer mes mains d'un seul pouce, ni à gauche ni à droite.

Elle me regarde dans les yeux et dit doucement :

— Ça suffit !

Oui, effectivement, ça suffit. Je lui fais un signe de tête pour lui montrer que j'ai bien compris. Elle me lâche et je descends dans ma chambre à la cave. Quand même, quelle bonne femme solide.

Je me retrouve seul dans ma chambre. En quelques minutes, j'ai déjà beaucoup changé. Je me sens devenir un peu plus homme. Moins de violence, plus de détermination... J'entends mon père en haut de l'escalier.

— Daniel, je veux te parler.

Cette fois, je ne ressens aucune peur, pas la moindre appréhension. Il n'y a aucune menace dans la voix de mon père, seulement de la tristesse.

En 2009, lors d'une entrevue avec Stéphan Bureau pour l'émission *Contact*, on a évoqué cette journée et je me suis surpris à pleurer. Ça m'énerve quand je fais ça, mais c'était incontrôlable. Je sais maintenant pourquoi. Ce moment a été la réponse tragique à une relation tragique, mais ça a aussi été un extraordinaire moment de tendresse que j'ai eu avec mon père.

Fidèle à ses habitudes, mon père m'écoute au lieu de parler. Alors je parle.

— C'est assez.

Je vois dans ses yeux qu'il comprend. Un silence pour absorber. J'avale ma salive et je continue:

— Je m'en vas.

Là je vois que c'est rentré comme un coup de poignard. Il réfléchit longtemps et essaie une parade, mais je sens clairement dans son ton et dans toute sa figure qu'il sait que c'est peine perdue.

— Tu es trop jeune, c'est même pas légal.

Je ne réponds pas. Il réfléchit encore et essaie piteusement:

— Et si je mets la police après toi?

— C'est ton choix, mais si tu fais ça, il va arriver deux choses: soit la police m'envoie en maison de correction, auquel cas je vais passer mon âge mineur avec des bandits et de toute façon reprendre la rue après, soit ils vont me ramener ici, et tu sais très bien que trente secondes après qu'ils seront partis, je serai parti aussi.

— Qu'est-ce que tu vas faire dans la rue?

— De la musique. Tu sais ben.

Il réfléchit encore en tournant son cigare, désormais plus menaçant du tout.

— Tu sais à quel point c'est dur de faire de la musique?

Je souris malgré moi. C'est gagné. S'il avait dit: « La musique c'est dégueulasse » ou quelque chose de péjoratif, j'aurais compris qu'il fightait encore. Mais il a dit: « Dur. » De la part d'un père à son fils, ça s'appelle un encouragement. Je le prends avec fierté comme un défi.

Il a néanmoins une autre question:

— Tu accepterais de finir ton secondaire IV?

Je suis au cours pour adultes, ça va aller vite.

— Il me reste juste une couple de semaines à faire. Ça te ferait vraiment plaisir?

Ses yeux s'illuminent.

— Oh oui.

Je souris.

— Je vais te faire ça avec plaisir, alors.

— Tu es gentil, mon fils.

Alors j'ai terminé mon secondaire IV. On s'entend que je n'ai pas attendu mon bulletin. À mon dernier examen, j'avais déjà mon sac à dos avec moi.

Je n'ai pas dit au revoir à ma famille et je ne les ai plus vus pendant quatre ans.

CHAPITRE 2

LA RUE À QUÉBEC

« Yes ! Enfin la crasse, la couleur,
la souffrance et la beauté à ciel ouvert.
J'ai commencé à vivre.
Ici, on n'est pas comme on naît,
on est comme on se crée. »

Étrange comme la misère fait peur. Elle ne devrait pas. La misère est misérante, pas agresseuse. La pauvreté est pauvre, pas contagieuse. Les gens ont facilement peur. On ne donne pas le bénéfice du doute à la misère, elle doit constamment prouver qu'elle est gentille… pendant que personne ne l'écoute.

Je suis tranquillement assis sur le trottoir. Les gens éloignent leurs enfants en passant devant moi, comme si la rue était contagieuse. Une dame a même menacé son enfant, lui disant qu'il allait finir comme moi s'il ne l'écoutait pas. Elle a dit ça devant moi, comme si je n'existais pas. Je n'ai pas osé lui répondre, mais je me disais que, pauvre elle, elle était bien mal outillée pour élever son enfant. Elle ne comprenait rien. Ben sûr que la rue c'est contagieux, mais ça ne s'attrape pas dans la rue. Ça s'attrape à la maison.

Une chum de rue à moi m'a même dit que les hommes, en la voyant, avaient presque tous une fraction de seconde d'hésitation, où ils évaluaient la possibilité de profiter de sa misère pour avoir du sexe.

Ce ne sont pas des démons qui sortent de l'obscurité, ce sont des abandonnés. On les a jetés à la noirceur comme on jette nos poubelles, pour ne plus les voir. J'y suis très vite confronté, mais ça ne m'impressionne pas beaucoup. L'exclusion, je connais déjà, et la vie ici explose d'aventures.

Les premiers mois seront quand même un peu heavy. Les autre ti-gars ont quelque chose de toff, de débrouillard que moi je n'ai pas. Il a fallu que je me toffise vite. Tu apprends ou tu crèves. Peut-être que ma face bête vient de là, mais j'en doute. Si certains enfants disent maman à la naissance, moi j'ai dû dire tabarnac.

Se toffiser pour te défendre contre les autres, ça va vite. La rage tient lieu de courage. Moi, c'est le culot qui me manquait. Pour quêter, ça prend du guts pour s'humilier à répétition devant des gens qui te regardent comme une coquerelle. Au début, je réussissais à trouver les partys et à y dormir. Ensuite je repartais chercher de la bouffe. Trois possibilités : quêter, voler, se prostituer. Je ne voulais pas. J'ai fait un rétrécissement d'estomac au bout de quatre jours sans manger et suis tombé out en pleine rue. Me suis réveillé à l'Hôtel-Dieu de Québec, amené là par qui, quoi, combien, quand ? Aucune idée, mais ils m'ont nourri par intraveineuse et ensuite j'ai mangé doucement, on ne peut pas recommencer vite, on va se blesser.

En sortant de l'hôpital, qu'est-ce que je ne vois pas de l'autre côté de la rue ? L'Armée du Salut. Tiens tiens…

Quand on pense à la rue, on pense beaucoup que les jeunes souffrent de la faim. C'est vrai, mais dans la vraie vie, le pire, c'est le froid. Le froid, la solitude et la peur. Avec le temps, tout s'apprivoise… sauf le criss de frette.

Je le répète, un enfant aimé est un enfant réchauffé. Il partira à l'aventure sans inquiétude parce qu'il sait qu'il peut revenir à la maison. Moi, j'ai frette dehors et dedans. Frette aux os et au cœur. Ça ressemble au sentiment que j'avais dans les camps de vacances, ce froid des solitaires.

Diable merci, il y a tellement de partys qui durent plusieurs jours que je peux généralement dormir un peu partout. Quand il n'y a plus de partys, je vais dormir à l'Armée du Salut avec les vieux criss. Ben oui, on les appelait comme ça. Je souris un peu parce qu'aujourd'hui j'ai l'âge de ces vieux criss, ce qui me rend un peu plus indulgent. Les vieux se foutaient de comment on les appelait, nous on était des p'tits criss, et ils nous traitaient la plupart du temps avec beaucoup de gentillesse. Mais dans la rue, il se forme des gangs, et la jeunesse cherche la jeunesse. Il y a aussi les auberges de jeunesse, mais 99 cennes dans les années 1970 quand t'as rien, c'est une fortune.

En fait, on se méfie mais on cherche tout le temps. Les jeunes que je côtoie dans la rue ont presque tous des histoires de famille d'une tristesse épouvantable. Alors qu'est-ce qu'ils cherchent ? Pas sorcier : une famille ou quelque chose qui lui ressemble le plus possible. Même chose pour les jeunes au centre-ville de Montréal. Qu'est-ce qu'ils foutent dehors ? Ils se cherchent une famille. Ça pousse pas dans les champs avec les vaches. Il faut aller là où il y a le plus de monde possible.

Au départ, je voulais partir à New York. Il fallait absolument une autre ville pour ne pas que je puisse revenir brailler chez mon père quand je crèverais de faim. Et ça me prenait aussi une grande ville pour l'aventure, la folie et la rencontre ; on veut bien mourir seuls, mais on veut aussi renaître.

La journée de mon départ, j'avais des chums qui montaient à Québec pour le Carnaval. En les suivant, je sauvais le fric du transport pour manger. Alors j'ai suivi mes chums à Québec. Ils sont restés une semaine, une semaine de brosse, et moi à peu près quatre ans de bière. La vie tient à si peu de chose… Si j'étais parti à New York au lieu de Québec, j'aurais pu devenir un petit bandit en prison, ou prostitué, ou très possiblement beaucoup plus drogué que je ne l'ai été, et je serais peut-être mort.

TERRASSE DE LA NOUVELLE-FRANCE

Après avoir passé un hiver dur, l'été était presque un petit paradis. En se cachant bien, on pouvait dormir quasiment n'importe où. Il y avait quand même une chose qui me manquait de plus en plus de la maison de mes parents: le piano. Il y avait quelque chose pour moi de très près du bonheur dans le fait de pouvoir… m'enfermer dans un piano. C'est un endroit où l'on est en soi-même, sans personne pour nous emmerder mais… harmonisé. C'est vraiment extraordinaire. À la maison, j'y passais des heures. Et là, plus rien.

Mes chums de rue qui ont envie de faire de la musique ont généralement un harmonica dans les poches. Je n'ai pas de piano dans les miennes, mais il y en a dans les bars et restaurants du Vieux-Québec, sauf que les ti-gars de rue n'ont évidemment pas le droit d'y aller. Si j'ose me diriger vers le piano, je me fais virer à coups de pied dans le cul. Ça, c'est si c'est pas par la police. Plusieurs de mes chums se sont fait embarquer et crisser une volée dans une ruelle, la police estimant qu'on ne valait pas vraiment le temps et l'effort de nous amener au poste.

C'est pas beaucoup mieux maintenant. Les jeunes de rue n'ont même pas la dignité de pouvoir chier quelque part. Les toilettes des restaurants sont réservées aux clients justement pour empêcher les jeunes d'y aller. Et ensuite, les médias leur font la chasse aux gros titres, s'ils les prennent à se soulager dans une ruelle.

Un soir, je nonchalante doucement dans le Vieux-Québec, et je passe devant la terrasse du restaurant de La Nouvelle-France. Il y a un piano dans le fond. La musique est arrêtée. Alors fuck it, je me décide. On pourra bien me sortir par la peau du cul, j'aurai au moins joué une couple de notes avant. Je m'installe au piano.

Non seulement je ne me fais pas sortir, mais quatre jolies filles attablées plus loin prennent leurs bières et s'approchent pour venir écouter ce que je fais.

Je souris en pensant que 1) ça règle très rapidement un choix de carrière, et 2) ce que je joue est reçu par quelqu'un. Pendant quelques minutes, je suis devenu suffisamment intéressant pour que quatre jolies filles se déplacent pour m'écouter! L'instrument d'isolement qu'était pour moi le piano est devenu cette journée-là un instrument de communication.

Tout d'un coup, le banc du piano sur ma droite s'abaisse d'un pouce. Le boss de la place vient s'asseoir à côté de moi. Ça y est, je vais sortir sur le cul.

Mais il ne me sort pas du tout. Il me dit calmement:

— Bon. Tu ralentis un petit peu ton tempo, j'ai des clients qui mangent, j'aimerais ça qu'ils ne s'étouffent pas. Tu sais jouer du Claude Léveillée?

Je fais signe que oui, évidemment.

— Ok, tu joues trois sets d'une demi-heure par dîner et je te donne un bon repas chaud, un bière pis deux piastres par jour. Qu'est-ce que t'en dis?

Ce que j'en dis? J'ai envie de danser osti. Avec l'auberge de jeunesse à 99 cennes par jour, la misère est finie pour moi. J'ai une job, à manger et une place pour rester. J'en suis bouche bée. Le propriétaire sourit.

— Bon. Je suppose que tu sais parler, mais comme j'ai juste besoin que tu joues, c'est pas un problème.

— Euh... je commence quand?

— Maintenant.

Et il retourne paisiblement à son travail comme si de rien n'était. Moi, ma vie vient de changer drastiquement.

Wow, une première job grâce à ce boss humain comme mille, et une carrière grâce aux quatre filles. Il y a des journées vraiment marquantes. Celle-là restera sous mon oreiller à jamais. Si je vous chante des chansons aujourd'hui, c'est un peu pas mal grâce à elles et à lui.

La ville de Québec a changé ma vie, et la Terrasse de la Nouvelle-France l'a sauvée.

GROS BOB

Un soir de ce même été, j'entre dans le Vieux-Québec en passant par la porte Saint-Jean et j'entends une voix hallucinante, bouleversante, je sens l'âme déchirée du chanteur. Et je l'entends forte, sa voix. Il doit être sur une terrasse pas loin. Je me mets à sa recherche. Au nord, au sud, est, ouest, je reviens sur mes pas. Je l'entends toujours et ne le trouve pas. Ben voyons calvaire, il ne peut pas être dans une autre ville quand même !

Au bout d'une heure, je finis par le trouver. Il chante sur la terrasse de la brasserie Le Gaulois. Je suis sans connaissance. Le Gaulois, c'est à côté du Château Frontenac, complètement à l'autre bout du Vieux-Québec, pis je l'entendais de la porte Saint-Jean.

Ce chanteur qui me bouleverse tant s'appelle Bob Walsh. Je m'installe sur le bord du trottoir, je ne peux pas entrer au Gaulois, je n'ai pas d'argent. Le trottoir c'est chez moi et j'y suis très à l'aise, alors je reste là à l'écouter toute la soirée, complètement fasciné. Sa voix exprime la sensibilité pure, mais quand il beugle son âme, il est obligé de tourner sa tête et de chanter derrière lui pour ne pas défoncer le système de son.

Dans les années qui suivent, j'irai le voir souvent un peu partout dans le Vieux-Québec, au Figaro, au Bar Élite, à l'Ostradamus... Et à chaque soir, je lui demanderai sa plus belle chanson, qu'il a écrite lors d'un très triste séjour à l'hôpital: *Being Free*. Avec le temps, je réussis à ne pas avoir les yeux trop rouges quand il me la chante. Je la lui demande à chaque soir, et à chaque soir il me la fait, même quand il en a un peu marre. Il est gentil Bob Walsh.

Ça fait quarante ans que je l'écoute. J'ai été au lancement de son dernier disque au Bistro à Jojo en avril 2015, lui faire un bisou sur le front. Là, j'ai le cœur dans l'eau. Bob a fait un AVC l'année suivante et est mort à l'hôpital quelques jours plus tard. Une cérémonie d'adieu a eu lieu au salon du Monument national. Pendant que la gang chantait sur le stage, j'ai regardé toutes ces photos de Bob et j'ai dû foutre le camp les larmes aux yeux.

Une partie de ma vie est disparue avec lui. C'est un peu de sa faute si je chante aujourd'hui. Je voulais juste être pianiste. Je n'aurai jamais le centième de son talent, mais je me donne le droit de faire ça avec mes propres émotions... grâce à lui. Les grandes voix sont comme ça. Elle partent souvent de grandes tristesses et nous aident à nous soigner quand elles viennent fouiller dans les nôtres. Plus une voix part de loin en dedans, plus elle atterrit loin en dedans de nous.

LE CABARET DE L'HÔTEL VICTORIA

À la fin de l'été, l'automne arrive tranquillement. On commence déjà à ressentir l'osti de frette. Le frette annonce l'hiver, et l'hiver, la vie de rue est pas mal moins comique.

Comprenez-moi bien, la rue des années 1975 à Québec était beaucoup moins difficile que la rue de maintenant. Le pot y était beaucoup plus doux, et les criminels ne s'occupaient pas des ti-gars. Les citoyens ne leur couraient pas après avec des battes de baseball, et la police ne les pourchassait pas systématiquement pour leur donner des tickets qu'ils ne seront jamais capables de payer.

Seule constance, les pédophiles et les sadiques qui savent très bien que c'est extrêmement facile d'exploiter la misère des ti-gars et des tites-filles. Il faut constamment se méfier. Connaissez-vous la première phrase qu'un pédo adresse à un ti-gars dans la misère ? C'est presque toujours :

— Je peux-tu t'aider ?

Alors quand on offre son aide à un jeune de rue et qu'il ne fait pas une tite danse du soleil pour exprimer sa reconnaissance, il ne faut pas rester trop surpris.

L'hiver est particulièrement triste pour ces horreurs. J'y ai échappé surtout grâce à la terrasse de la Nouvelle-France, mais beaucoup de mes chums qui au départ ne voulaient pas se prostituer s'y sont fait briser leur âme. Ti-gars comme tites-filles, toffs comme pas toffs.

D'humeur un ti peu grise, je me promène sur la côte du Palais. En fait, je sors de l'Armée du Salut où j'ai été dormir avec les vieux criss. J'entends de la musique qui groove. Ça m'allume, alors je cherche d'où elle vient : hôtel Victoria. J'ai pris une douche à l'Armée du Salut et j'ai des vêtements presque propres, alors je suis moins gêné et j'ose même entrer dans l'hôtel. C'est un hôtel chic de nos jours, mais ça l'était un peu moins dans ces années-là. Il y a un bar pas trop crado en avant, mais la musique ne vient pas de là. Elle vient d'une porte qui semble mener vers une cave à l'arrière. Comment ça se fait que je ne connais pas ce bar-là ? Je connais le Vieux-Québec comme un politicien ses enveloppes brunes.

Je pousse la porte, la musique me saute aux oreilles et je découvre un des endroits les plus extraordinaires que j'aie jamais vus : le Cabaret Victoria. Véritable music-hall permanent avec des groupes de blues, des danseuses et danseurs nus, des magiciens. L'ineffable gérant de ce bordel extraordinaire :

Freddy Boudreau, qui est aussi le chanteur de la place, accompagné de son super organiste Boubou, qui joue de l'orgue comme un dieu quand il n'est pas évanoui entre deux chaises dans un coma éthylique réparateur.

Je décide d'appliquer ma technique « Nouvelle-France » et m'installe au piano entre deux numéros. Freddy m'écoute jouer et me propose de faire ce que je fais en ce moment : pianiste d'ambiance entre les vrais spectacles. Je suis heureux, mon aventure de musique continue. Il me promet vingt dollars par soir, ce qui fait selon ses calculs, multiplié par sept, cent dollars par semaine… ah bon. Je peux dormir dans une chambre de son grand appartement rue Elgin, et j'ai aussi droit à deux hot-dogs par jour au rack à patates de l'hôtel. Je mesure six pieds trois pouces et pèse cent quarante-cinq livres. Peut-être pour ça qu'ils m'offrent tous de la bouffe.

Freddy est un personnage mémorable qui fait un peu penser au personnage de chanteur extra-cheap de Daniel Lemire, mais avec un charme prodigieux. Toutes les jeunes filles passent par son lit. C'en est fascinant. Je n'y comprends absolument rien.

Jusqu'au soir où, ayant passé toute la soirée avec une fille super chouette, belle comme la nuit et brillante comme le jour, j'aperçois Freddy qui la reluque en hypocrite. J'estime que j'ai trois minutes pour partir avec ma jolie copine, sans ça il va venir essayer de me la piquer. Grosse erreur ; je n'en avais même pas deux. Sans aucune gêne, il vient carrément s'asseoir entre elle et moi, la regarde doucement dans les yeux et lui dit simplement, d'un air désolé :

— J'aurais tellement aimé ça tout te donner.

J'avale ma bière de travers. « Tout te donner ? » Cibole. C'est pas possible, il lit des Harlequins en cachette ! Il est pas épais au point de penser qu'il va partir avec une fille si brillante avec une phrase à cinq cennes ? ! Ben osti, la fille se lève et part avec lui, me laissant là comme un cave. J'en suis complètement abasourdi. Va falloir qu'il me donne des cours quand l'envie de le décapiter va me passer.

Ça me fait rigoler, mais ça me blesse aussi. Pas la faute à Freddy. Ma relation avec les femmes est cruciale pour moi, mais elle est à réapprendre. C'est comme si j'étais sorti du ventre de ma mère sans tendresse. Je passe mon temps à essayer d'entrer dans le ventre des autres pour pouvoir renaître et dire: Tu vois, je serai gentil maintenant. Sinon la beauté aura tué la bête. C'est tordu, mais on se rééduque l'affection comme on peut.

Il y a aussi Jonathan, l'extraordinaire Jonathan. Une espèce de croisement entre Albin de la *Cage aux Folles* et la chanteuse Barbara. Il est nettement plus grand que moi. D'après mes souvenirs, il doit mesurer dans les six pieds sept pouces, il me dépasse de presque une tête. Toujours habillé avec une super robe noire qui lui part du cou jusqu'aux chevilles, ne laissant dépasser que deux grandes mains blanches longues comme des serres de faucon. Habituellement, des serres comme celles-là sur un humain servent à attraper l'argent. Pas lui. Celles de Jonathan sont faites pour attraper l'amour. Jonathan est amourivore.

Il est perpétuellement et pathologiquement en manque d'amour. Il dévore littéralement ses amoureux, qui prennent panique et foutent toujours le camp après leur première et unique nuit d'amour avec lui. Alors Jonathan est toujours seul. Il vient au Cabaret chaque soir pour nous faire partager sa tristesse en chantant du Édith Piaf, en grand renfort de ses serres qu'il fait tournoyer autour de lui comme une actrice de théâtre classique. Il a une voix d'outre-tombe. Ceux qui ont déjà entendu le poète Roger Tabra s'exprimer n'ont qu'à imaginer sa voix et la baisser d'une octave. Ça donne des frissons rares. Il donne un show fantastique. Il chante faux comme un bill de trois piastres, mais on s'en fout complètement. Tout le monde l'adore, moi le premier.

Un soir qu'il avait oublié les clés de son appartement au troisième étage, il a grimpé par les balcons, a glissé et s'est tué. Accident ? Semi-suicide ? En tout cas, deuil national pour tout le Vieux-Québec. Lui qui personnifiait le manque d'amour était aimé de tout le monde. Il aurait juste fallu qu'il dévore le cœur de ses amours un peu plus calmement.

À ce moment-là, ça fait déjà à peu près six mois que je travaille au Cabaret. Freddy ne m'a jamais donné une cenne de l'argent promis, mais je mange au moins huit hot-dogs par jour en disant au gars de les mettre sur le bras de Freddy. Freddy en est assez furieux mais n'ose évidemment pas protester.

Le seul petit inconvénient de l'affaire, c'est qu'à chaque soir où je vais me coucher rue Elgin, j'arrive toujours en pleine orgie. Il y a souvent une dizaine de corps enchevêtrés dans le salon et il faut que je passe par-dessus pour aller me coucher. Ça a l'air d'un nid de serpents. Weuark. Chacun ses goûts, je veux pas emmerder personne, mais je ne crois pas que je sois un jour doué pour l'amour en groupe. De toute façon, je peux pas me plaindre, ils sont tous complètement saouls et on dirait que ça en prend juste un qui jouisse pour que tout le monde s'endorme. Personne ne faisait encore de cocaïne à l'époque, alors ça dormait vite et les autres partaient dans cette espèce de silence honteux post-orgasme de gang.

Il y avait à Québec à ce moment-là une guerre perpétuelle entre la pègre locale et les Paces. Les Paces, de leur nom complet les Pacific Rebels, sont avec les Popeyes de Montréal un peu les précurseurs des Hells de maintenant. Ils ne sont pas si pacifiques que ça, et la pègre non plus. Ça brasse pas mal entre eux, mais ils nous foutent une paix royale, alors on s'en sacre.

Jusqu'à ce fameux soir où traîne au Cabaret une couple de membres de la petite pègre. Je joue tranquillement du piano sur la scène, derrière le gros orgue Hammond B-3 à Boubou, entre un show de strip-tease et un numéro de magicien, quand la porte d'entrée s'ouvre avec fracas. Un homme avec son casque de moto « full face » se tient dans l'entrée, une mitraillette à la main, et se met à tirer partout. Les miroirs explosent, les bouteilles et les verres du bar éclatent en mille morceaux.

Puis une voix sort du casque et dit :

— Hey le jeune ! Tu continues à jouer, câlisse.

Et on entend ma petite voix chevrotante sortir d'en dessous de l'orgue :

— Mange d'la marde !

Pas question que je sorte un orteil de ma cachette. Don't shoot the piano player osti. Je tremble de trouille.

Curieusement, ma réplique fait rire tout le monde et le motard repart. Tout le monde se regarde et regarde autour de soi. Il y a des trous partout, tout est fracassé, mais personne n'est blessé. Il a tiré au-dessus des têtes, « pour faire peur ». D'après moi, ça a marché.

C'était juste un avertissement, mais je crois que l'avertissement a été très bien compris. Les mois suivants ont été très tranquilles, et le pauvre Freddy a dû fermer la place. Triste. C'était vraiment un endroit extraordinaire.

BRASSERIE LA FUTAILLE

C'était une brasserie de type chansonnier. Pas du tout ma gang de fuckés, mais ça buvait sec en chantant tous en chœur « Dans la prison de Londres, damdilididam ». On était obligés de la jouer trois fois par soir, c'était le gros hit de Réjean Boudreau.

Réjean, c'est le frère de Freddy. Il est chansonnier à la brasserie La Futaille à Sainte-Foy depuis quelques années déjà, mais est en passe de perdre sa job s'il ne renouvelle pas son show. Alors il m'a proposé qu'on forme un duo : Boudreau-Bigras. Lui, il chante et tient quelques accords à la guitare, moi, je fais les solos de piano et les harmonies de voix.

Il avait proposé qu'on chante ensemble en bon duo que nous sommes, mais il n'a aucune idée de ce que ça veut dire, chanter ensemble. Il ne sait pas harmoniser, il ne sait même pas ce qu'est une tierce ou une quinte, alors il chante exactement ce qu'il faisait tout seul avant moi, et je me tape toutes les harmonies tous les soirs. Par la suite, il dira à qui veut l'entendre que nous ne sommes pas un duo, mais que je l'accompagne. Ça me tape un peu sur les nerfs, mais j'aime bien Réjean. C'est un personnage, un peu comme son frère.

Il y a eu une chicane entre eux deux un jour à propos de moi. Ils s'engueulaient comme deux joueurs de pétanque. Freddy se plaignait à Réjean :

— Tu me l'as volé. Il ne serait rien sans moi. C'est moi qui l'a formé de A à Z.

Ah, là je suis pas mal certain qu'il parle de moi. Je me lève tranquillement et vais doucement parler à Freddy à un pouce du nez.

— Tu sais, c'est pas vraiment possible que Réjean m'aie « volé » à toi. Sais-tu pourquoi ? Parce que je ne suis pas du cash. T'sais, du cash ?

Oups. Freddy comprend clairement mon allusion à l'argent qu'il me doit. Un ange passe.

Alors, depuis ce temps, je joue avec Réjean à La Futaille et on s'arrange pour que ça brasse. On a monté plein de nouveau stock et inclus l'ostie de *Prison de Londres* dans un medley. On fait même un peu de blues. Le show a du succès. Tellement qu'on a investi dans une affiche de Boudreau-Bigras et qu'on a commencé à donner le show ailleurs dans la province. Quand on est à Québec, moi je crèche chez Réjean. Je pourrais pas y rester des siècles, ça l'énerve, mais je trouve quand même ça plus agréable que chez Freddy. Je n'ai pas à enjamber de nids de serpents pour aller dormir.

Moi, mon rêve, c'est de jouer à l'Ostradamus. Super boîte excentrique où les étudiants et hommes d'affaires côtoient allègrement la moitié de la communauté gaie qui se tient là, fume du pot, ne sniffe pas encore de coke et danse torse nu sur les tables avec des plumes multicolores dans les cheveux. Il y a de l'ambiance. Les shows sont de gros calibre ; Doug & Jeff, Bob Walsh, Zachary Richard et un duo qui arrache les murs : Gerber-Zeller. Le pianiste-guitariste-accordéoniste-violoniste-chanteur Alan Gerber, musicien et compositeur de génie, et l'harmoniciste qui est à mon avis le meilleur au monde dans le « electric harp », c'est-à-dire harmoniciste blues-rock, Jim Zeller. À eux deux, ils sonnent comme un band de quarante, et je vais les voir à chaque fois qu'ils sont en ville. Je comprends aussi que Boudreau-Bigras n'est pas vraiment de taille et que *La prison de Londres*, même dans un medley, aurait de la difficulté à attirer l'attention comparé aux grands artistes que je viens de nommer.

Un soir, on va jouer dans un bar dont je n'arrive pas à me souvenir du nom, à Saint-Georges de Beauce. À un moment donné, Réjean a dû dire dans le micro une phrase qu'il ne fallait pas. Un des gars du bar se lève et vient à un pied de la scène pour traiter Réjean de tous les noms. Réjean se met à bafouiller devant tout le monde et essaie de calmer le gars en lui offrant des bières.

À la fin de la soirée, la blonde de l'agressif en a plus qu'assez de son épais et décide qu'elle ne rentrera pas avec lui. Alors, pendant qu'il est encore en train de terroriser mon pauvre Réjean, je la vois se prendre une chambre à l'hôtel du bar, revenir avertir une de ses copines et prendre sa sacoche. Au moment de partir, elle fouille dans ses poches et constate qu'elle a perdu ses clés. Je la comprends, je perds toujours tout moi aussi. Je l'entends s'énerver :

— Voyons osti, perdu mes maudites clés de marde.

Et moi, qui manque d'habitude tellement de culot avec les femmes, de la regarder et de dire :

— Ouin, mais t'as trouvé les miennes.

Je les lui donne. Elle est estomaquée pendant une seconde. Moi, je me demande si je ne vais pas prendre une baffe comme celle que le pauvre Réjean se magasine en ce moment. Mais elle sourit, s'approche de moi, prend mon bras et me dirige vers l'étage des chambres pendant que Réjean essaie toujours de négocier sa gueule à grands renforts de bière.

Le lendemain, on joue au même bar. Je constate que Réjean a les deux yeux de la même taille. Il ne s'est pas fait casser la gueule, cela même si son crétin devait chercher sa blonde toute la nuit. Je ne veux même pas imaginer la quantité de bière qu'il a dû lui payer. Je sais, pas très solidaire de ma part, mais les Boudreau, à force de magouiller, n'attiraient pas ma grande solidarité naturelle. Je les aimais bien, mais pas au point d'échanger une nuit d'amour avec une belle contre une claque su'a gueule de sa bête.

À côté du bar, il y a une salle nettement plus grosse où le duo Nicole Martin & Jimmy Bond se produit en spectacle. Après leur show, Jimmy va se coucher et Nicole vient dire bonjour à son ancien beau-frère.

Nicole est en fait l'ex de Freddy Boudreau qui répète à qui veut l'entendre, et même à qui ne veut pas, qu'elle a fait ses débuts avec lui, qu'elle ne serait rien sans lui. Vrai, pas vrai ? Les frères Boudreau ont toujours eu pour politique de nommer le plus de gens connus possible et de dire que ces gens-là ne seraient rien sans eux. Le name-dropping est un sport qui ne connaît aucune honte, Réjean fait la même chose avec moi. Cela dit, ils ont vraiment fait un disque ensemble, *Nicole et Frédéric.*

Nicole Martin était à l'époque ce qu'elle est aujourd'hui. Une chanteuse extraordinaire, une femme d'une grande beauté digne et simple, et d'une immense gentillesse. Bref, une grande dame. Elle se fout de mon look un peu pouilleux et discute avec moi toute la soirée, avec cette gentillesse et cette classe infinie dont je me souviendrai toute ma vie.

LE FIGARO

Me suis tanné de la prison de Londres. J'habite maintenant dans une maison de chambres de la rue Couillard. Il y a pas mal de coquerelles, mais elles n'aiment pas plus ma compagnie que moi la leur, alors elles se cachent. Pour vingt dollars par semaine, ça me va super bien. J'achète des cannes de ragoût de boulettes que je fais chauffer directement sur un tout petit réchaud à l'huile. Des fois, je rajoute une canne de raviolis, et quand j'ai fini de mastiquer, je mélange les deux sauces et les avale ensemble d'un trait. À ceux qui trouveraient ça dégueulasse, sachez que je le referais demain. J'adorais ça.

Dernièrement, j'ai monté un band. Il y a Parenteau à la basse, ex-bassiste de Paul Piché qui twilitite fort ces temps-ci. Un super pince-sans-rire, ce Parenteau, mais critique social impitoyable. Une fois, il se présente sur scène déguisé en Ayatollah Khomeini. Comme toute la salle est muette de stupeur, il demande au micro :

— Y a-t-il des femmes dans la salle ?

Les femmes répondent bruyamment :

— OUI !

Et lui, toujours pince-sans-rire, leur lance :

— Dehors !

Les femmes hurlent comme à un show d'Yvon Deschamps. Même nous, on est crampés de rire.

Il y a aussi Sylvain Dumont au drum, le super Jean-Guy « Arthur » Cossette à la guitare, ex-leader des Jaguars, et moi au piano électrique et chef d'orchestre. On joue au Figaro, un des derniers bars de musique live à Québec.

Un soir, Freddy vient voir le show et est sur le cul. Après le show, il vient nous parler.

— Votre son est écœurant. Comment vous faites pour sonner aussi bien ?

Et le voilà qui fouillasse sur la console, en train d'essayer de découvrir le secret de la potion magique.

— Freddy, touche pas à la console, criss, tu vas tout fucker. Y a pas de truc, le son est pas dans la console, il est dans nos doigts. C'est comment on joue ensemble pour faire le mur, the fucking wall.

Le mur, c'est la façon de jouer ensemble pour que le band sonne comme une tonne de briques sans avoir à jouer à un volume de fou. En studio, quand t'as un guitariste heavy, tu l'enregistres deux fois, et tu mets une piste dans le haut-parleur de gauche et l'autre dans celui de droite. Moi, la base de ce que j'ai toujours fait pour éviter l'épouvantable son bordélique des bands qui ne savent pas jouer ensemble, c'est de faire jouer ma main gauche au piano en symbiose avec la basse et la grosse caisse. Un ne joue jamais sans les deux autres. C'est pas obligé d'être toujours en même temps, mais l'un en fonction de l'autre, jamais autrement.

C'est ma grande spécialité. Je chante très mal, tout le monde dit que j'ai une voix de gars de cinquante ans... (Bon, tout s'arrange avec le temps.) En fait, je suis surtout un bon pianiste, mais ma spécialité, c'est de faire « sonner » le band.

Il faut être un tout petit peu control freak et très diplomate pour réussir ça. Je suis conscient en disant ça que je ne suis pas très modeste, mais c'est vraiment ma grande force, j'ai basé tout mon métier là-dessus. Je fais « sonner » les bands. Mes Shows du Refuge sont devenus une réussite en partie grâce à ça. Quand je dirige, je sais tout le temps qui joue quoi, quelle note et de quelle façon, pendant tout le show. Ça a longtemps été une obsession, c'est maintenant des vacances et ça explique en partie pourquoi je produis, arrange et réalise toujours mes disques moi-même.

Pour l'instant, Freddy a un gros point d'interrogation tatoué dans le front. Il ne comprend pas. Ce qu'il comprend parfaitement, par ailleurs, c'est le parti qu'il peut en tirer.

— Dan, tu le sais, j'ai plein d'ouvrage tout le temps, mais j'ai pas de musiciens réguliers.

Je m'en doute un peu, il ne chante pas très bien et ce n'est pas si facile que ça de l'accompagner. Il saute des temps, change de tonalité tout le temps sans même s'en rendre compte. Il faut vraiment être vigilant et très rapide pour l'accompagner.

J'en discute avec ma gang et on reconnaît tous qu'on n'a pas des millions de spectacles qui s'en viennent dans un futur immédiat. Ça serait bien de pouvoir gagner notre vie, et moi j'ai quand même une chambre à payer.

Alors je vais voir Freddy et lui dis qu'on accepte, mais à la condition que les musiciens soient payés par le bar directement. Je veux bien être gentil, mais sans que ça paraisse vraiment, je prends toujours des notes. Je demande :

— C'est quand le premier show ?

— Semaine prochaine.

— Où ?

— Ici.

— Hein ? On joue déjà ici.

Le tabarnac. Il avait déjà tout manigancé. Il nous a fait sacrer dehors, probablement en promettant mer et monde au patron, s'est fait engager à notre place et nous a engagés pour l'accompagner. Il est à tuer. En même temps, il a le don de nous enculer en souriant, et c'est un tel personnage qu'on ne peut même pas s'empêcher de sourire nous aussi.

Il est irrésistible, le maudit Freddy, mais ce mélange de semi-escroqueries et de charme en fait une excellente cible à la taquinerie. Et nous, on a la taquinerie pas mal pesante.

Le Figaro est un bar assez petit pour un orchestre complet, alors la scène est dans un coin, en forme de « L ». Vu qu'il n'y a pas de place pour Freddy, le patron a installé une porte à plat dans le creux du L. C'est la place de Freddy, qui adore chanter là parce que juste devant, il y a le bar. Il peut donc grimper dessus et ensuite exécuter un de ses « grands sauts spectaculaires » pour retomber sur sa porte, pendant que les musiciens font un gros punch de musique.

C'est une forme de show un peu cheap qui agace Arthur. Le premier soir, il nous ordonne de ne pas faire le punch en même temps que le saut de Freddy. Je dis :

— Il va avoir l'air cave en osti.

— Dan, c'est un peu ça le but. Allooooo ?

Je rigole. Ce qu'Arthur ne nous dit pas, c'est que pendant l'après-midi, il a scié la porte pour qu'elle tienne juste pendant que Freddy chante, mais elle ne supportera sûrement pas son triple salto arrière double piqué. Arthur est un terrible terroriste quand il veut.

Comme de raison, Freddy nous fait tout un cinéma ce soir-là, galvanisé par un band qui groove. Il saute sur le bar, exécute sa petite chorégraphie et nous fait son super saut de l'ange… pour passer au travers de sa porte dans un grand fracas, sans punch de l'orchestre. Il ressort la tête de la porte (rigolote, l'image de juste une tête qui dépasse de la scène) et demande :

— Qu'essé qui s'est passé ? Qu'essé qui s'est passé ?

On prend une petite pause, on paie une bière à Freddy en rigolant et on revient pour le deuxième set. On fait toujours trois shows par soir. J'ai même joué dans des bars où il fallait en faire cinq.

Dans le milieu du deuxième set, Freddy veut absolument faire la chanson *If You Ever Change Your Mind*, chanson magnifique de Sonny Terry et Brownie McGhee. Par Freddy, ça devient une chorégraphie de paon digne de la grande scène de séduction de *L'avare* de Molière avec Louis de Funès. C'est assez pissant, mais l'incroyable Freddy pogne avec les femmes dans ce numéro-là. Il nous a bien briefés :

— C'est une chanson douce, les gars. Il faut jouer super smooth. Jamais une note plus forte que les autres, ça fuckerait toute ma mise en scène. Quand je chante « baaaby », vous gardez la note jusqu'à ce que j'arrête.

La chanson est en fa. Freddy est absolument incapable de chanter une note plus haut que le fa. Il est donc très important que je donne le fa à Freddy avant le début de la toune. Être chef d'orchestre, même avec Freddy, ça implique quelques responsabilités. Il faut aussi que je garde ma main basse, ce qui signifie « pianissimo » et indique aux musiciens de jouer très doucement.

Juste avant de commencer la chanson, Parenteau me chuchote à l'oreille :

— Dan !

— Quoi ?

— En sol.

— Hein ? Es-tu fou ? La voix va y arracher.

— Dan ? Allooooo ?

Oui bon, je vais m'habituer. Alors, au lieu d'un fa, je donne un sol. Freddy commence donc :

— If you eveeeer…

BAM ! Le band vient de donner un énorme punch là où Freddy nous avait expressément demandé de jouer doux. Il passe pas loin de l'attaque cardiaque, mais continue stoïquement :

— ... change your mind, about leaving me behiiiiind...

Et là, ignorant qu'il chante en fait un ton trop haut pour lui, il se met à genoux devant les jeunes filles au premier rang pour leur envoyer son plus sensuel :

— BAAAAAAAABY !

Sauf qu'il ne se rend pas au sol ; sa limite, c'est le fa.

— Humblehum... raaah. Escusez, mes musiciens se sont plantés, on va recommencer.

Pendant qu'il se remet debout, Parenteau me chuchote :

— Dan !

Je soupire.

— Ouiii ?

— En la...

— Arrête, c'est trop chien.

Freddy me regarde d'un air à moitié content, alors je lui donne la note... le LA. Il n'a tellement aucune oreille musicale qu'il ne s'en rend même pas compte.

— If you ever...

RE-BAAAAM !!! Freddy sursaute encore mais décide que cette fois, il va pousser son numéro de séduction jusqu'à la fin.

— ... change your miiind...

La tension monte, on sait ce qui s'en vient. Même Parenteau ressent un peu d'appréhension. Je le regarde en coin.

— BAAAAAAAAAAAAAABBBYYYY !!!!!

Et les veines lui sortent du cou comme des câbles à haute tension, il change de couleur pendant sa note, passe du fluorescent au rose, rouge et violet, les jeunes filles devant qui il était à genoux paniquent et se sauvent en courant, mais Freddy se rend jusqu'au bout de la chanson quand même. Honnêtement, ça mérite notre respect.

Après le show, les musiciens et moi sommes assis au bar. On ne rit plus, on braille de rire. Hystérie complète. Freddy s'approche de nous et me demande, pendant que les musiciens essaient tant bien que mal de garder leur sérieux :

— Dan, je comprends pas. Dans *If You Ever*, j'ai passé proche de m'évanouir.

Oooooosti ! Les musiciens, incapables de se contenir, éclatent. Freddy, comprenant qu'il vient de se faire avoir, me regarde d'un air mauvais. Comme un toff qui veut intimider.

Oups... là, ça vient de changer l'ambiance. Un osti de chanteur qui sait même pas où est un do sur le piano, qui ne sait pas compter jusqu'à quatre dans son tempo et qui chante plus faux qu'un discours de la droite américaine qui veut jouer au toff, ça passe pas super bien. Défilent dans ma tête quelques escroqueries que Freddy m'a passées sans aucun remords, et je sais qu'en ce moment, j'ai ma maudite face d'assassin.

Freddy décide de changer d'air et va s'asseoir à l'autre bout du bar. C'est très judicieux. Je le regarde s'éloigner pendant que mes musiciens sont encore pliés en deux.

Je décide d'aller prendre l'air pour passer mes nerfs, et tiens... en passant, pourquoi pas ? Je ramasse le micro de Freddy et le mets dans ma poche. Une fois dehors, j'avise un tas de merde de chien, passe et repasse le micro dedans, l'essuie consciencieusement dans le gazon. Je juge que j'ai assez pris d'air, rentre au bar, replace le micro de Freddy sur son socle, rebranche son fil ni vu ni connu et retourne rigoler avec les musiciens, mon humeur s'étant nettement améliorée.

Le troisième show sera difficile à faire, on rit à s'en péter les testicules. Freddy chante tout le reste de la soirée très troublé. Il renifle à gauche et à droite sans arrêter de répéter:

— Coudonc, ça sent donc ben la marde icitte!

Bref, on joue dur. Le pire, c'est que si on pense aux petites arnaques de Freddy et d'un peu tout le monde, ce n'est pas un drame. Comme on dit: ça m'en touche une sans faire bouger l'autre. La vie est dure et tout le monde se démerde comme il peut. Je le sais, Freddy le sait et tout le monde le sait. Il peut bien y avoir une petite bagarre de temps à autre, mais ce n'est pas une raison pour se faire mal.

Freddy est le premier à l'admettre et en bon sport qu'il est, il nous pardonne tout avec un grand sourire. Criss qu'il est adorable. « J'aimerais tellement ça tout te donner. » Celle-là, je la ris encore quarante ans plus tard... Cher Freddy qui me fait encore rire. Un rire teinté d'une certaine tristesse. De ce que j'ai appris dernièrement, Freddy est mort seul. Il avait une chouette famille, mais quand on vit trop avec l'alcool, on a tendance à sortir les gens de notre vie et à s'isoler...

Si la vie est un peu dure, elle est passionnante au Figaro. C'est plein de personnages excentriques, d'excellents musiciens, les femmes sont ravissantes. La vague « Woodstock » est terminée, mais elle a laissé de jolies séquelles. Les gens fument du pot avec un niveau de THC normal, pas la cochonnerie shootée d'atrocités que les gens fument maintenant. L'été, c'est plein de jolies touristes dans le Vieux-Québec et nous, les bums, aimons bien faire de la musique dans les bars pour les jolies touristes qui, elles, aiment bien s'encanailler avec les bums.

Régulièrement, il y a un malchanceux qui se ramasse avec une « chtouille » ou « chaude-pisse », comme on dit quand on ne prend pas la gonorrhée très au sérieux. La seule qu'on prend au sérieux, c'est la garde-malade de l'Hôtel-Dieu. Une énorme infirmière extraordinaire avec un cœur gros comme la terreur qu'elle nous inspire. C'est une dame assez âgée, mais qui foutrait la trouille à Mad Dog Vachon. Elle a même sa voix je trouve. On dirait vraiment un gros lutteur. Elle déteste que des jeunes ne fassent pas attention à leur santé, alors elle nous terrorise. Il y a même quelques jeunes imbéciles qui retardent leur visite à l'hôpital jusqu'à ce qu'ils aient l'impression de pisser des lames de rasoir.

J'y ai eu droit deux fois. À la deuxième, elle m'attend et beugle à pleine voix, pour être bien certaine que tout l'hôpital entend :

— Tiens, monsieur Bigras. Un petit abonnement peut-être ?

Je rosis et rétrécis.

À chaque fois, elle nous donne tous le même choix : une piqûre sur une fesse, qu'elle nous donne avec un sadisme même pas caché (j'ai eu l'impression de me faire poignarder), ou les sept sacrament d'énormes pilules, grosses comme des hamburgers, qui lèveraient le cœur à un vautour. Et t'as pas énormément de temps pour te décider, sans ça, elle décide pour toi et c'est toujours le poignard. Après, elle nous laisse repartir avec l'interdiction de baiser ou de boire de l'alcool pendant cinq semaines en sachant très bien qu'on en fera que trois. C'est une fine psychologue, cette Nurse Ratched.

NEW YORK

Il joue nonchalamment de la guitare sur la rue Saint-Jean. Avec une certaine arrogance. J'aime bien l'arrogance des grands virtuoses. Ils jouent une cigarette au bec, comme s'ils ne jouaient pas grand-chose, alors qu'ils sont en train de tout arracher. Je l'écoute longtemps, fasciné. Ensuite on jase toute la journée, et le soir, je l'emmène jouer avec moi au bar où je travaille. Il s'appelle Bob Daïuto. On ne se lâche plus, on joue tout le temps ensemble en parlant le franglais mimé. Plus facile en musique.

Un jour il me dit :

— Tu sais, chez moi à New York, il y a plein de musiciens bien meilleurs que moi.

— Meilleurs que toi ? Je le crois pas.

— Ben oui. Je pourrais te présenter mes chums bassiste et drummer. On pourrait partir un band.

Et moi, tout bêtement :

— Ok. On y va ?

C'est comme ça que j'ai déménagé à New York. Amusant. Ça devait être ma première destination, mais finalement j'avais préféré renaître dans ma langue maternelle à Québec.

À New York, il a fallu que je me débrouille très vite, je ne savais pas demander les toilettes en anglais et je n'avais absolument aucun francophone dans ma gang. En six mois j'étais bilingue. La meilleure technique pour apprendre, c'est de ne pas avoir le choix.

La vie est un peu monotone, on a pas beaucoup d'ouvrage et on est à peu près pas payés quand on joue. Quand Bob me disait qu'il y avait plein de musiciens meilleurs que lui dans la Grosse Pomme, il avait raison. Si tu n'es pas content de ton cachet, un musicien qui joue dix fois comme toi va l'accepter avec plaisir. Alors on pratique pas mal, on monte des tounes et on jam. Le reste de mon temps je le perds dans Greenwich Village. Tout le monde appelle ça « The Village », et le temps qu'on perd là n'est jamais du temps vraiment perdu.

Un soir, un peu désœuvrés, on entre dans un tout petit bar que je ne connais pas. Un énorme bouncer me demande mes cartes. Ça m'énerve. Je lui montre ma carte d'assurance maladie (ben oui, j'en avais une), il la regarde dédaigneusement et me demande :

— What's that ?

Je réponds :

— Medicare card. I'm from Quebec Canada, we don't pay for medicare. It's written in French.

Il saute sur l'occasion pour me piéger, croyant que je le mène en bateau.

— Oh yeah ? Talk to me in French.

Je réponds avec un gentil sourire :

— Mange un char de marde, gros criss de cave.

Ma gang, à qui j'ai enseigné quelques notions de bienséance québécoise, éclate d'un rire sonore. Le gros bouncer me regarde avec un air étrange.

— That doesn't sound very nice. What does it means ? (Ça sonne pas très gentil. Qu'est-ce que ça veut dire ?)

— It means you got a very nice tie. (Ça veut dire que vous avez une très belle cravate.)

Re-éclat de rire de ma gang. Il est ben blood, il nous laisse entrer.

Dans le fond de la salle il y a des instruments de musique. Le prix d'entrée est de dix dollars. À l'époque, c'était une véritable fortune. M'en fous. C'est probablement mes dernières cennes, mais ça va me faire du bien d'entendre d'autres musiciens. Je m'installe au fond et contracte une hypothèque pour me payer une bière.

Les musiciens s'installent tranquillement et la mâchoire me décroche. C'est un bar d'au plus une quarantaine de places et les musiciens sont Al Di Meola, Lenny White, Stanley Clarke et Chick Corea, qui forment le band Return to Forever. Avant de partir en tournée mondiale, ils viennent roder leur show ici. Chick Corea a fait connaître au monde entier le jazz-rock fusion, et ils sont à deux pieds devant moi.

Je suis complètement en extase. Je vends un rein et me commande une deuxième bière. Al Di Meola lit ses partitions, il a l'air d'un nerd. Rien à voir avec la star qui se produit encore régulièrement dans le monde entier. Tu l'écoutes jouer les yeux fermés et tu entends un musicien qui se déchire l'âme la bouche ouverte comme dans une peinture de Goya, en hurlant et en sautant dans les airs. Tu ouvres les yeux et tu vois un petit gars à la face hermétique qui semble s'emmerder un peu, le nez dans ses partitions. Extraordinaire.

J'ai passé une des plus superbes soirées de ma vie. C'est une chose que de voir des musiciens dans un stade olympique, mais juste à côté de toi, tu ressens tout ce qu'ils font de l'intérieur. Comme si tu faisais partie d'eux. Ça m'a laissé un souvenir paradoxal; d'un côté, j'étais un peu déprimé parce que je me disais que tout ce que je ferais n'arriverait jamais à la botte d'un de leurs élèves, mais j'étais aussi fouetté, comme électrocuté. Je voulais juste aller jouer avec ma gang.

Un jour, en répète, il me vient une idée:

— Listen guys, si on accepte de jouer assez loin en province, je suis pas mal certain que je peux nous trouver de l'ouvrage au Québec. En tout cas, pas mal plus qu'icitte.

Chose dite chose faite. On s'est trouvé une petite camionnette qui tenait par la rouille, on a mis le stock dedans et on est venus jouer au Québec. Notre band s'appelait Sanctuary et on jouait de tout. Il le fallait pour jouer partout. On a fait un petit arrêt à Montréal avant notre « Val-d'Or World Tour », le temps de casser une croûte pas trop chère.

Rien de mieux qu'un bon-vieux-resto-rue-Saint-Laurent-cuisine-canayenne avec des vieilles waitresses qui ont tout vu, la vie et le reste. Sont inébranlables. Bob veut absolument commander lui-même. Je comprends qu'il veut apprendre le français et c'est très louable, mais ça lui prend toujours une demi-heure pis ça m'énarfe. Il me pointe un burger sur le menu:

— How do you say that?

Je lui dis aimablement:

— Famoéunepipe.

Je lui fais répéter. La waitress vient prendre notre commande.

— Qu'est-ce tu vas prendre mon ti-gars?

— Fémoiounepipe.

— Tu vas te la faire tu seul, p'tit criss.

Et elle tourne les talons. Bob me demande:

— What did she say?

— She said: Comin' right up.

On a joué à Val-d'Or, Amos, Senneterre et on est partis de nuit pour se rendre directement à New Richmond en Gaspésie, à moins quarante degrés en plein février, dans une ostie de camionnette pas de chauffage. On a arrêté s'acheter des douzaines de cafés pour se réchauffer, mais on aurait été obligés de les boire à coups de marteau, ils gelaient à mesure.

Le froid a eu raison des volontés, et mes chums sont partis se réchauffer dans leur New York pendant que je suis retourné à Québec. Ce voyage a duré un an et la tournée québécoise qui s'ensuivit fut short, sweet and fucking freezing, mais ça m'a laissé un superbe souvenir. Ça m'a fait rencontrer des musiciens hors du commun et, accessoirement, ça m'a appris à parler anglais avec un accent new-yooorkais.

RIMBAUD ET VERLAINE

Je joue de la musique quand je peux. Le reste du temps, je fais des jobs de journalier dans des shops malpropres. C'est une boîte qui s'appelle Manpower qui me trouve ces jobs, et ils me prennent une part importante de mon salaire déjà mini-minimum. Je ramasse souvent à mains nues des cochonneries chimiques de couleurs douteuses, je fais toutes les choses que les autres ne veulent pas faire. C'est ce que fait un journalier, comme les premiers Bigras portefaix. Mais si on ajoute ça aux quelques jobs de pianiste que je me trouve, on peut dire que je ne suis plus « dans la rue ».

J'ai un petit un et demie et je réussis presque à payer mon loyer à temps. J'ai recueilli un petit chat super mignon. Il occupe mon cœur quand je suis seul. À ce moment de ma vie, la solitude est encore une terroriste, j'ai toujours peur d'en crever. J'appelle le chat Rimbaud.

À Pâques, des chums me donnent un petit poussin. C'est mignon un poussin, c'est gentil un poussin, mais quand on le donne en cadeau, on oublie que ça chie partout un poussin et surtout que ça devient rapidement un gros con de canard, un poussin. Pas grave, j'aime mon poussin. Je décide de l'appeler Verlaine, en partie parce que je me doute que ses relations avec Rimbaud ne seront pas simples. En fait, j'ai surtout peur que Rimbaud bouffe Verlaine, un peu comme dans leur histoire originelle.

Tu parles... La première journée, Verlaine s'est caché sous la table de la cuisine. Le poussin semble se sentir plus en sécurité derrière la nappe qui pendouille. Le chat s'approche prudemment, passe sous la nappe avant que j'aie pu intervenir. Poc ! Un coup de bec de Verlaine et Rimbaud ressort en zigzaguant. Visiblement, Verlaine sait se défendre. Je pars travailler en les laissant se découvrir mutuellement, pas super rassuré. Quand je rentre, aux petites heures, ils dorment collés l'un contre l'autre comme Roméo et Julio. Ben oui, deux mâles.

J'ai invité des chums à souper. Soirée nonchalante et agréable. Un de mes invités remarque Verlaine.

— Ooon, le beau ti-poussin !

Il le prend dans ses bras et il le pose sur la table. J'essaie d'intervenir à temps...

— Non non non. Repose-le par terre, repose-l...

Trop tard. Un canard, ça chie où ça se trouve. On ne le voit même pas forcer et frrroucht, une jolie trace de marde verdâtre avec des veines d'or marque la seule nappe que je me suis achetée de ma vie. Sans farce, la trace fait trois fois la longueur du canard, plus le parfum qui l'accompagne. Moi, j'ai des visions de canard à l'orange, mais bon, c'est pas son erreur, alors je vais le porter dans son enclos. En revenant à la table, je rigole en constatant que plus personne ne mange. Adieu la nappe, on va prendre une bière ailleurs.

Gérer la marde du canard, c'est pas toujours évident. Le chat chie dans sa litière, mais le canard ne voit absolument pas la vie de la même façon et je peux quand même pas y crisser une couche. Comme j'ai commencé à faire des allers-retours sur Montréal pour aller repérer les bars de blues là-bas, je m'absente deux jours. Quand je reviens, il y a une couche de marde de deux pouces d'épais sur mon lit, et une note de mon propriétaire pas super content qui est passé dix minutes avant moi. Je comprends que les animaux, ça ne sera pas pour moi en cette période de ma vie.

Je finirai par réussir à placer Rimbaud et Verlaine à la ferme d'un chum d'une chum. Ça a sonné mon retour à Montréal.

HERVÉ FEATHER ET SES BOOGIE BANDS

À Québec, j'avais rencontré un harmoniciste de Chicago. Il s'appelait Billy Craig. Un absolu virtuose quand venait le temps de faire un solo, mais absolument pas intéressé à accompagner les autres musiciens le reste du temps. Quand il ne fait pas de solos, il ne joue pas. Je me dis : pas grave, ça s'apprend. J'appelle Sylvain Dumont, drummer de choc. Il a un tel swing, une telle présence que même juste à deux, on sonne comme quarante. J'invite aussi Maurice Richard à venir nous rejoindre à la basse. Il a joué avec Robert Charlebois et le Jazz libre du Québec, et je m'apprête à le faire jouer un ti peu moins libre dans mon projet.

The wall, toujours. Le mur. Une fois que c'est installé, ça sonne comme une tonne de brique. Faut trouver un nom au groupe; on tranche pour Heavy Feather Boogie Band. Ça veut dire: « lourde plume ». On est moins agressifs qu'un band avec guitare électrique, mais on joue pesant quand même. « Blues band », ça swing pas assez, et on est moins heavy que les bands rock, alors ça sera boogie band. C'est parfait.

Mais on s'apercevra vite que le nom est beaucoup trop long, surtout pour un nom en anglais au Québec. On va jouer dans quelques semaines à La Pocatière (que Maurice appelle affectueusement La Capotière), et un de mes chums m'envoie la pub parue dans le journal. L'annonce dit: « Ne manquez pas Hervé Feather et ses boogie bands! » On a ri pendant une semaine, et on a décidé d'enlever le « boogie band ».

Rapidement, nos salles se remplissent et le monde tripe fort, alors on se promène beaucoup.

Un jour, un policier nous arrête sur la route pour un contrôle. Il demande à Maurice:

— C'est ton vrai nom?

— Yep.

— Comme l'autre?

— Non. C'est l'autre qui est comme moi.

Le policier rigole et nous laisse partir. Maurice se fait emmerder dix fois par jour, les gens ne le croient jamais quand il dit son nom. Il doit être content de ne pas s'appeler Ted Bundy.

Quand on joue vraiment ensemble, on est imbattables. Le feu pogne à chaque bar où on joue. Un soir à La Pocatière, on a fait au moins une douzaine de rappels. Les gens capotaient.

C'était comme ça partout. Heavy Feather est mon premier groupe qui s'est fait connaître à ce point dans le circuit des bars.

Le 4 juillet 1980, on a même fait la première partie d'Offenbach au festival Kamouraska Rock.

Le show a lieu au centre de ski Saint-Pacôme, au pied de la montagne. Les festivals font souvent ça, le son porte et tout le monde voit bien, ça fait un amphithéâtre naturel. On commence à jouer et j'ai un malaise : les milliers de personnes qui sont là nous regardent en plissant les yeux. C'est très étrange. Ça fait beaucoup de monde avec une grimace d'Asiatique qui photographie le soleil. Mais ils tripent fort, ils applaudissent, crient et demandent un rappel. On est contents, les premières parties agacent souvent, les gens veulent voir le gros groupe.

C'est quand même fucking weird, dix mille personnes qui font la même grimace. Au bout de dix minutes je comprends ; je me retourne vers ma gang pour leur donner un « cue » et je suis ébloui. Le soleil se couche derrière nous. Ouf, ça rassure. Maurice me dit après coup qu'il croyait qu'on était tombés dans un village où les habitants ne partageaient pas leur bagage génétique avec des « étranges ».

Je ne suis pas souvent fan des gens, les gens changent. Mais je suis très souvent fan de ce qu'ils font. J'étais quand même un immense fan d'Offenbach, et plus particulièrement de Gerry. Il faisait vibrer en moi des choses que je ne savais même pas que j'avais. Un jour, dans mon vieux truck, la radio a joué *La voix que j'ai*. BOOM. J'en revenais pas. Du rock et de la poésie ? Ensemble ? Ben oui, c'est ça Gerry. Avant lui, les rockeurs voyaient les poètes comme des tapettes et les poètes voyaient les rockeurs comme des brutes épaisses.

Cette chanson m'a changé à jamais. Je ne serais plus un gros monsieur noir qui joue du blues, mais un petit Blanc qui écrit des tounes.

J'avais écouté plusieurs formations de ce groupe mythique, et ma favorite avait toujours été celle avec Wézo, Willy pis Harel. Quand ils se sont laissés, j'étais allé voir le nouveau Offenbach à l'ancien bar Chez Gérard à Québec avec Jean Millaire (futur génial Corbeau) à la guitare et, honnêtement, je m'étais un peu emmerdé. Je crois qu'ils se cherchaient encore à ce moment-là. Au show de Saint-Pacôme, je m'attendais donc à une version moyenne d'Offenbach.

Après Heavy Feather, Offenbach commence… et je tombe sur l'cul la yeule ouverte. On se pensait un ti peu hot, mais là, leçon d'humilité 101. Ça, c'est un vrai band. Ça sonne comme deux cent mille tonnes de briques, mon « wall » a l'air d'une clôture à lapins à côté du leur. C'est la nouvelle formation avec Breen Leboeuf, John McGale et Bob Harrisson, et ça kick des culs solide. En plus, les deux meilleurs chanteurs du rock québécois chantent dans le même band. Quand Gretzky pis Lemieux jouent sur le même alignement, l'autre équipe passe une ostie de mauvaise soirée. Ça a quand même été un super trip, mais on s'est fait replacer les chakras par ordre alphabétique.

Le soir, on est tous au même bar. Je trouve Gerry fascinant, mais on ne se parle pas même si on a ben du fun. Ensuite, les Heavy Feather prennent leur leçon et vont se coucher avec une grande humilité pis le zizi en berne. C'est ça que ça fait, les leçons chocs. Moi, ça fait déjà un bout que Gerry a commencé à déteindre sur moi.

Plus tard, on joue au Château de Marieville. Jamais joué là de ma vie, l'endroit ne me dit rien. Le soir venu, on joue pour une salle vide. Le staff, le gérant et le boss. Ils sont émus, aucune idée pourquoi. Soirée de malaise. Je comprendrai pourquoi le lendemain.

Effectivement, le lendemain, je reçois un appel de notre booker. Il a une mauvaise nouvelle.

— Le bar a passé au feu pendant la nuit. Perte totale.

— Pis notre stock?

— Sais pas.

Je me rends immédiatement à Marieville et je constate les dégâts. Destruction totale. Notre stock est complètement brûlé et couvert de glace suite à l'intervention des pompiers. Je m'approche et vois la carcasse en métal de mon piano, qui tient encore debout parmi les débris. Étrange sensation. Comme si on avait tué mon chat.

Je rentre chez moi le cœur lourd.

Je réfléchis pendant des jours à mon avenir avec un énorme découragement. Je me dis qu'on n'a plus d'équipement et pas d'assurance. On a jamais eu les moyens pour ça, on paie tout juste nos loyers et le gaz de notre vieille van. Fini notre gagne-pain, mais c'est plus profond que ça. On n'avançait plus. J'essayais de garder un contrôle de fou afin que le groupe joue ensemble, mais on jouait de plus en plus chacun de notre côté, alors on était devenu «le blues très très libre du Québec» et c'était fucking caca-phonique. Ça commençait à m'épuiser. Tourner en rond, ça veux juste dire que tu chies quelque part, pis qu'un jour tu vas marcher dedans. Anyway, on n'a plus d'instruments, faque pour moi ça règle la question.

On se réunit et j'annonce que je lâche le band. Finito la musique pour moi. Les gars me demandent ce que je vais faire mais je n'en ai aucune idée. On verra.

Plus tard, le gérant et le boss de la place à Marieville se sont fait arrêter pour incendie criminel. Les tabarnacs. Ils nous ont juste engagés pour camoufler leur mauvais coup. Je suis furieux et j'ai des pensées pas clean, mais je me retiens. Je reçois un appel du procureur qui les poursuit. Il me dit que si je veux écrire une lettre à la cour pour décrire les dégâts que ça a fait dans ma vie personnelle, ça aiderait à les faire condamner à une peine in ti-peu plus lourde. Je me gêne pas. J'appelle un chum avocat et on rédige la lettre ensemble. Il commence :

— « Cher maître Cor… deau. » Osti, faut pas se tromper, hein.

Bref, le gérant a pogné des fins de semaine en dedans et le proprio pas grand-chose. Je les chasse de mon esprit. J'ai pas besoin de plus de colère dans ma tête.

Des années plus tard, Maurice décédera après une vie à travailler dans une shop au salaire minimum. Je croiserai mon chum Sylvain en France où il joue un peu, pas en super bon état. Billy, l'harmoniciste sans-papiers, n'a jamais même tenté de régulariser sa situation au Québec ; il a fini par être arrêté et déporté aux États-Unis. Comme quoi l'adversité m'a bien mieux traité que d'autres.

NO MAN'S LAND

Je suis heureux de mon retour à Montréal. Mais, évidemment, ça ne répare pas magiquement la famille.

Mon père habite maintenant un énorme immeuble sur la rue Sherbrooke. Je vais le voir chez lui. Je ne m'attends pas à être accueilli comme l'enfant prodigue, mais je ne m'attendais pas non plus à ça ; il est plutôt froid.

Il me demande :

— Pourquoi tu veux me revoir ?

Je suis un peu abasourdi.

— Ben… pour voir mon père. Après toutes ces années-là, je me dis qu'on a peut-être eu le temps de réfléchir, de mettre un peu d'eau dans notre vin.

— Quand tu étais jeune, t'en as pas eu de père. Je ne t'ai pas donné ce que j'aurais dû. Si tu es venu chercher ce père-là, oublie ça tout de suite, il n'existe pas. Maintenant, je suis un monsieur plus vieux et il faut pas me brusquer.

Je suis songeur et un peu triste, mais il a raison. S'il y a une chose qui me fout la chienne, c'est que la marde reprenne. Je lui réponds :

— Ok, on va y aller doucement.

— Doucement ?

— Doucement.

Même après mes années de rue à Québec, mon rapport avec ma mère ne s'améliore pas. Elle aurait sûrement apprécié plus de paix, mais elle était débordante d'une rage qui ne pouvait exploser, comme un immense magma de haine prisonnier de son corps. Elle en brûlait. Je suis toujours curieux, à ce jour, de savoir qui a fait si mal à sa tendresse…

Un jour où j'ai été la visiter avec ma blonde Catou à son chalet, on arrive, on dit bonjour. Il y a plusieurs amis chez maman cette journée-là. Maman me boude, aucune idée pourquoi, c'est comme ça dès mon arrivée. Comme quand j'étais petit. Je suis sérieusement inconfortable, ça me rappelle trop de choses. Sans aucun autre signe avant-coureur, à la fin de la journée, elle explose et hurle après moi, comme si j'étais un enfant et qu'elle pouvait toujours se le permettre. Je me dis que partir faire ma rue pendant quatre ans à Québec, c'était pas assez.

Alors, je me lève, et avec Catou, je pars sans rien dire. Ma mère remplira presque tous les jours ma boîte vocale, mais elle n'existera plus pour moi pendant deux ans.

Au bout de ces deux ans, je retournerai finalement un de ses messages et j'irai chez elle mettre les choses au point. Je comprends que ma mère ne soit pas d'accord avec le fait que je radio-silence à ce point-là. Je suis conscient qu'il est extrêmement cruel de ne plus adresser la parole à sa mère pendant des années, mais je refuse d'embarquer dans sa rage, ça me rend malade.

Je lui explique calmement pourquoi je suis parti, ce jour-là à son chalet. Je me souviens de ses paroles:

— Je ne veux plus jamais que tu me fasses ça.

— Maman, des fois tu me laisses pas vraiment le choix. En ce qui me concerne, c'était ça ou mon poing sur la gueule.

— J'aurais préféré le poing sur la gueule.

— Voyons criss, un poing sur la gueule de ma mère. Dans quel hôpital tu vis?

On s'est souri et réconciliés. Pas une jolie réconciliation de style *Petite Maison dans la prairie*, mais une espèce de zone inhabitée entre nous deux, comme un no man's land entre deux frontières, agressions interdites.

Dernièrement, je suis tombé sur son journal intime. Elle a écrit textuellement: « Relation avec ma mère, no man's land. » Comme quoi, je ne délire pas quand je dis que les patterns sont transmis d'une génération à l'autre.

RUE MARIE-ANNE

Dans les années 1980, il n'était pas encore nécessaire de vendre un de ses organes pour habiter sur Le Plateau-Mont-Royal, alors j'y vivais dans un appartement cool avec une coloc que j'aimais bien. J'avais eu ma coupure salutaire d'avec ma famille et, donc, je vivais exactement comme je le voulais, sans avoir de relations malsaines. Je m'entendais bien avec tout le monde.

Pour mon petit frère Guillaume, ça ne s'était pas passé aussi bien. Il n'était jamais parti et les choses se sont dégradées. Un jour il a pris un chèque de papa et a imité sa signature. C'était tellement grossier comme vol que ça me semblait plus comme un appel à se faire prendre qu'autre chose. Ce qui devait arriver arriva: évidemment qu'il s'est fait pogner. Et à la demande de Zab, mon père l'a foutu dehors.

Guillaume était une absolue future vedette. Un charisme à faire danser le *Achy Breaky Dance* à un troupeau de vaches. Je le soupçonne d'avoir couché avec la moitié de son école. Il avait cent fois le talent que j'avais, plus la réplique cinglante ou tordante au dixième de seconde. Vous rajoutez à ça un grand cœur et une beauté physique évidente, et c'était sûr: on allait le remarquer un jour.

Un jour, il est dans l'ascenseur qui mène chez papa rue Sherbrooke et attend que le liftier ferme la porte. Une femme étrange et snob avec les cheveux teints, son poodle de la même couleur qui haït tout le monde perché en haut de son énorme poitrine, se précipite à l'intérieur en demandant hyper fort comme si tout le monde était sourd:

— Monte-t-on?

Et mon frère, imperturbable:

— Oui madame, à quel tétage?

Toujours comme ça. Acteur ou politicien né, ça se ressemble souvent.

Il a habité un petit bout chez maman, mais ce qui ne marchait pas chez papa ne marchait pas plus chez maman, alors il a abouti chez moi. On s'entendait bien et on parlait beaucoup. Un jour, il me dit:

— T'sais, l'autre jour sur la plage, papa a roulé sur moi.

— C'est ben weird… mais bon, tu sais comme il aime jouer, c'est peut-être pas si weird que ça.

Il n'a rien rajouté et j'ai oublié ça.

Je vais le regretter le restant de mes jours.

Quand quelqu'un essaie de te dire quelque chose, crois-le calvaire. Ça fait longtemps maintenant que je suis totalement et immédiatement prêt à écouter et croire les pires choses, elles sont déjà arrivées. Quand quelqu'un me dit: « Je vais me pendre », je n'ai plus la seconde de déni habituelle, je suis *on* tout de suite. Si on ne croit pas quelqu'un qui souffre sur-le-champ, il va se refermer et ne reparlera plus jamais à personne. Alors maintenant je crois.

LA PORTE DU SOLEIL

J'ai une blonde fantastique. Nos deux pères sont deux psys qui ont passé une partie de leurs carrières en guerre ouverte, ça finira même en cour. Nous, on n'en a rien à branler, l'amour nous miraculise. Je ne fais plus de musique, mais je n'en souffre pas vraiment.

Catou travaille dans un magasin d'importation de cossins sud-américains sur la rue Prince-Arthur. Elle m'a fait embaucher à la boutique. Les patrons sont des gens que j'aime bien, les Galaraga. La boutique s'appelle Titicaca. Un jour, deux bonnes femmes entrent et une des deux pouffe de rire en lisant le nom. La deuxième la sermonne:

— Arrête de rire, nounoune, c'est le nom d'un fleuve en Afrique.

Je souris. Je suis peut-être pas le seul qui aurait dû faire son secondaire V.

Quelques mois après, les proprios ouvrent une deuxième boutique sur la rue Saint-Hubert et, probablement échaudés par les jokes perpétuelles sur le nom de leur premier magasin, l'ont nommée « La porte du soleil », d'après un monument construit dans un bloc de pierre à Tiwanaku en Bolivie. Ils m'envoient à la deuxième boutique et j'en deviens le gérant.

La vie est douce entre ma douce et ma job. Je n'ai jamais goûté à cette vie que donnent un travail et une relation stable en même temps. Ça a été la rue, puis les bars. La sécurité me fait du bien.

Mais la musique, c'est comme de la dope. Ça te lâche pas, ça t'espionne toujours par une craque dans le mur.

PIPI

J'avais déjà joué à La Pointe aux cafés de Saint-Jean-sur-Richelieu, qu'on appelait alors Saint-Jean-d'Iberville, avec Heavy Feather. Dernière des boîtes à chansons au Québec, semble-t-il que Félix Leclerc y avait fait ses débuts. Salle de fou, ça avait été mémorable. Une des places les plus fantastiques où j'avais joué.

Le gérant de la place s'appelait Robert Jarry. On le surnommait affectueusement Pipi. Je ne lui ai jamais demandé pourquoi ; ça sentait l'incident diplomatique gênant.

Un jour, Pipi décide de déranger ma carrière de gérant de magasin. Il me téléphone.

— Salut Dan, qu'est-ce tu fais de bon ?

— Salut Pipi, je gosse à la boutique, la vie est bonne. Pis toi ?

— Bien. On s'ennuie de vous autres ici…

— Ah ben moi aussi, mais je fais plus de shows. Le band existe plus.

— Je sais… Tu pourrais venir jouer tout seul ?

— Es-tu fou criss ? Ta gang a vu Heavy Feather, je pourrais jamais rivaliser tout seul. Anyway, je pourrais jamais jouer tout seul, faut que ça rock.

— Chus certain que t'es capable.

— Non non, oublie ça.

— Je vas te payer.

— M'en câlisse, j'ai une job.

— Deux cents piastres.

— Hein ? Es-tu malade ?

— Je te dis.

Et moi, sans trop réfléchir :

— Si t'es assez cave pour payer, m'as être assez fou pour y aller.

Je me suis pointé sans préparation et assez nerveux. Mais j'ai joué et ça a été le délire, j'ai même pas compté les rappels.

En repartant à trois heures du matin, je remarque quelque chose que je n'avais pas vu en arrivant (j'étais probablement trop nerveux et trop dans ma tête). Sur la marquise, c'est écrit : « La Pointe aux cafés. Ce soir : Dan Bigras ».

Je fais un saut. Je n'avais jamais vu mon nom affiché seul comme ça. Les gens m'ont porté sur un nuage toute la soirée… et j'étais seul sur scène.

Le lendemain, j'allais me chercher un vieux char et un clavier. C'était reparti.

J'ai eu des nouvelles de Pipi il y a quelques années. Crise cardiaque foudroyante. Il est mort. Ça arrive régulièrement dans mon ancienne gang. L'alcool, la dope, faut que tu arrêtes un jour. Moi, je garde un tendre souvenir de mon chum Robert « Pipi » Jarry. Sans lui, il n'y aurait peut-être jamais eu de Dan Bigras public.

CHAPITRE 3

RUE SAINT-DENIS

La rue Saint-Denis, c'est mon fantasme et même mon plan de carrière. J'ai joué dans des brasseries, j'ai joué du folklore, j'ai même joué avec un band disco, mais la seule musique qui m'intéresse, c'est le blues. Le rock-blues en fait, et la rue Saint-Denis en est un peu la capitale. Alors je vais voir les bands jouer et j'y joue moi-même.

J'aime ce milieu et j'adore tout le monde. Si des gens croient que ma réussite a été mon disque *Tue-moi*, ils sont dans le champ. L'aboutissement de tous mes rêves, c'est ce milieu, cette ville dans la ville que représentait le monde de blues en ces années-là.

Il y a du monde de partout. Ce sont les Rock Machines qui contrôlent cette partie de la ville, les Hells sont plus à l'ouest, de ce que j'ai compris. Alors il y a des bikers pis des intellos, des ti-gars de rue pis des hommes d'affaires, des gais pis des straights, des jeunes pis des vieux, des bourgeois pis des fuckés comme moi, et tout le monde se fréquente facilement. La vie de blues réunit tout le monde. À New York ils ont The Village, ici c'est la rue Saint-Denis.

Pas loin chez Dumas, il y a le Jazz libre du Québec qui joue entre deux tournées avec Robert Charlebois. Au Bistro à Jojo, Marjo et son chum Jean Millaire font du blues. Au Grand Café, Bob Harrisson, ex-batteur d'Offenbach, joue avec son band, et à l'Ours qui fume, Bob Walsh mon idole fait brailler tout le monde avec son flegme habituel, et Jim

Zeller, anciennement du duo Gerber-Zeller que j'avais découvert à Québec, met le feu dans la place. On rajoute Luce Dufault, Carl Tremblay et Lulu Hughes aux Beaux Esprits et on a une petite idée de ma gang. Ils y ont joué à des périodes différentes, mais ils ont tous fait partie de cette extraordinaire gang-là. Plusieurs y sont encore. Il y a aussi le Nuit magique dans le Vieux-Montréal. Moi je joue à tous ces endroits-là tout le temps. C'est mon monde, ma liberté.

Chaque soir, on se fait un devoir de virer les bars à l'envers. Le principe est: « On se met un casque pis on brasse. » C'est notre job, faut que ça brasse, pis ça brasse rare. Je ferai l'erreur d'essayer la coke dans ce monde de blues, mais bon, ça aura fait partie de mon trajet de vie. J'en suis presque mort, mais je suis ici grâce à tout mon passé, je ne renie donc rien.

Nous devions faire trois spectacles par soir. Ça n'a l'air de rien, mais c'est extrêmement drainant. Même aujourd'hui, je trouve que faire mon spectacle en deux parties ne fait pas beaucoup de sens. Depuis que j'ai fait des tournées en Europe où les shows se font toujours en une seule partie, je ne comprends pas trop ce que je fais dans ma loge au beau milieu de mon show. Mais bon, faut vendre de la bière, pas le choix.

Dans les bars, de façon naturelle, on va chercher l'attention des gens pendant le premier show pour tout donner au deuxième. Le public nous envoie des verres sans arrêt, on se ramasse à peu près sans connaissance, complètement vidés. Il y a toujours un client content pour t'offrir une ligne entre les shows, je n'en ai presque jamais acheté. Une fois que tu as sniffé ta ligne, badaboom, l'énergie te revient et tu fais ton troisième show en cinquième vitesse. Sauf que tu rentres chez toi à quatre heures du matin complètement énervé. Ça te prendrait douze télés pour t'occuper l'esprit. Moi je me calais une demi-bouteille de scotch d'un coup et je pouvais m'endormir. Ensuite on recommençait le lendemain. Personne n'a jamais pensé une seule seconde aux dégâts sur notre santé. La santé est une autre planète, ici on réalise des rêves comme si on crevait demain. Plusieurs d'entre nous sont d'ailleurs crevés demain il y a longtemps maintenant.

Je suis né en retard de quelques années sur le mouvement Flower Power, les Hippies et les Beatniks. Je les ai ratés de peu, mais ils avaient laissé une trace importante. En refusant l'autorité et les mensonges des seigneurs de l'époque et en protestant contre la guerre du Vietnam, ils ont initié quelque chose de spécial qui nous habite encore aujourd'hui. Ils ont dit essentiellement trois choses:

1. « Faites l'amour pas la guerre. » En ce qui me concerne, je trouve ça brillant et essentiel. Ce n'est devenu un cliché qu'à force de le répéter.

2. « Descendez dans la rue et revendiquez. » Ça aussi c'était brillant. Si personne, à travers l'histoire, n'était descendu dans la rue pour revendiquer, les femmes n'auraient toujours pas le droit de vote, les Noirs seraient toujours assis à l'arrière des autobus et les travailleurs continueraient d'avoir des conditions de marde. Même les policiers revendiquent maintenant.

La troisième chose qu'ils ont dite était: « La drogue, ça libère. » Là ils se sont plantés pas à peu près. À l'époque, personne ne savait qu'il y aurait des maisons de désintoxication, que les drogues feraient des morts et des handicapés à vie. On savait que quelques personnes extrêmement détruites prenaient de l'héroïne, mais ça nous semblait très lointain, hors de notre monde. En fait, nous n'avions peur que des aiguilles. Ça c'était de la vraie drogue. Et le petit smatt qui a pour ainsi dire eu l'idée de sortir la coke des aiguilles pour la vendre à nos narines a créé un dangereux précédent.

Les hippies fumaient du pot et prenaient quelquefois de l'acide (LSD). Nous, on buvait, et plusieurs fumaient du pot. Avec l'arrivée de la coke, on a commencé à boire beaucoup plus et, effet pervers, les gens écoutaient de moins en moins la musique. Sur la coke, on écoute rien ni personne, on parle. Plus la soirée avançait et plus tout le monde parlait fort. Nous avons commencé à utiliser des systèmes de son de plus en plus puissants pour les enterrer, mais c'était un combat perdu d'avance. Les bars ont engagé de moins en moins de musiciens, et les bars de blues au Québec en sont presque morts aujourd'hui.

LE FORT EST CHER

On part du Grand Café pour aller aux Beaux Esprits, alors je commande une shot. Une shot pour moi, c'est un verre de bière rempli de scotch avec quelques glaçons. Mes chums me regardent un peu de côté avec ce qu'ils croient n'être qu'une impression bizarre mais qui est en fait la vérité. Je vais caler d'un coup ce qui les assommerait eux pour une seule raison; j'ai une peur panique de manquer d'alcool en traversant la rue pour changer de bar.

Aux Beaux Esprits, j'ai ma bouteille de scotch derrière le bar. Une entente avec les proprios, je n'ai absolument pas les moyens de payer chaque verre au prix fort. Passé trois heures, nous fermons le bar et continuons la fête entre nous jusqu'au jour. Jean-Marie Zucchini, Marseillais ascendant Corse, videur et cuisinier de pizza au four aux Beaux Esprits, est avec nous, en compagnie de celle qui deviendra un jour son épouse, Luce Dufault. On boit comme des trous. Jean-Marie, « très costaud », avait l'habitude en France de coucher tout le monde. Il tient l'alcool comme tes culottes tes couilles. Il ne tombe jamais. Je me rends au sous-sol et je l'entends parler au téléphone avec un de ses potes français.

— Putain, j'arrive pas à les coucher ces Québécois, ils sont forts.

Il m'aperçoit. Je suis crampé de rire.

— Jean-Marie, t'as pas remarqué qu'on va pisser aux trois minutes ? La poudre, ça fait tenir l'alcool trois jours si on veut.

Jean-Marie ne tombera pas dans ce piège, et Luce non plus. Moi, c'est une autre histoire. Les excès, ça réécrit la vie. Les substances te donnent la folie au lieu du vide et les passions te font sentir vivant, mais tout ça a un prix. Comme disait mon chum Steve Faulkner : la chair est faible mais le fort est cher.

CHRISTINE

J'habite un petit trois et demie juste au-dessus du Café Latin sur la rue Saint-Denis. J'adore la place, alors je m'y tiens souvent, même quand je n'y joue pas.

Un soir, je joue au billard tranquillement et un gros gars qui m'a pas l'air d'en être à son premier verre veut jouer une game. Ok. Je joue de façon nonchalante, c'est voulu. Je « frame » de temps en temps. Toujours la même technique : évaluer la quantité d'alcool que le gars a ingurgitée et jouer un tout petit peu en dessous de sa force jusqu'à ce qu'il veuille jouer à l'argent. Je ne fais qu'accepter ce qu'il propose, sans ça mon jeu est démasqué. Au bout de trois ou quatre games, il propose de mettre vingt piasses sur la table. Je le laisse gagner difficilement, puis un peu plus facilement. Généralement, c'est pas très long, il veut mettre cent piasses. Je nettoie la table sans le laisser jouer. Pas content le monsieur, mais il se dit que c'est un coup de luck. Il exige d'en jouer une autre, je fais semblant de refuser, il commence à être menaçant, alors j'ai l'air d'accepter à contrecœur. Je le lave encore.

J'ai donc perdu deux fois vingt dollars et gagné deux fois cent. Cent soixante piasses en même pas cinq minutes, c'est pas mal. On a tous nos petits trucs pour survivre, la musique n'est pas toujours suffisante. Il y a deux conditions à respecter pour que ça marche: faut bien être conscient de notre propre taux d'alcool dans le sang (sinon c'est peut-être bien lui qui est en train de nous framer), et il ne faut jamais, au grand jamais jouer ce petit jeu dans un bar qu'on ne connaît pas; ça pourrait très mal tourner.

Effectivement, le monsieur comprend qu'il s'est peut-être fait avoir et commence à s'énerver. Il me menace de plus en plus fort avec sa queue de billard dans les mains. Moi aussi je m'énerve un peu et je tiens une boule de billard dans la mienne. Le proprio arrive et va droit vers le gars:

— Qu'essé qu'y a, tu veux te battre?

— Mets-en, que j'veux me battre.

— Enwoye dehors, j'vas te régler ton criss de cas.

Le gars se dirige vers la sortie et le proprio le suit. Il lui dit:

— Après toi, mon gros.

Le gars sort en premier, et le proprio ferme et barre la porte derrière lui en souriant. La face du gars dehors vaut mille piasses et tout le bar rigole.

Je retourne à la table de pool et place les boules sur la table. Une fille super cute avec la vie durement marquée sur son visage me demande si elle peut jouer.

— Ben sûr. Pas de gageage par exemple.

— Non, on gage pas.

Elle s'appelle Christine. Je passe une bonne partie de la soirée à jouer avec elle. Plus on jase, plus elle me plaît. Une belle fille pour moi, c'est pas une première page de magazine, c'est une fille qui a vécu... ou un peu des deux. Quand c'est marqué dans sa face, ça m'émeut. Finalement, je l'invite à passer la nuit avec moi à mon tit appart juste au-dessus, et on passe une nuit superbe comme son sourire.

Le lendemain, elle revient et le surlendemain aussi. Elle finit par apporter son gros sac avec ses affaires. Le soir, elle se maquille et s'arrange ultra sexy. On s'est jamais demandé ce qu'on foutait dans la vie, mais là ça pique ma curiosité. Elle travaille toujours aux mêmes heures que moi. Je lui demande c'est quoi sa job.

— Come on, tu sais ben.

— Ben non, je te jure.

Quoiqu'en effet, en ce moment je commence à comprendre. Tranquillement, son regard se durcit. Hey cibole, je me chicanerais pas avec.

— Tu me juges ?

— Jamais de la vie. En fait, je me demande juste qui s'occupe de ta sécurité.

— Y a plus personne.

— Depuis quand ?

— Depuis qu'on s'est rencontrés.

— Hein ? Comment ça ?

— Je l'ai laissé. Tu veux-tu me watcher ? J'vais te donner une cut.

— Non non, hors de question. Trésor, je t'adore, mais je serai jamais un osti de pimp, je veux rien savoir.

— Pas de trouble, j'ai pas besoin de personne, il m'est jamais rien arrivé anyway.

J'aime pas ben ben ça, ça m'inquiète pas mal. Mais je peux pas la surveiller. Je joue toujours pendant qu'elle fait la rue. Je me demande ce qui est arrivé à son ex. Il va peut-être venir me remercier.

Une couple de jours plus tard, je suis brusquement tiré de mon sommeil par des coups violents à la porte de mon appart.

Je suis d'hyper mauvais poil. Je bois beaucoup le soir ; le lendemain matin, le mal à l'existence vient avec. Je me sens pas particulièrement bouddhiste-zen-Ghandi-peace-and-love et bullshit & co. Alors, moi et mon mal de tête, on saute dans mes culottes et on va ouvrir. Devant moi se tient un smatt à l'air toff, mais vraiment pas très grand ni gros. Tout passe par sa face intimidante… qui ne m'intimide pas une maudite seconde. Je me dis que plus il est laitte, plus je vais avoir du fun à taper dessus.

— Qu'essé tu veux câlisse ?

— T'as volé ma blonde.

— C'est tordant. Ta blonde, elle a une poignée dans le dos, c'est une valise ?

Tout en parlant, j'avance d'un pas avec une main dans le dos comme si je tenais une arme. En fait, j'ai pas d'arme du tout et je commence à le regretter. Mais il recule d'un pas.

— J'vas r'venir pis j'vas t'casser é jambes.

J'avance sur lui et lui dis avec un sourire :

— Quand tu vas revenir, moi je vas t'tuer.

Il fout le camp. Je claque la porte et me dirige de toute urgence vers mon sauveur : le pot d'aspirines. Ça m'a énervé plus que je pensais. J'haïs ça, ce niaisage-là. Je suis musicien, moi, pas assassin.

Le temps passe. Christine et moi, on a dû vivre une relation de peut-être trois semaines, un mois. Je ne sais plus. Je l'adore, mais on dirait qu'elle rattrape avec moi ce qu'elle se fait faire dans la rue. Sexuellement, c'est toujours moi qui fais tout et elle rien. Je la comprends, mais ça commence à être drainant.

Une nuit, elle m'arrive à trois heures du matin, assez maganée, avec une puck dans face. Je lui demande :

— Qu'est-ce qui est arrivé ?

— Rien.

— Christine, tabarnac.

— Je pensais qu'il y avait juste un client dans le char, mais y avait deux autres morons cachés en arrière. J'étais distraite, j'ai pas checké, c'est de ma faute. Là, j'ai le trou de cul comme un oignon.

Toute la nausée du monde me pue dans le cœur. Je suis triste, enragé, honteux. J'ai pas pu la défendre. Je la berce dans mes bras en détestant les hypocrites. C'est en partie eux qui créent ce genre de conneries. Si la prostitution était légale, on pourrait peut-être avoir des bordels institutionnalisés avec de la vraie sécurité, des distributeurs à capotes et des travailleurs sociaux qui seraient là en permanence, pour pouvoir aider et aiguiller les filles vers les bonnes ressources quand elles voudraient passer à autre chose. Ça ne marcherait sûrement pas avec toutes les filles, mais quand même.

Plus le temps passe et plus notre passion s'éteint. Christine m'a souvent parlé de son rêve d'aller faire plein de cash à Toronto et un jour, elle y est partie. Je n'ai plus jamais eu de nouvelles. J'ai un ti peu le cœur dans l'eau quand je repense à elle.

MES PARENTS ET LES BARS

Ma gang de capotés étaient tous là. Vraiment tous les plus flyés. La présence de mon père dans le bar, c'était aussi discret que celle du pape dans un sex shop. Il s'asseyait dans le fond et m'écoutait avec une attitude qu'il voulait impassible, mais si je faisais brailler mon sax, je voyais, derrière ses lunettes, une larme couler sur sa joue.

Ma mère, ben… c'était ma mère, tu demandes pas à une pomme d'être une poire. Un soir où je me suis littéralement désâmé, elle vient me complimenter dans la salle de bière qui me sert de loge :

— Daniel, je trouve que ta technique s'est bien améliorée.

Je me retiens de sourire. Criss, elle comprendra jamais rien… Néanmoins, je ne perds pas espoir de l'émouvoir un jour. Avec elle, je serai toujours un petit garçon.

De temps en temps je l'appelais :

— Je joue à soir, viens-tu voir mon show ?

Elle me répondait :

— As-tu un nouveau show ?

— Euh… non.

— Ben dérange-moi pas d'abord.

Je riais à chaque fois, et je souris encore aux manières directes de ma mère. Elle avait entièrement raison.

Mon père aussi avait une phrase sur ça : « Si t'as rien à dire, ferme ta gueule. »

Mine de rien, c'est de l'éducation. À ce jour, si je me sens incapable de déranger ma mère avec un de mes projets, je ne dérangerai personne.

LES CHANTEUSES

J'ai chanté avec plusieurs chanteuses au Québec. Ça a toujours fait partie d'une zone très sensible pour moi, la voix humaine. Je ne suis pas un grand chanteur, mais ma voix est bien branchée sur mon cœur. Ma voix a dit, crié, hurlé, pleuré, ri et surtout chanté. Chanté tous mes intérieurs. Sans voix, je serais mort. Alors, je considère que quand j'ai une complicité de voix avec quelqu'un, c'est quelque chose de très proche, de très intime. Comme dans un couple. Ça va aussi loin à l'intérieur.

J'ai eu ça avec Nanette Workman au début. Elle avait un bar près de Warwick qui s'appelait le Stage Coach. Elle m'engageait là de temps en temps et venait chanter avec moi. Comme on a jamais répété ensemble de notre vie, il fallait décider tout de suite l'harmonie. Je lui demandais:

— Who sings the top note?

Et elle me répondait avec son hyper sensuel accent texan:

— Who cares who's on top as long as we're having fuuuun. (Littéralement: On se fout de qui est sur le dessus tant qu'on a du fun.)

À chaque fois je pouffais de rire, et elle, avec son plus charmant sourire:

— I knew you'd like that.

C'est resté un rituel, cette espèce de façon de taquiner mon kick sur elle. Elle passait derrière moi et m'envoyait une note de sa sacrament de voix de démone du paradis, drette dans mon oreille:

— Oooh yeeaaaaah.

Et un immense frisson me traversait la nuque.

— Nanette goddammit, fais pas ça, sti.

Elle me faisait un grand sourire et s'éloignait.

J'aime bien ces tendresses qui traversent le temps.

Puis j'ai rencontré Luce Dufault et Lulu Hughes, à peu près en même temps. Elles étaient les deux petites nouvelles sur la rue Saint-Denis. Luce et moi, on a longtemps chanté dans les bars ensemble. Dans les années 1980, elle avait son propre band qui s'appelait Stable Mates. Un très bon band de soul et de blues, et elle chantait comme une déesse, j'en étais sur le cul à chaque fois.

Un soir, on écoute Carl Tremblay aux Beaux Esprits. C'est bon mais on trouve que ça manque de chœurs, alors Luce et moi montons sur scène. Immédiatement on harmonise, sans même avoir répété. J'ai une maladie, ça s'appelle l'hamonitite aiguë, et Luce l'a aussi. Pas capable d'écouter une chanson sans chanter la tierce ou la quinte par-dessus. C'est pas compliqué, la tierce c'est trois notes au-dessus, et la quinte, cinq. Beaucoup de chanteurs peuvent le faire, mais moi je n'ai pas le choix, ça sort tout seul. C'est parfois un peu emmerdant quand ça prend toute la place dans ma tête, mais ce soir c'est très amusant. Luce et moi, on sonne comme des choristes professionnels, on fait même les petites steppettes pis toute.

Quelques jours après, elle vient chanter sur mon show. Nos voix se collent toutes seules, c'est magique. C'est très intime, en fait ça provoque l'impression qu'on s'est toujours connus, ce qui n'est pas vrai. Luce et moi sommes des copains de blues, mais pas des amis intimes ni des amants comme certains l'ont cru à l'occasion. Tout passe par la voix. L'une se blottit dans l'autre, se couche dessus, respire en même temps, devine l'autre, s'émotionne en même temps. Notre complicité me renverse toujours.

Alors, un soir de blues particulièrement arrosé, je lui propose quelque chose : un plan de carrière. Je n'avais jamais fait de plan de carrière de ma vie en dehors de devenir un gros monsieur noir, mais, l'alcool aidant, je dis à Luce :

— Écoute ben, ma pit eurk… pitoune.

L'alcoolique finit toujours par roter un peu en parlant, son foie exprimant ainsi tout haut qu'il aimerait se faire greffer un autre imbécile. En plus, la terreur de l'alcoolique, c'est de tomber sur le cul, alors il se tient penché vers l'avant et tombe généralement sur le front.

— Ma pitoune, je te propose de rester avec moi. J'vas eurk… finir d'écrire mes tounes, j'vas sortir mon disque pis… aaaeurk-près ça, j'vas écrire les tiennes pis tu vas faire ton disque.

C'était plus laborieux que ça, et beaucoup moins articulé, mais c'était pas mal le sens général. Elle a accepté, nous avons fait plein de shows ensemble, et je lui ai fait des tounes avec mes chums de l'époque (Christian Mistral, Gilbert Langevin, Sylvie Massicotte et Luc Plamondon) ; *Soirs de scotch*, *Dans le cri de nos nuits*, *L'amour c'est ce qui reste après l'amour* et *Ulysse.*

Des années plus tard, je dois constater que ce plan de delirium tremens a comme… fonctionné. Ça me fait encore sourire, mais honnêtement, elle n'avait pas besoin de moi. Talent pur.

CUL BÉNI

C'est étrange à quel point on admire un « ancien » drogué, alors qu'on méprise celui qui est encore dedans. Pourtant, c'est la même personne à deux moments de sa vie. Et ce n'est pas un péché de consommer. C'est de la recherche désespérée et maladroite de bonheur, de la libération de délire emprisonné, là où l'abstrait rêve de se donner au concret. La zone où la vie s'engueule avec la mort. Bref, c'est de l'automédication libératrice et mortelle. Ça t'empêche de te suicider tout en te tuant à petit feu.

Fou à quel point l'alcool et la dope ont été salvatrices avant de commencer à me massacrer. C'est grâce à eux que j'ai eu pour la première fois le droit de me croire quand je me rêvais, et que je pouvais me présenter aux autres.

Un soir, un de mes chums m'appelle en catastrophe :

— Dan, Ti-Marc a crissé le camp du toit du Grand Café.

— Hein ? Mais ça fait quatre étages. Il est mort ?

— Non, mais y est pas fort. Son bras droit est sorti par son épaule.

— Calvaire. C'est arrivé comment ?

— Il était au Grand Café avec la gang. Ils ont manqué de poudre, pis Ti-Marc a été en chercher chez le pusher du bloc à côté. Pour pas se faire spotter à cinq heures du matin, il a décidé de passer par le toit.

— Mais il est donc ben cass de bain !

— T'en connais beaucoup, des gars gelés qui inventent la pénicilline ?

J'ai été voir Ti-Marc. Osti qu'il est magané. Il me dit :

— Ben oui, je sais. Pas super brillant.

— Un ti peu chanceux peut-être ?

— Ha ! ha ! Il y a juste toi qui peux me traiter de chanceux dans un moment pareil. Osti, faut pas que je rie, j'ai mal aux côtes.

— Chanceux dans ta malchance.

— Dan ?

— Oui ?

— T'sais la théorie qui dit que tu t'évanouis dans ta chute parce que le cerveau veut pas enregistrer l'information ?

Je souris.

— Oui ?

— C'est de la criss de marde. J'es ai vus monter en osti les étages, moi.

Et on part à rigoler comme des bossus. J'adore Ti-Marc, c'est un musicien exceptionnel et j'ai souvent joué avec lui. Il groove tellement qu'il change le son d'un band sans avoir besoin de faire grand-chose. Un vrai musicien.

Depuis son accident, étrangement, Ti-Marc ne prend plus de coke. Des fois, ça prend juste un tit événement pour changer une très mauvaise habitude.

Quelque part, ça s'appelle avoir le cul béni. Je suis pareil. Les culs bénis de Ti-Marc et le mien sont comme des frères. Il joue toujours de la basse comme un chef, et moi je vous écris en ce moment.

On survit sans filet au temps des seigneurs.

SHOOTOUT AT THE GRAND CAFÉ

Normand Brathwaite est au Grand Café pendant que Jim Zeller y joue. À un moment de la veillée, des bras entrent avec la claire intention de massacrer quelqu'un. Et ils le trouvent. Paniqué, un des copains de la victime va dans son auto chercher un gun et revient menacer les gros bras.

Il y a une règle non écrite dans une bagarre : pas d'armes... Mais son arme, c'est un osti de gun décoratif, qui tombe en morceaux devant tout le monde. La suite est très laide, jusqu'à ce que le propriétaire arrive et finisse par arrêter le massacre.

Normand en restera traumatisé longtemps, mais Zeller trouve ça pissant. Il écrira même une chanson rigolote : *Shootout at the Grand Café*, et la jouera le lendemain sous les applaudissements des spectateurs, bien contents qu'on puisse dédramatiser la situation.

C'était pas la première fois que ça brassait au Grand Café. Un soir, le propriétaire de la place a foutu dehors une fille un peu euh... dealeuse qu'on connaît tous. Furieuse, quelques jours après, elle lui a envoyé des bras. Il était seul dans son bureau, il y a eu bagarre. Le staff a réussi à foutre les larbins à la porte, mais des années plus tard, le proprio se souvient toujours à quel point il a eu chaud.

Moi, j'étais dans une drôle de situation à ce moment-là: j'étais amoureux de l'irascible dealeuse. On a été ensemble quelques mois, mais son côté pétardier me faisait un peu peur. Je la trouvais adorable, mais pas vivable; me pogner à répétition avec ma blonde, pour moi, ça relève du cauchemar. J'ai fini, le cœur gros, par mettre fin à notre relation.

Il y a quelques années, je l'ai recroisée sur la rue Saint-Denis et j'en suis tombé sur le cul. Plus de trente ans plus tard, elle était encore plus belle. On a parlé de la pluie et du bottin pendant que mon cerveau faisait des pirouettes comme un hamster sur le speed. Je suis rentré chez moi assez secoué et me suis foutu au piano. J'ai écrit la chanson *Rue Saint-Denis* pour elle. Je ne le lui ai jamais dit.

Mais la vie te rappelle toujours à la réalité. Pas longtemps après, j'ai publié un commentaire sur un de mes médias sociaux et elle est venue m'emmerder comme au premier jour. Je l'ai bloquée. J'en reviens pas encore d'avoir fait ça.

Elle va peut-être apprendre dans ce livre que ma toune était pour elle, que je l'aimerai toujours, mais osti qu'elle va rester bloquée. L'amour gagne toujours, mais quelquefois, une distance respectable d'où l'on peut trier un peu ses souvenirs, ça permet de garder la relation saine.

GERRY

« Rencontrer son maître, c'est accepter un seul prof au lieu de mille. »

Ça se passe en 1983. Je joue dans une petite place cool à Longueuil, la Brasserie du roi. Gerry Boulet est dans la salle et il écoute attentivement, avec son inimitable grand sourire. Il me fait un petit signe, je lui fais un clin d'œil, et il monte sur la scène pour jouer avec moi.

La brasserie devrait légalement fermer à minuit, mais on joue jusqu'à cinq heures du matin. Quelquefois à quatre mains sur le piano, quelquefois je prends mon sax. On chante en harmonie ; du blues, du rock, toutes les tounes d'Offenbach. Tout le monde chante en chœur avec nous. Je me dis que le proprio va nous fermer l'électricité à un moment donné, mais non, il continue de venir porter des caisses de bière sur le stage. On boit comme des trous, sniffe un peu et joue de la musique comme des Gremlins pris dans un évier.

On finit par débarquer du stage, trempés de sueur, et Gerry me regarde avec son osti de smile irrésistible. Il me demande :

— T'es pas tanné des bars tous les soirs ?

Je souris.

— Des fois.

— Écris-tu tes tounes, criss ?

Ça me gêne.

— J'en ai écrit une couple…

— Ok. C'est fini les bars, tu m'amènes tes tounes demain matin dix heures.

Je souris encore.

— Euh… tantôt dix heures.

— C'est ça, le smatt.

C'est très gentil de sa part et ça me touche vraiment. Mais je mets quand même ce soudain intérêt pour mes chansons sur le compte d'une couple de Labatt Bleue, et je rentre chez moi me coucher, enchanté par cette soirée magique.

Je dors mal. L'alcool assomme au début et on dort trois ou quatre heures, mais c'est aussi un excitant, alors on ne peut jamais dormir une nuit complète.

Je sursaute. Le téléphone me tire violemment de mon sommeil de marde. C'est Gerry. Il s'énerve dans le téléphone.

— Qu'est-ce tu fais câlisse ? Je t'ai dit de te pointer chez nous à dix heures !

Criss, il était sérieux ! Je bondis hors du lit, ramasse une couple de cassettes et me pointe chez eux, encore passablement embrouillé.

— T'as tes bobines ?

— Euh… oui, des cassettes cheap, ben sûr.

Il rentre une de mes cassettes dans sa machine et écoute religieusement. Je le regarde un peu nerveusement, mes tounes sont pas prêtes. Je suis prêt à me faire dire que c'est de la marde par n'importe qui, mais pas par lui, ça me blesserait. J'ai commencé à écrire des tounes en entendant *La voix que j'ai* et je ne le lui ai jamais dit. Il a déjà changé ma vie sans le savoir.

Il écoute et me regarde calmement dans les yeux. Il dit :

— Tes mésiques sont écœurantes, mais tes textes sont pourrites.

Je suis un peu assommé. Il continue :

— La deuxième toune, la ballade, là.

— Euh… oui.

— Est bonne, garde ta mésique.

— Mais pas le texte…

— J'vas te donner un conseil. Quand t'écris une toune pour te guérir d'une peine d'amour, t'écœures tout le monde. Mais si tu te sers de ta peine d'amour pour faire une toune, là t'as une chance de les toucher. Tu vas tomber dans leurs peines d'amour à eux autres.

J'en suis saisi. Jamais personne ne m'a parlé de musique ou de chanson avec ce degré de clarté en une seule phrase. Il ne m'intéressait pas pour rien, Gerry.

— M'as te dire qu'est-ce qu'on va faire. J'vas te trouver des paroliers pis on va enregistrer une couple de tounes. C'est-tu correct ?

— Ah ben oui. Plus que correct.

En fait, il vient de mettre le doigt sur mon grand problème : j'ai un père écrivain. Veux, veux pas, l'écriture d'un jeune garçon à côté de celle de son père, c'est chenu un ti peu, c'est mince.

Alors Gerry m'acoquine avec des poètes, dont Michel Rivard. Je rencontrerai plus tard les miens, dont Gilbert Langevin aux Beaux Esprits qui a écrit le poème *La voix que j'ai*. Il m'écrira *Naufrage*, *Ange animal* et plusieurs autres. Ce faisant, je perpétuerai le problème : mon écriture fait dur à côté de la leur…

Quelques jours plus tard, je suis en studio avec Gerry. On enregistre son premier disque solo, *Presque quarante ans de blues*, qui sortira l'année suivante. Il veut que je lui fasse un solo de piano maniaque, je lui en fais un sur sa toune *Les bleus de mémoires*.

Pendant ce temps-là, on travaille aussi sur mes tounes pour faire un démo. Je sens que quelque chose change en moi. Gerry remue ciel et terre, engage des musiciens, dont Breen Leboeuf à la basse et Nanette Workman aux chœurs, et m'emmène au studio Multisons. Enfin, travailler mes chansons tous les jours dans des vraies conditions de son professionnelles ! C'est là que je ferai presque tous mes disques, musiques de films et autres. Je louerai aussi leur studio B pour moi-même, ça sera mon studio pendant des années. J'y vais encore régulièrement aujourd'hui, pour faire du mixage ou des grosses sessions avec beaucoup de monde.

Gerry me montre deux textes que Michel Rivard a écrits pour moi, *Parle-moi* et *Soleil noir*. Dans *Soleil noir*, je fais ce que les Français appellent du yogourt et nous du shredding: on marmonne n'importe quoi, souvent dans un faux anglais. Ça sonne bizarre, mais étrangement, ça décomplexe et ça finit par donner une espèce de direction à la chanson. Dans le milieu de la toune, j'ai composé un «bridge», un pont, et je répète «Nobody nobody nobody knows». Ce ne sont que trois syllabes qui font une boucle, la première syllabe devenant aussi la dernière, mais je suis très emmerdé pour Michel Rivard. Qu'est-ce qu'il va foutre avec trois maudites syllabes fatigantes qui se répètent à l'infini? Il nous arrive avec: «Mourir d'amourir d'amourir d'amour.» Il est génial. Un vieux routier… et un grand poète. Parmi les chansons que j'ai dans le cœur presque tous les jours, son «phoque en Alaska» restera toujours en tête de liste. Même le grand Félix Leclerc en a fait une version sur disque.

Alors, on enregistre tout ça. J'aime bien la job de studio. C'est moins de l'impulsion pure comme dans les shows, mais on va plus loin par d'autres chemins. On réfléchit, on trouve des trucs, on recommence cent fois. J'apprends tout le temps.

Gerry trouve que je n'articule pas. Il me sacre un crayon dans la bouche et me force à chanter.

— Criss, j'ai l'air d'une garnouille.

— Y'a rien que moé pis le tech qui te voient. Articule, câlisse!

— Gerry? Tu chantes rauque, je chante rauque. Pis c'est toi qui me coaches. J'ai peur que les gens me disent que je chante comme toi.

Il me fait son plus grand sourire, ce sourire dont on se souvient tous, et dit:

— Tsé, même que t'essayerais…

On s'amuse comme des fous, mais on travaille fort.

Au bout de bien des efforts, on finit par comprendre en quelle langue je chante, alors on mixe et on ferme la shop. Ce démo deviendra mon premier 45 tours à vie. C'est pas rien.

— Astheure qu'on a ketchose qui sonne comme du monde, on va te trouver un deal. Je te produirais ben moi-même, mais j'ai pas une cenne.

Une fois que le démo est fini, il me traîne dans les bureaux de production d'un paquet de maisons de disques. On se pointe même chez Nick Carbone. Il écoute les tounes puis dit:

— J'aime pas ta voix. Mais t'as une couple de bonnes tounes, j'ai une petite chanteuse qui ferait bien ça.

On se lève et on fout le camp. À ce jour, ça reste un running gag entre Nick et moi. À chaque fois qu'on se croise, je lui remets sur le nez avec un sourire.

— Bravo, le flair du producteur!

— Dan, vire pas le fer dans la plaie.

Et on rigole de ce souvenir. J'aime bien Nick Carbone; comme Gerry, il m'a toujours dit la vérité. Dans ce milieu, c'est une denrée rare. Comme dans tous les milieux où il y a de l'argent à faire, l'honnêteté n'est pas toujours le premier langage. Au fil des années, j'apprendrai ça aussi, et quoi faire pour que ça ne me rende pas amer.

En attendant, on s'est trouvé un distributeur, Trans-Canada, et on a sorti ce 45 tours en 1986. Je l'ai même entendu à la radio. C'était très spécial la première fois. Comme quand, dans le premier bar où j'ai joué, les quatre filles s'étaient déplacées pour m'écouter, j'ai eu l'impression fugace de valoir quelque chose.

J'AURAIS DÛ ÉCOUTER GUILLAUME

« Rien de pire que d'avoir échoué à protéger les siens. On garde ça en soi, comme un cancer, et ça gruge. »

Le 21 avril 1985, je reviens du cinéma avec ma blonde Marie-Pascale. Le téléphone sonne, je réponds. La voix de mon frère Jean-François me hurle dans les oreilles :

— Où's t'étais, câlisse ?!?

Je vais lui répondre quand il éclate en sanglots. J'entends le combiné du téléphone qui tombe par terre. Quelqu'un le ramasse, puis la voix de ma mère me dit :

— Daniel ? Guillaume est mort.

Je hurle :

— QUOI ?

C'était pas une question. Ce « quoi » disait non, je refuse. Ça n'est pas dans les possibilités de l'existence. C'est pas pour de vrai.

Je raccroche et pars à courir vers chez ma mère. Je n'habite pas à côté, mais je deviendrais fou à attendre un taxi, alors je cours. Comme si quelque chose dans ma course pouvait inverser les choses, je cours, je cours sans entendre les cris de ma pauvre blonde qui essaie de me suivre en criant : « Quoi ? Quoi ? Quoi ? » Ma pauvre Marie-Pascale, elle n'a rien compris de ce qui se passe. Moi, si je m'arrête ne serait-ce qu'une seconde, ce sera comme si j'avais tué mon petit frère, comme s'il y avait une possibilité que le film d'horreur soit réversible, alors je cours, pour finalement arriver à Outremont et entrer chez ma mère, où je tombe dans les bras de mon frère Jean-François en criant :

— Qu'essé ça câlisse ?!!

Dernière phrase de négation de ma part, parce qu'en tombant dans ses bras, j'ai clairement su qu'à partir de maintenant et pour toujours, nous ne serions plus que deux.

Au matin de ce 21 avril 1985, on a trouvé le cadavre de mon petit frère Guillaume dans un fossé du campus de l'Université de Montréal. Deux policiers sont venus briser la vie de ma mère, avec toute la délicatesse dont ils peuvent faire preuve dans certaines circonstances. Je veux leur rendre justice, ils ont été extrêmement délicats. Ils lui ont offert de rester avec elle le temps qu'elle appelle quelqu'un. Quel métier de devoir annoncer des horreurs à des gens que tu vois littéralement se démolir devant toi… Je leur lève mon chapeau, ils sont courageux. Je ne les ai jamais rencontrés, mais je leur voue une affection particulière pour leur délicatesse et leur courage.

Un jour, un chum policier m'a taquiné. Il m'a dit :

— Toi, quand tu fais ben ta job, on t'applaudit. Moi c'est ben rare.

C'était dit de façon rigolote, mais c'est un fait. On appelle pas les policiers quand ça va bien, les policiers vivent dans les drames des autres.

Nous sommes assis dans le salon de maman en attendant mon père. Puis il entre et, sans un mot, vient s'asseoir près de moi. Je le regarde. Il est mort. Il bouge encore. Il ne le sait pas, mais je vois bien qu'il est mort, foutu. Il dit :

— Bof, de toute façon, c'était celui que j'aimais le moins…

Je lui coupe la parole.

— Come on. Arrête de te flageller, y a personne qui te croit.

Après, j'entends vaguement parler autour de moi, mais je n'ai qu'une image en tête, celle de Guillaume en train de perdre connaissance en réalisant à quel point il est seul au monde. Personne de la famille n'est près de lui, je ne suis pas là pour lui tenir la main dans le passage le plus épouvantant et solitaire que nous aurons tous à traverser un jour : mourir.

Aujourd'hui, on est chez Alfred Dallaire sur la rue Laurier à Outremont pour magasiner un cercueil pour Guillaume. J'écris « magasiner », parce que c'est exactement ce qu'on fait. Dans le sous-sol de ce commerce d'adieux, contrairement à un magasin de mode, il n'y a pas de fenêtres. Mais la différence s'arrête là. Pour le reste, c'est pareil. Je ne les blâme pas, c'est un commerce, mais entendre pendant une demi-heure un vendeur nous vanter les mérites de « tel ou tel cercueil plus cher comparé à l'autre moins cher mais que votre petit frère n'aimerait pas, il serait plus à l'aise dans le modèle super capitonné », c'est complètement irréel.

Le terme « irréel » reviendra souvent ces temps-ci. Il ne faut pas oublier que je consomme encore, et solide. C'est une forme de délire qui noie bien des choses enfouies, mais c'est complètement inutile pour la souffrance 101, présente, violente et bien réelle. Je ferai donc d'énormes efforts pour limiter ma consommation et pour être là, présent. Je voudrais être, même malhabile, efficace pour les miens.

J'ai peur qu'ils meurent de souffrance, et la suite va me prouver que je n'ai pas tort. Je ne serai pas très fort non plus.

Tous mes combats seront menés contre cet ennemi qui me guette toujours et qui a massacré tant de membres de ma famille. Je le nomme mon « brouillard noir » ou encore « l'effoireur ». Cet endroit d'anxiété, de rage et de mal-être dont souffrent la société que j'aime, ma famille et moi-même. Les grands drames te tuent ou te font avancer… généralement un peu des deux.

Le lendemain matin, je retourne chez Alfred Dallaire. Je veux y être avant tout le monde. J'ai envie d'être seul avec mon petit frère. J'entre dans la pièce où il est exposé. Le bruit est insupportable. Ma mère est seule, à genoux devant le corps de Guillaume. Elle ne pleure pas… elle hurle.

Une fois ma mère partie, j'embrasse Guillaume sur le front. Et je fais un osti de saut. Si vous voulez embrasser un proche décédé, touchez avec vos mains avant. C'est frette comme un regard de banquier qui refuse un prêt. Quand je dis frette, c'est glacé. Je suis pas près de recommencer.

Ce que beaucoup de gens ne comprennent pas dans la mort, ce qu'ils n'arrivent pas à s'imaginer, c'est tout ce qui se passe après. Ce n'est pas seulement la mort d'un jeune garçon, c'est souvent la mort d'un de ses parents ou des deux, et le bouleversement à jamais du reste de la famille. Depuis la mort de mon frère, j'ai deux petits garçons tristes en moi, et Guillaume prend toute la place. Même le petit Daniel ferme sa gueule à côté de lui. Moi, je suis comme devenu l'aidant, le solide, le créatif juste pour me convaincre que tout va bien. Mais là, il n'y a plus rien qui va.

Ti-frère adorable, croquable, assassinable… Il avait ce don rare qu'ont certaines gens de venir te taper sur le ti-nerf jusqu'à ce que t'aies la tendre envie de le noyer, et la minute suivante tu l'aurais embrassé, tu aurais fait n'importe quoi pour lui. Il a essayé de me parler il y a des années, et je n'ai pas entendu.

Alors je l'adorais, le protégeais (sauf quand c'était moi qui le torturais) du mieux que je pouvais. Même après mes années d'errance à Québec et à New York, j'allais le chercher chez mon père et on foutait le camp une semaine à Ogunquit dans la Maine. On dormait dans mon vieil Econoline tout croche, on allait à la plage, on allait se paqueter toujours au même bar où il y avait un band de funk écœurant qui jouait, moi je cruisais mollement. Timide quand j'ai pas mon statut de musicien avec moi. Surtout, je ne voulais pas ramener une fille et infliger à mon petit frère des ébats dans mon camion où on dormait les deux, qui seraient restés gravés dans sa mémoire à tout jamais. Il y a des images que tu ne veux pas avoir dans la tête. D'ailleurs, lui non plus ne cruisait pas vraiment. Pas pour la même raison (la timidité, il ne semblait même pas savoir ce que ça voulait dire), mais parce qu'il devait penser que ça me ferait peut-être sursauter de l'entendre baiser avec un gars. Je souris tendrement à ce vieux souvenir. C'est un peu con des frères.

Le lendemain, c'est l'enterrement. Je suis plus que terrifié ; dans la terreur, il y a la possibilité de t'en sortir, mais là, on y coupe pas : on va mettre Guillaume dans un trou et on va jeter de la terre par-dessus. C'est intolérable. Certains psys disent qu'il faut voir le mort se faire enterrer jusqu'au bout, pour que notre inconscient n'ait aucun doute. Mais au moment où ils commencent à descendre son corps dans la fosse, je vois maman sur le bord de s'évanouir. Je me dis : ça va faire câlisse. Je la prends par le bras et l'emmène loin de notre enfer. J'estime qu'on est assez au courant.

La question à un million : Qui a tué mon petit frère ? Qui ? Le pourquoi, ça va, je m'en doute. Sinon, est-ce que c'est un bête accident de dope ? Est-ce que c'est un suicide ? Impossible pour une famille de faire son deuil sans savoir. Le mystère de la mort de Guillaume, de sa vie que personne n'avait vue, va hanter ma famille. Il commencera même, tranquillement, à la décimer.

LA VIE SECRÈTE DE GUILLAUME

Ma mère m'a demandé de prendre ma camionnette et d'aller vider l'appartement de Guillaume. J'ai un peu peur à l'idée d'aller fouiller son intimité, mais j'ai aussi vraiment besoin de comprendre, de savoir ce qui s'est passé. Je suis certain que ma famille aussi.

Je fais d'énormes efforts pour contrôler mon addiction, mais l'alcool et la coke ont des effets puissants à long et moyen terme, même si on n'a pas consommé depuis plusieurs jours. En ce moment, la colère ne prend pas le dessus sur le réel, mais c'est tout juste.

J'entre dans l'appartement de mon petit frère avec sa propre clé trouvée dans ses poches, quand j'entends un bruit. Il y a quelqu'un dans l'appartement. Je tâte machinalement mon gun caché à l'arrière de mes jeans. Eh oui, rien de plus facile dans notre société que de trouver une arme «limée», c'est-à-dire sans numéro de série. Tu te tiens dans n'importe quel bar, tu surveilles le petit gars que tout le monde vient voir à toutes les deux minutes et tu vas lui acheter un «quart» de poudre en lui mentionnant discrètement que tu cherches un «morceau». Dix minutes plus tard, un autre ti-gars vient s'asseoir à côté de toi pour checker qui tu es et te vendre ce que tu cherches.

Suspectant que la mort de mon frère était une mort violente, je me suis protégé.

J'avance tranquillement dans l'appartement. Un jeune gars dans la vingtaine est assis à la table de la cuisine. Il me regarde, terrorisé. Après l'avoir sommairement fouillé, je m'assieds en face de lui et le regarde droit dans les yeux. Mes émotions paraissent dans mes yeux; je m'en rendrai compte plus tard dans ma vie. Il y a des gens à qui ça fout la trouille. C'est parfois utile pour un interrogatoire.

— Comment tu t'appelles?

— Conrad.

— Qu'est-ce tu fous ici?

— C'est chez nous ici.

Long silence. Je le regarde toujours. Je peux rester silencieux à fixer quelqu'un dans les yeux jusqu'à la fin des temps ou jusqu'à ce que je lui arrache la tête. Papa m'a montré ça.

Conrad n'aime pas ça du tout, il se tortille sur sa chaise.

— Je suis le chum de Guillaume… son amant, si t'aimes mieux.

— Tu penses que tu vas m'apprendre que mon petit frère est gai ?

— Non, mais peut-être d'autres choses.

Pour la première fois, je remarque la profondeur de sa terreur. Ce n'est pas de moi qu'il a peur. C'est beaucoup plus grave.

— C'est correct, Conrad. Je t'écoute.

— Tu penses que c'est un accident ? Ils l'ont passé… pis je suis le prochain.

Un ange passe. J'essaie de cacher mes émotions, mais je viens de prendre un coup de masse en pleine face, même si je soupçonnais une cochonnerie quelconque. Je sors mon gun comme si c'était normal et le pose doucement sur la table.

— T'as de la famille ici ?

Conrad me répond en fixant le gun :

— Ma mère au Lac-Saint-Jean m'envoie une belle lettre à chaque mois pour me rappeler de bien me brosser les dents et de bien faire ma prière tous les soirs.

— Ah ouin. Super connectée. Bon. Écoute-moi ben, Conrad. Moi j'ai besoin de savoir qu'est-ce qui est arrivé. Je vais avoir besoin de passer beaucoup de temps avec toi, pis je peux te promettre que le premier qui t'approche, j'y crisse une balle entre les deux yeux. Tu devrais passer une couple de mois avec moi, jusqu'à tant que tu décides qu'est-ce que tu fais de ta vie.

Je suis extrêmement sérieux. Rien de pire pour quelqu'un en mauvais état que le mélange cocaïne-arme.

Alors Conrad emménage chez moi, au grand déplaisir de Marie-Pascale qui aimerait bien faire sa dope tranquille, faire l'amour avec moi et qu'on lui foute la paix avec le reste.

Passent les jours. Conrad est toujours avec moi. Quand je joue dans un bar, il est à deux pieds de la scène, et mon morceau est toujours caché sous ma veste de cuir posée pas loin. Quand je ne travaille pas, on passe notre temps à discuter.

Il m'apprend que Guillaume et lui faisaient partie d'un réseau de prostitution qui avait ses locaux sur la rue Cherrier. Souvent, Guillaume ne faisait que prendre les appels, mais de plus en plus il acceptait de faire les clients. Conrad et lui étaient tombés amoureux et ils partageaient le petit logement de l'avenue du Parc. Les boss étaient super cool, ils étaient même devenus des amis.

Un jour, la police a fait une descente au bureau de la rue Cherrier et a arrêté tout le monde, Guillaume compris. Les médias ont à l'époque appelé ça le « scandale du père Noël », je crois. Ils appelaient ça comme ça parce que l'agence faisait la livraison des prostitués au lieu d'accueillir les clients dans un bordel. Dans le fond, les précurseurs des escortes de maintenant.

Les patrons, que Guillaume et Conrad croyaient des amis, non seulement n'ont rien fait pour mon frère, mais en plus l'ont menacé de mort s'il plaidait coupable. Effectivement, si Guillaume plaidait coupable, la police pouvait remonter jusqu'à eux. C'est ça, les amis dans le milieu criminel. Ils le sont tant que ça va bien…

Se sentant trahi par ses amis, Guillaume a promis qu'il allait plaider coupable, juste pour les faire chier. Ensuite, Conrad et lui ont piqué une partie des clients de l'agence et ont continué leur commerce en recevant les clients chez eux.

Je peux très bien comprendre l'angoisse de Conrad. Les jeunes se font souvent buter pour moins que ça. Moi, je digère le choc et comprends que je ne pourrai pas cacher ça longtemps à ma famille. S'ils l'apprennent par quelqu'un d'autre, ils vont s'estimer trahis. Avec raison. Merde. Pas envie d'être l'osti de messager.

Ma mère et moi avons été plusieurs fois au poste de police pour essayer de savoir si l'enquête progressait. Aucunes nouvelles, jamais. À la fin, un enquêteur qui en a un peu plein le cul de nous voir nous dit carrément qu'il a d'autres priorités. Oui, le cadavre d'un petit gars qui faisait de la prostitution trouvé dans un fossé, c'est un peu étrange, mais là, il a reçu un appel pour un jeune schizophrène qui a tué sa mère à coups de marteau. Ça c'est un vrai meurtre, désolé, pas le temps. Alors il fouille dans ses poches et en ressort une vieille paire de lunettes soleil style agent du FBI, et me les donne gentiment. Chouette ! Comme chez le dentiste quand il nous donne un bonbon parce qu'on a été sage. Je devrais lui crisser ses lunettes dins dents, mais je les prends comme un cave et, en sortant, je soutiens ma pauvre mère du mieux que je peux.

Une semaine plus tard, conseil de famille chez mon père. Même ma mère est assise à côté de ma belle-mère. Personne ne parle. Personne ne peut faire son deuil. Personne ne sait ce qui est arrivé. Une impasse totale.

Nous sommes tous assis à la table à dîner, autour d'un désespoir familial dont personne ne sait quoi faire. Je prends mon courage à deux mains et explique à tout le monde ce que j'ai appris par Conrad. Mon pauvre père se décompose à vue d'œil. À la fin, il me regarde, furieux, comme si c'était de ma faute, et me demande d'une voix blanche :

— Tu n'as pas l'impression de trahir la mémoire de Guillaume ?

Je me lève tranquillement, vais pour lui crisser mon assiette en pleine gueule, me ravise et fous le camp.

Une demi-heure plus tard, Zab, ma belle-mère, me téléphone pour me dire que mon père s'excuse, qu'il est très triste et qu'il comprend comment je me sens.

— Oui, moi aussi je comprends. Dis-lui que je m'excuse aussi. Je suis vraiment désolé.

Zab fait souvent la médiatrice dans notre famille de fous. Une chance qu'on l'a.

ZAB

« Si ma nuit est celle de la nuit, alors je peux dormir. Je dors donc le jour. »

Je demande à Zab :

— Pourquoi Guillaume est mort et pas moi ?

— Ta rage.

— Ma rage ?

— Elle t'a fait foncer. Tu es parti. Guillaume est resté jusqu'à ce qu'il implose. Ta rage et ta peur. Elles vivent ensemble. Tout jeune, tu avais d'épouvantables terreurs nocturnes. Tu ne restes pas éveillé toute la nuit parce que tu l'aimes, tu restes debout pour la surveiller, tu es incapable de t'endormir avant que le jour ne vienne te rassurer.

Elle a raison, je m'en souviens ; petit, je me réveillais brusquement, en proie à de violentes terreurs nocturnes, en pleine crise d'asthme. Je rêvais que je mourais d'étouffement et le rêve se poursuivait éveillé. Comme si quelqu'un essayait de me tuer en me mettant la main sur la bouche.

Tout ce que j'avais subodoré sur Guillaume, à savoir sa « run de lait » prostitution-dope-mort, que papa appelait sa « rage de cash », avait une autre raison d'être, et beaucoup plus grave, que le cash. Une rage de cash, ça peut s'assouvir dans d'autres endroits que la souillure de son corps, l'auto-exploitation et l'autopunition. Mon Dieu que je connais ce trajet par cœur, ainsi que toutes ses variantes. Je l'ai vu tellement de fois ; après l'abus sexuel d'un enfant, la drogue et la prostitution sont si souvent programmées.

J'avais entendu chuchoter des choses sur la relation entre papa et Guillaume. Et quand j'ai laissé Marie-Pascale, meurtrie, elle m'a crié :

— Anyway, on sait ben que ton père a enculé ton frère !

Une des pires phrases qu'on pouvait me hurler. C'était d'une violence inouïe. Ça m'a frappé en pleine face, mais je comprenais sa peine et sa rage impuissante, alors je n'ai pas répondu. Notre histoire était tristement terminée.

Je vous le dis tout de suite, je n'ai aucune preuve formelle de l'existence de cette zone trouble entre Guillaume et papa. Mais il y a des limites à la naïveté. Je crois qu'inconsciemment, pendant toutes ces années, quelque chose de Guillaume essayait de se raconter en moi que je ne pouvais pas entendre. Une horreur, au-delà de ce que j'aurais pu ou même voulu essayer d'imaginer, qui était restée dans l'ombre. Pour moi, il y avait une énorme différence entre la violence physique et l'agression sexuelle, alors qu'il y en a moins qu'on le croit ; les enfants qui ont subi l'une ou l'autre ont souvent les mêmes comportements.

NAUFRAGE

J'essaie quand même de travailler. Mon chum Langevin m'a remis un superbe poème, écrit sur une napkin. Fait trois cents fois que je lui dis que je suis incapable de composer une musique sur un poème déjà écrit, mais il est très têtu. Et puis je traverse la pire période de marde de ma vie. Des fois ça peut donner une toune ou kekchose, mais ces temps-ci, je suis paralysé.

Je lis son poème, en sacrant un peu au début, puis je suis complètement pris et touché au cœur.

Je tourne en rond dans ton absence
Le cœur déchiré par l'ennui
Victime de ton indifférence
Comme un remous seul dans la nuit
Je me torture à essayer
D'oublier nos complicités
Notre passé fleuri de rires
Et les oiseaux de mon plaisir

Après avoir volé si haut
Après avoir atteint l'extase
Après avoir été si beaux
Mes rêves se traînent dans la vase
Qu'est-ce que je fais dans cet exil
Dans ce repaire en forme d'île
Avant de fuir je ne sais où
Je songe à toi je songe à nous

Un vent glacé hante ma tête
Flot de regrets, folle tempête
Vie solitaire comme un désert
Dont le silence me désespère
Tous mes élans vers le futur
Se cognent aux portes du remords
Je t'ai perdue le long d'un mur
Où se profile encore ton corps

J'entends l'écho de notre amour
Comme une vague de velours
Est-ce ma faute si mon âge
A le visage d'un naufrage
Comment hurler mon désarroi
Ma peine de vivre loin de toi
Femme libérée, belle à mourir
Comment te dire de revenir

Poème de peine d'amour avec des images guillaumesques dedans. Calvaire, j'entends une mélodie. J'ai jamais fait ça, mettre un poème en musique, c'est de l'inconnu, pis j'ai peur de lui fucker son œuvre. Mais ça donne rien : plus je m'obstine avec moi-même, plus j'entends les accords, les instruments, tout. Alors j'ai un tout petit arc-en-ciel dans le cœur de mes tempêtes, parce que je vais peut-être mettre un smile dans la face de Gilbert. Je me fous au travail et je compose la chanson.

Le lendemain, le doute me reprend. Est-ce que j'ai fucké le poème à Gilbert ? Je l'aime assez, sti, je veux qu'il soit heureux. Je vais chez Gerry et lui joue la toune sur son vieux piano droit. Long silence, j'attends le verdict. Puis, naturellement, Gerry dit :

— Criss, tu viens d'monter su mon step.

Il l'a dit modestement, comme ça, et moi il m'a rendu heureux. Alors je suis parti chez Gilbert. Son bonheur faisait plaisir à voir. Faisait trente-six mille napkins qu'il essayait de me refiler, et j'en ai finalement fait une toune. Maintenant, grâce à lui, je pouvais faire chanter un poème.

LE PÈRE LACROIX

Le père Lacroix était ce qu'on peut appeler un homme bon. Rien en commun avec les modèles de curés que je connaissais alors. Un homme de foi, un homme de bien. Il a l'intelligence à la bonne place. C'est jamais loin du cœur, ça existe pas les salauds intelligents. C'est lui qui a officié à la cérémonie religieuse pour l'enterrement de Guillaume.

Ma mère arrive chez moi, pas super contente. Sans même entrer, elle me parle du corridor en me regardant dans les yeux.

— Je viens de parler au père Lacroix et il me dit que tu es armé.

Je suis stupéfait. Comment le père Lacroix peut-il savoir ça?

Elle continue:

— Il m'a aussi expliqué que Guillaume faisait partie d'un réseau de prostitution pancanadien. Un réseau énorme. Ils auront même pas le temps d'échanger des coups de fusil avec toi. Si tu fais juste les achaler un peu, quelqu'un va simplement mettre une cochonnerie dans ton verre dans un des bars où tu travailles, ou placer une bombe sous ton truck. Tu comprends?

De la tête, je fais signe que oui.

— J'ai un fils mort. J'en veux pas un autre en chaise roulante. Tu peux comprendre ça? Jure-moi que tu vas jeter ton arme.

Je lui fais un sourire triste et referme doucement la porte. Il est trop tôt. C'est trop soudain. Ça fout tous mes systèmes de défense en l'air.

Le même soir, je vais chez mon frère Jean-François. Ma mère lui a évidemment parlé. Un silence passe, puis il me regarde dans les yeux.

— T'sais, même si un jour tu retrouves l'assassin, même s'il existe, ce qu'on ne sait même pas, même si tu as le courage de le tirer, il y a probablement quarante autres assassins juste sur sa rue et quatre mille autres juste dans sa ville. Tu vas tous les tirer? Moi je vais te dire: ce qui te rend fou, c'est pas l'assassin. C'est que toi pis moi, on vient pas d'une famille… normale, pis que tu te sens responsable, pis moi aussi, et qu'on va devoir vivre avec ça le restant de notre vie.

Il a raison. Mon gun me sert à rien. Mon frère a toujours été plus intelligent que moi. Je vais me débarrasser du gun en me disant que j'aurai peut-être quand même un jour quelqu'un à massacrer… et peut-être pas. Pas facile faire son deuil quand on ne sait rien.

Avec le temps, les terreurs de Conrad se sont un peu apaisées, et il a eu la bonne idée de retourner au Lac-Saint-Jean. Des années plus tard, j'apprendrai qu'il va bien, a lâché la dope et semble mener une vie plus tranquille.

MARIE-PASCALE

Marie-Pascale a eu une vie d'une tristesse infinie. Sa mère s'est suicidée quand elle était petite. Elle a eu un bébé, mort subitement. Pendant que son père, Camille Laurin, créait au Parlement la loi 101 qui a tant fait pour nous Québécois, Marie était abandonnée dans leur grande maison (je crois qu'on peut dire château) à Outremont. Elle soignait sa peine avec de l'héroïne et la payait en abritant une multitude de dopés et de petits pushers.

Nous avons eu une relation avec des hauts et des bas. J'étais magané, mais je me tenais beaucoup moins près de la mort qu'elle. Le nombre de fois où elle l'a frôlée par overdose me terrorisait, mais même complètement à bout d'inquiétude, je ne me sentais pas capable de la laisser.

Un soir, son pusher est venu s'enfermer avec elle dans sa chambre. Marie-Pascale en est ressortie pour aussitôt s'endormir sur le divan du salon. Je connais ça. Il lui en avait trop donné. Cibole. J'ai ramassé le gars par le collet.

— Tu vas me la réveiller avant de partir.

— Est correcte, c'est pas de ma faute.

— Criss, t'as une oreille de bouchée ? Je vas te la déboucher mon tabarnac. Si tu la réveilles pas, j'appelle une ambulance. Et l'ambulance, il y a la police qui vient avec. Tu vas avoir ben du fun à discuter avec eux autres parce que tu sors pas d'icitte vivant. Chus-tu assez clair ?

Finalement, avec des serviettes mouillées pis des claques sur la gueule, il me l'a réveillée. Marie s'est confondue en excuses.

— Je suis désolée, ça m'était jamais arrivé avant.

Ben non, jamais. C'est clair.

Ce soir-là, j'ai pris la décision de la laisser. Plus capable d'attendre qu'elle me meure dans les bras. J'ai eu mon quota de morts, j'étais un peu à bout de résistance. J'étais pas mieux qu'elle, mais j'étais à bout de forces.

Il y a quelques années, j'ai appris que Marie-Pascale était recherchée par Interpol. Elle avait séduit un dentiste et ils avaient essayé de faire rentrer de l'héroïne au Canada. Il s'était fait attraper, mais elle courait toujours. Des rumeurs la situaient en Thaïlande ou à Amsterdam. Lors de la maladie et de la mort de son père Camille en 1999, elle n'est pas revenue, même s'il semblait que, si elle revenait, la justice aurait été prête à un compromis et qu'elle aurait fait peu ou pas de prison.

La veuve de Camille Laurin m'a demandé de chanter *Ange animal* à ses funérailles (une toune bordeuse, Camille est le premier de quatre de mes meilleurs amis que je borderai avec cette toune-là), et on s'est ensuite perdus de vue. Dernièrement, elle m'a téléphoné pour m'annoncer la mort de Marie-Pascale, seule et loin. La tristesse du début à la fin.

Je l'ai profondément aimée. Quelquefois, les détresses deviennent complices et s'entraident, et quelquefois elles clashent et se nuisent. Au début, les nôtres s'aidaient. Marie-Pascale et moi avons été très amoureux et très complices. Nous avons fait des choses extraordinaires ensemble.

AYITI CHÉ'IE

C'est avec Marie-Pascale que j'ai découvert le peuple haïtien et son histoire en Haïti même, du temps de Bébé Doc Duvalier. Comme nous vivions avec cinq dollars par jour à deux, ce fut un voyage pas tout à fait sécuritaire. On a dû se sauver souvent des Tontons Macoutes, cette horrible milice du dictateur. Les touristes à cinq piastres n'étaient pas très bien vus par l'establishment haïtien, mais les gens du peuple nous protégeaient, nous hébergeaient.

Dans un taptap fait pour vingt personnes, on est au moins cent. De Port-au-Prince à Cap-Haïtien dans le nord, ça fait long. À côté de nous, une jeune fille a beaucoup de difficulté à calmer son bébé, un petit garçon d'un an qui hurle de rage. Je me dis qu'il a l'air en douleur. Je demande à la jeune fille :

— Est-ce que vous me permettez de le prendre une minute ?

Elle ne dit pas un mot et me passe son fils. Je le tiens contre la poitrine en lui chantant tout doucement *Sainte Nuit*. En fait je « humme », je ne connais pas les paroles. Je prends toujours ma voix la plus grave pour faire ça, les sons de basses endorment les enfants. Je soupçonne une diarrhée. Le petit s'endort, et on se rend jusqu'à Cap-Haïtien comme ça.

Je vais pour redonner l'enfant à sa mère. Elle semble épuisée. Elle me demande innocemment :

— Mon bébé, est-ce que vous le trouvez beau ?

— Bien sûr, je le trouve très beau.

— Est-ce que vous le trouvez gentil ?

— Oui oui, très gentil.

— Je vous le donne.

— Hein ?!?

Toute ma tendresse se transforme instantanément en culpabilité. Elle n'a pas l'argent pour soigner son enfant et pour lui sauver la vie, elle nous le donne. Bien sûr que je ne peux pas. Tu ne traverses pas une douane à deux dans un sens pour la retraverser à trois dans l'autre sens. Ça me cogne et me traumatise complètement. Ma pauvreté au Québec, c'est une vraie joke à côté de ça. Je lui donne quelques gourdes (monnaie haïtienne) ; on n'en a vraiment pas beaucoup, mais nous au moins on n'est pas malades.

Cette rencontre avec cette jeune fille, et surtout avec le bébé que j'ai eu sur mon ventre pendant plusieurs heures, m'a beaucoup changé. Je viens de trouver de la vraie injustice. Elle doit donner – donner osti ! – son bébé pour le sauver, parce qu'elle ne peut acheter de médicaments contre la dysenterie, pendant que Bébé Doc Duvalier détourne des centaines de millions. Un autre brillant seigneur. Mal au cœur.

On va aussi dans le sud. Ma ville favorite, Jacmel. Il y a là deux bands fantastiques. Le soir, un des bands joue. Nos amis haïtiens me déconseillent d'y aller. Dans une foule, quelqu'un peut passer derrière toi et te poignarder sans même que tu l'aies entrevu. Je décide de rester à l'arrière de la foule et de garrocher un œil derrière moi. Tu parles, un des meilleurs bands de Compas de la terre, je vais pas rater ça ! Je me rends sur la place principale.

Le band joue sur un camion de terre vide. Ils chantent *Ayiti ché'ie* comme des déchaînés. Le drummer joue avec sa mitraillette sur un bidon à côté de lui, le chanteur porte un holster avec un .38 dedans. Le truck avance lentement et la foule le suit en dansant. Je les suis, complètement émerveillé. J'ai remarqué ça : plus les peuples souffrent, plus ils savent faire la fête, la musique et l'art en général. La peinture haïtienne fait rêver le cœur. Les fanclubs des deux bands sont féroces. Il y a quelquefois des bagarres au couteau ou à la machette pour déterminer quel est le meilleur band des deux. Moi, j'ai jamais eu un fanclub comme ça, diable merci.

Je passe finalement une soirée fantastique. Comme à peu près partout, je me dis que 90 % de ta sécurité ne relève pas des endroits où tu vas, c'est ta propre responsabilité. Sois respectueux avec les gens et tu n'auras pas besoin de bodyguards.

Il y a une menace que je prends quand même très au sérieux, c'est les ostis de Tontons Macoutes, la milice de Bébé Doc. Ils ne sont pas payés, mais ils font ce qu'ils veulent. Ils se payent donc en volant et en martyrisant le peuple. Les gens qui nous hébergent font de leur mieux pour nous en protéger. Sont tous vraiment gentils.

Le soir, ils vont à une cérémonie vaudou dans la forêt. Pas du vaudou de touriste, la vraie affaire. Marie-Pascale les supplie de nous emmener. Ils sont pas trop fous de l'idée et, franchement, moi non plus. Je me sens moins courageux qu'à l'idée d'aller voir un show de musiciens avec des AK-47. Mais elle insiste tellement qu'ils finissent par nous emmener contre la promesse qu'on restera assis dans un coin à ne rien dire. Elle jure.

On arrive dans la forêt. Tout est assez calme, les gens discutent entre eux en nous regardant. Nous, on est des enfants de chœur, on regarde par terre. La cérémonie commence. Tranquillement au début, mais ça s'enflamme. Les gens prient et dansent et une dame tombe par terre en convulsions. Moi je rapetisse, pas envie qu'on me remarque, et voilà-tu pas toi chose que Marie-Pascale part à danser comme si elle était à Woodstock. Ce qui devait arriver arriva : ils ont juste envie de nous tuer, et avec raison. C'est un énorme manque de respect. On réussit à s'enfuir, mais je vais rester fâché après Marie-Pascale jusqu'à la fin du voyage.

Quand je dis qu'on est responsable de notre propre sécurité, c'est ça. Pourtant c'est pas compliqué respecter les autres. Des fois, tu fais juste le zombie tranquille pis ça fait la job.

Parlant de zombie. Il y a un monsieur qui fait tout dix fois plus lentement que les autres. On me le présente, il s'appelle Michel. Je lui tends la main, mais il ne la voit pas. C'est pas méchant, il est juste complètement apathique. Je suis intrigué. Mon chum haïtien me raconte que c'est un zombie. Je souris. Il me dit :

— Non non c'est sérieux, rien à voir avec un film imbécile.

En fait, c'est un coup de cochon, un épouvantable coup de jarnac. Ça arrive encore parfois, d'après lui, dans des petits villages éloignés.

Quelqu'un veut se débarrasser de toi, et un autre veut t'acheter. Il existe une plante qui te plonge en catalepsie. Quelqu'un te la fait boire, tu paralyses et tu parais très mort, mais tu es conscient de tout. Ton pouls est à un battement minute. Alors le village te croit décédé, te fait une cérémonie funéraire et t'enterre. Tu vois tout, mais tu crois littéralement que tu meurs. Le lendemain à l'aube, celui qui t'a acheté vient déterrer ta tombe et t'explique qu'il t'a ressuscité, que tu lui dois la vie. Tu vas donc travailler pour lui pour l'éternité. Tu ne travailles pas vite, mais tu ne manges presque pas.

Les zombies, c'est du kidnapping et de l'esclavage. Mon chum m'a même présenté à une équipe de déprogrammeurs. Ils vont chercher les zombies, et comme pour les survivants de sectes, il faut les déprogrammer. Ça ne marche pas tout le temps complètement, comme pour Michel qui ne s'est jamais totalement remis du choc et n'est pas absolument convaincu qu'il est vivant.

J'ai appris que les Haïtiens étaient les seuls esclaves à avoir foutu les esclavagistes dehors… et deux fois. Ils ont construit le fort de Cap-Haïtien que nous avions visité ensemble, Marie et moi, et sacré une volée royale aux troupes de Napoléon, revenues les massacrer. Les Haïtiens sont de vrais toffs, affligés de ce qui semble être un épouvantable mauvais sort.

Ça fait quinze ans que je passe une partie de ma vie dans un dojo haïtien, mon meilleur ami est haïtien, mon ex Marie-Geneviève, la mère de mon fils Olivier, a retrouvé son père biologique haïtien, mon fils est donc en partie haïtien et j'ai découvert Haïti avec Marie-Pascale. Le monde est une boucle de Möbius dans laquelle nous nous redécouvrons sans cesse.

L'OSTI DE CRABE

1987. Gerry m'arrive avec une drôle de face.

— J'suis malade, j'ai le cancer.

Le sang se retire de ma face. Je suis livide.

— Le grand, je vas pas pouvoir continuer ton disque. Il faut que je fasse le mien pis que je fasse une tournée.

— Mais évidemment. Fais-toi-z-en pas, je vas m'occuper de mes affaires.

Gerry sait qu'il doit laisser du cash à sa famille. Il n'a jamais vraiment pu en mettre beaucoup de côté, mais là il n'a plus le choix.

Il me trouve quand même un producteur qui me fera retourner en studio pour ne strictement rien changer à *Naufrage*. On perd notre temps pour marquer son autorité, je suppose. *Naufrage* et *Femme de nuit* sortent en 1988. Mon deuxième 45 tours.

Mais une forme de magie est morte. Je pense à mon chum qui se bat pour sa vie, mais cette vie a ceci de particulier: elle continue, quel que soit ton état. Alors je continue sans lui. Pas évident.

BELLE ET CHAUD

À l'été 1988, pour la première fois de ma vie, j'ai été invité à une émission de télévision. Normand Brathwaite anime *Beau et chaud*, où ils invitent des musiciens de la relève. Ils ont un super guitariste, Pierre Gauthier, qui a les cheveux longs, une camisole et des lunettes soleil. On est comme deux sosies. Je suis plus grand, mais ça ne paraît pas à la télé. Je fais l'émission et j'oublie ça.

Le soir, je soupe au bar du Grand Café et je vois ma grosse face apparaître à la télé. Je demande à la barmaid de monter un peu le son et, pour la première fois, je me vois et m'entends. Ça me fait un effet étrange. Ça va me prendre une vie avant d'être capable de m'écouter. C'est pas super commode quand tu mixes un disque, mais bon…

Je suis dans mes songeries quand vient s'asseoir à côté de moi une fille absolument superbe. Elle me dit :

— C'est beau ce que tu as joué à la télé.

Moi, j'avais pas trouvé ça si beau que ça. Un peu mal à l'aise, je dis :

— Ah ? Euh… merci.

Et on se met à discuter de tout et de rien, on philosophise la vie en général comme tout le monde sait si bien le faire dans les bars avec un verre ou deux dans le nez, et à la fin de la soirée, elle m'invite chez elle. J'y vais avec bonheur.

Le lendemain, je me lève, prends une douche, lui donne un bisou dans l'entrée de son appartement et commence à descendre l'escalier. D'en haut, elle me lance :

— En tout cas, tu joues de la guitare en osti !

Je suis surpris. Je ne joue presque pas de guitare, et je n'en joue sûrement pas « en osti ». Et là, je fais un méchant saut en réalisant qu'elle n'avait absolument pas aimé ce que j'avais fait, elle ne l'avait même pas remarqué. Elle croyait que j'étais Pierre le guitariste. Je me dis : « Osti, elle a sauté le mauvais. » J'en ai rigolé jusqu'à chez moi.

Quand j'ai fait *Beau et chaud* une deuxième fois, j'ai raconté l'anecdote à Pierre en lui disant :

— Je t'en dois une, pis tu l'auras jamais.

J'aurais dû m'en douter, l'histoire a fait le tour du plateau. Normand l'a même mentionnée en ondes.

Cette espèce d'amour libre était très bien pour moi. Ça m'a libéré beaucoup... et puis, avec le temps, ça a fini par me déprimer. Si t'as manqué de mère, ne la cherche pas dans les autres femmes, elle n'est pas là et n'y sera jamais. À la fin de chaque histoire, le grand Dan est assez perdu, et le petit Daniel est toujours seul.

LA MORT DE PAPA

Il est toujours plus facile de soigner les autres que de se soigner soi-même. Un psychanalyste ne peut pas s'auto-prescrire une pilule comme le ferait un médecin. Ça marche pour un rhume, pas pour l'âme. Il ne peut pas se coucher sur un divan devant lui-même et se raconter son âme torturée, pour s'écouter lui-même avec une oreille extérieure.

Quand un enfant meurt, on pourrait croire que ce sont les mères qui meurent de douleur. Elles ont porté leur enfant dans leur ventre, c'est la chair de leur chair... En fait, les statistiques démontrent que ce sont plus souvent les hommes qui meurent lorsqu'il y a mort violente de leur enfant. Les pères sont pas capables de fermer les livres sans avoir puni le responsable. Quitte à ce que le responsable... ce soit eux-mêmes.

Pour mon père, ça ne se passait pas au grand jour, c'était dans son cœur. Les dégâts de la souffrance se répandaient comme un cancer. Il avait aidé tant de gens, et il avait massacré son fils... qui en était mort. Il le prenait comme ça et pas autrement. Il était responsable. Il était inutile de tenter de le rassurer. Avec le recul, je comprends qu'il avait en bonne partie raison. Il a payé le prix fort.

Mon père m'appelle un jour. Me dit qu'il voudrait me voir à la maison rouge, sa maison de ferme à Saint-Chrysostome. Je l'y rejoins et on marche un peu dans le sentier menant aux champs. Mon père est un peu mal à l'aise. Finalement, il décide de briser la glace.

— J'arrête d'écrire.

Gros osti de choc. Je sais que l'écriture est toute sa vie. Je n'ai pas envie de savoir, mais je lui demande quand même, carrément :

— Tu veux mourir ?

Il a un sourire triste.

— Il n'y a plus grand-chose pour moi ici.

Quand ton père t'annonce qu'il va mourir, c'est dans ce temps-là que tu réalises que t'es juste un enfant. Ce que tu as vécu n'a aucune importance, que tu aies trente ou quarante ans, t'es juste un enfant. Je comprends la décision de mon père. Dire que je l'accepte est une tout autre chose. Il sait les dégâts que fait la mort de quelqu'un qu'on aime plus que soi. La preuve, il en meurt lui-même. Et il décide de mourir quand même, perpétuant les dégâts. La souffrance trop lourde rend égoïste. Il va mourir seul parce qu'égoïste, et égoïste parce que seul.

Moi, c'est moins grave, je me suis refait une famille à moi. Mais c'est quand même dur de fermer les livres quand tu ne sais pas qui a fait quoi de suffisamment mal pour que ton petit frère en meure. Dur de le laisser partir.

Et voilà. Pour mon père, le compte à rebours était enclenché.

Nous avons tout fait, nous lui avons promis des petits-enfants comme des pots-de-vin, piètre tentative de le ramener vers la vie. J'ai même arrêté de boire, tentative tout aussi pitoyable de lui démontrer que ses deux autres fils s'en sortaient mieux. Rien n'y faisait ; têtu, il refusait tout traitement, alors que son cœur faiblissait tous les jours.

Aujourd'hui, j'entre à l'unité de soins palliatifs de l'Hôpital Notre-Dame où je trouve son médecin à bout de nerfs. Il se plaint :

— Je n'arrive même pas à lui donner une aspirine, il dit que je fais de l'acharnement thérapeutique.

Ça m'arrache un petit sourire.

— Ben voyons, doc, vous connaissez le docteur Bigras, quand il ne veut rien savoir…

— Peut-être bien, mais moi je ne peux pas l'achever, je suis médecin.

Et il s'éloigne. C'est vrai que ça doit être un peu l'enfer pour un médecin de tenter de soigner un patient qui veut et va mourir. Le sentiment d'impuissance doit être épouvantable… mais bon, chacun ses problèmes.

L'aumônier de l'hôpital y a aussi goûté. Il tenait absolument à sauver l'âme de papa, mais ne faisait que lui tomber sur les nerfs. Mon père et les curés, ça n'a jamais été la sainte harmonie. Le pauvre aumônier s'est fait sacrer dehors de la chambre de papa comme un gars trop chaud se fait renvoyer d'un bar.

On pensait qu'il avait compris, mais le lendemain, le revoilà-tu pas qui se repointe au chevet de papa. Au lieu de se soucier de l'âme de mon père, il aurait dû de façon pratique penser à sa propre vie. Là c'est Zab qui lui tombe dessus et c'est pas beau. Elle n'aime pas les insistants. Elle te l'engueule comme Lucifer su'es pilules. Le curé, admirable de patience, l'écoute jusqu'au bout et lui dit :

— Je suis désolé, madame, je crois que vous avez eu affaire à mon frère.

Osti, deux aumôniers jumeaux. Ça devait sentir le quiproquo tous les jours, ça. Zab s'excuse, et les sauveurs d'âmes ne reviendront plus emmerder celle de mon pauvre père.

Pour l'heure, j'entre dans la chambre de papa rejoindre ma famille. Sa respiration est lente et difficile. Étant moi-même asthmatique, la vue de quelqu'un qui n'arrive pas à respirer me noue toujours un peu la gorge. Son élocution est très laborieuse. Les dégâts au cerveau sont enclenchés, même s'il garde toute sa vivacité d'esprit. Une infirmière un peu étourdie entre dans la chambre pendant que papa essaie de parler sans y arriver. Elle demande:

— Le monsieur, il est un peu attardé?

Tout le monde la dévisage, se retenant de lui lancer un soluté par la tête, mais mon père la fixe et dit péniblement:

— Ouu... ouuu... oui.

On éclate tous de rire, et la pauvre infirmière, qui n'est coupable que d'un peu de maladresse, s'enfuit.

C'était ça, papa. La dernière force de vie, l'humour. Sur son lit de mort, il continue de faire des jokes et de me donner des leçons de vie. Le yin et le yang de mon père. Les humoristes sont des trésors nationaux.

Papa est mort... seul, le 13 juin 1989.

C'était pire que la culpabilité. C'était la honte de l'enragé. On était tous là, on l'a accompagné du mieux qu'on a pu. Enfin, c'est ce qu'on croyait. À la toute fin, je lui ai donné un bec sur le front, ce bisou que je ne lui avais jamais donné et qui, à ma grande surprise, l'a fait gémir de souffrance. Je n'ai pas tout de suite compris pourquoi. Ça m'a pris des années.

ALFRED DALLAIRE... ENCORE

Et ça recommence. Le magasinage de cercueil. Les gens qui défilent. Il y a au moins deux cents personnes, certaines que je connais et d'autres pas du tout. Plusieurs sont ravagées. C'est comme si une partie de leur vie s'écroulait.

Je suis sidéré.

Quand on a eu affaire aux comportements abusifs de quelqu'un, on ne s'attend pas à ce qu'il soit autre chose que ce que l'on connaît. Plusieurs de mes oncles m'ont souvent dit à quel point papa les avait aidés toute leur vie, et je les crois sincèrement. Aujourd'hui, chez l'osti d'Alfred Dallaire, je réalise à quel point il y avait un autre Julien Bigras, et je comprends aussi qu'il est plus facile pour beaucoup de gens d'être bons pour les autres, mais que plus on se rapproche de soi-même et des siens, plus ça devient difficile.

Tranquillement, ma pensée s'ouvre au fait qu'on ne peut pas faire rentrer les gens dans les catégories « bonnes personnes » et « trous de cul ». Ça, on peut le faire dans les films, mais la vraie vie est plus complexe. Je prends conscience que je ferai la paix dans mes guerres seulement une fois que j'aurai accepté de ne pas juger. C'est facile de juger, mais on ne sait rien de l'histoire secrète de tout le monde.

Ça fait quelques mois que je ne bois plus. Pas vraiment pour moi ; j'ai arrêté pour papa, pour lui redonner un peu d'espoir. C'est un peu naïf, mais il y a beaucoup de choses sur lui et sur moi que je ne sais pas encore. Après la cérémonie, ma famille, quelques intimes et moi allons dans un petit restaurant en face du salon funéraire et examinons les menus en silence. Je commande un verre d'eau et je ne sais plus quoi à manger. Ma mère voit mon air morose et l'interprète mal.

— Daniel, tu as quand même droit à un petit verre.

— Euh… je ne sais pas.

J'ai un air triste, mais ce n'est pas dû au manque d'alcool, c'est simplement parce que je viens d'enterrer mon père. C'est un air d'enterrement normal.

— Allez, juste un.

Et elle me verse un verre de vin. Le lendemain, je me dis que ce n'est pas si mal, j'en bois un deuxième. Le surlendemain, quatre, et puis boum, comme si j'avais étiré un élastique jusqu'au point de rupture et que je le lâchais soudainement. Je me remets à boire, presque deux fois plus qu'avant.

Je souris. Maman serait malade à l'idée qu'elle ait pu déclencher une rechute, mais en fait ce n'est pas sa faute du tout. L'arrêt de boisson ne peut fonctionner que si tu le fais vraiment pour toi. Quand plus tard j'arrêterai, le 1er janvier 1995, je serai aussi beaucoup mieux armé. Il n'y aura aucune négociation possible avec l'alcool. Je saurai par expérience que la seule façon que ça pourra tenir, c'est sans un seul verre pour le restant de mes jours.

Pour l'instant, je n'en suis pas là. Même pas proche.

ANGE ANIMAL

Gilbert Langevin, notre extraordinaire poète, *mon* extraordinaire poète, était bipolaire, ou maniaco-dépressif comme on disait dans le temps. Il était en colère contre Gerry qui osait mourir en le laissant seul avec ses poèmes. Mais même en colère, Gilbert restait poète. « Je vas lui rentrer un balai dans le cul pis le grimper jusqu'au ciel, lui, câlisse. » Alors, en pensant à Gerry, il a écrit ce magnifique poème qu'est *Ange animal.*

Gilbert avait une relation d'ombre avec Dieu. Il se disait non croyant, envoyait chier l'Église aussitôt qu'il le pouvait. Mais dans ses périodes de grande tristesse, il allait souvent se cacher dans le coin d'une église pour écrire. Je crois qu'il a écrit *Ange animal* un peu comme une prière.

Un soir de 1990, je rentre de mon show aux Beaux Esprits. Il est quatre heures du matin et je suis assez paqueté. Je pars la bobine de mon répondeur et j'entends Gilbert qui me délire un poème à plus finir. Ma première réaction est:

— Woyons câlisse, ça dure-tu huit heures, c't'ostie d'affaire-là ?

Je prends quand même un crayon et note scrupuleusement tout, sans me douter de la grandeur de ce que je suis en train de transcrire. Puis je vais le lire à ma blonde.

Ange animal ange amical
Tu me désoles tu me consoles
Est-ce que tu sais que tu me rends fou
Avec ta croix avec tes clous

Ben oui je sais tu m'as sauvé
Et puis t'es mort abandonné
Ange animal moi je m'affole
Devant tes pleurs tes paraboles

Quand je suis cloué sur la misère
Comme sur le pire des calvaires
J'ai comme le goût de te maudire
Mais je continue à te mentir

À te mentir jusqu'au beau temps
Jusqu'au beau temps des fleurs nouvelles
Jusqu'à l'éclair des nouveau-nés
Jusqu'au soleil ensoleillé

Moi je t'admirais quand j'étais petit
Ange animal ange mon ami
Est-ce ta faute est-ce la mienne
Dans le bas de la côte si tout se déchaîne

Ange animal ange amical
Je pense à toi quand ça va mal
Tu me pognes le cœur quand je suis couché
Ange animal vas-tu me lâcher

Ange animal frère d'hôpital
Pourrais-tu me dire qu'est-ce qu'il faut faire

Après qu'on a plongé ses nerfs
De corps mortel en drame d'âme

Comment comment ne pas te dire
Que des soldats de mon espèce
Il y en a à l'est il y en a à l'ouest
Qui veulent aimer avant de mourir

Est-ce possible d'avoir la paix
Quand ces guerres sales qu'on ne fait pas
On les voit toutes à la télé
Comme si on était en train de se tuer

Tous ces bulletins de mauvaises nouvelles
Crachent un bilan tellement cruel
Après les mots les chiffres tombent
Comme de la terre sur nos tombes

J'espère qu'ailleurs on nous pardonne
On est si seuls contre la nuit
Qui noie nos vies de carnaval
Dans une mer de temps fatal

C'est avec toi que je marche encore
Du sud au nord jusqu'à l'aurore
T'es ma boussole t'es ma survie
Ange animal ange mon ami…

Ange animal ange mon ami

En lisant le texte, mes yeux deviennent rouges. Hey, « j'espère qu'ailleurs on nous pardonne », juste dans cette phrase, il y a toute la toune. Ma blonde est très émue aussi. Elle me demande :

— Tu vas en faire une chanson ?

— C'est d'jà faite…

— T'as eu le temps de faire la musique ?

— Elle est déjà dans le poème.

Et c'était vrai. J'entendais tout. Les violons, les cuivres, le band, tout. J'avais une hâte folle d'aller en studio.

Je devais finir mon disque avec le producteur que Gerry m'avait trouvé. Je n'avais pas avec lui l'extraordinaire complicité que j'avais avec Gerry. Quand je lui ai apporté *Ange animal*, il a trouvé le texte mauvais. Il tentait toujours d'imposer ses textes sur mes musiques en dénigrant ceux des autres. Il s'autoproclamait le plus grand auteur de toute la francophonie.

Néanmoins, plus tard, il m'est revenu en suggérant :

— Le texte est pas bon, mais ça ferait un maudit bon titre de disque.

Me suis retenu pour ne pas lui casser les dents. Il était passé maître dans la science de manipuler les gens sans jamais se faire massacrer, un certain génie dans le fond… mais ses textes ressemblaient à de la poésie de mauvais élève de cégep à côté de ceux de Gilbert.

Nous avons donc enregistré *Ange animal*, mais ça s'est avéré une catastrophe. Les arrangements étaient à l'inverse de tout ce que j'avais imaginé. Une espèce de cliché de la pop à la mode en ce temps-là, alors que ce poème réclamait la folie. Même s'il y avait les accords que j'avais composés, les bonnes paroles et la bonne mélodie, j'étais furieux.

Ce disque, mon premier, m'a laissé un goût amer. Ce producteur a fait son disque dans le mien, déformant tout ce que je rêvais de faire et profitant de sa position pour faire son rêve à lui. C'était d'une perversion extrême. Je ne connaissais pas encore le milieu du disque, et je ne savais pas que dans un studio, il pouvait y avoir une lutte pour le contrôle de ce qui serait fait et publié. Que des gens sans talent pouvaient voler celui des autres pour se glorifier et quelquefois s'enrichir.

J'ai longtemps été fâché, ce n'est plus le cas maintenant. Il y a des gens qui manquent d'outils dans la vie, alors ils volent ceux des autres. En fait, je suis plutôt triste pour eux, je trouve leurs histoires dramatiques.

Et moi, finalement, j'aurai quand même appris quelque chose de précieux: quoi ne pas faire. Important pour savoir ce qu'il faut faire. Je sais maintenant comment ça marche et je me protège bien. Depuis longtemps je réalise, j'arrange et je produis moi-même tous mes disques. J'ai ouvert, en me battant contre des producteurs qui voulaient m'empêcher de baiser en rond, ma propre compagnie de disques. J'ai une paix royale depuis ce jour.

IL ÉCOUTAIT TA TOUNE

Gerry vit ses derniers jours. L'hôpital lui a fourni une pompe à morphine pour qu'il puisse mourir chez lui, avec sa femme et sa fille. On a souvent discuté de son cancer, de la vie et de la mort. Je voudrais tellement qu'il entende cet *Ange animal* que Gilbert a écrit pour lui, mais je ne me sens pas capable d'aller le déranger à sa maison. Alors je fais une cassette de mon disque et vais la lui laisser dans sa boîte à malle, avec un papier sur lequel j'ai écrit: « Je suis avec toi de tout ce que j'ai. » Puis je repars tristement. Je ne crois même pas qu'il l'écoutera, mais s'il peut au moins savoir que j'ai pensé à lui… comme une tentative de le border avant son grand sommeil.

Gerry s'est éteint le 18 juillet 1990.

À ses funérailles, j'ai vu Françoise comme absente, complètement sonnée. Je n'ai parlé à personne, je suis resté dans mon coin de l'église et suis reparti seul. Des gens souffraient plus que moi, on n'impose pas sa présence dans ce temps-là.

Quelques semaines plus tard, Françoise me téléphone.

— Je voulais juste te dire une chose. Gerry écoutait ta toune quand il est parti.

Là, je tombe sur le cul.

— Euh… tu es sûre?

— Quand on lui a enlevé les écouteurs de son walkman, la cassette était arrêtée à la fin de ta toune, je voulais juste te le dire.

Je voudrais dire quelque chose, la remercier, lui dire que je suis désolé, que je pense à elle. Tout ce qui sort, c'est:

— Euh… Merci.

Je suis scié par la gentillesse de Françoise, je ne m'y attendais pas. Je croyais qu'elle ne m'aimait pas beaucoup. En fait, je le crois toujours, même si tout a changé avec le temps.

Beaucoup de courtisans entouraient Gerry, lui fournissant dope et alcool pour être plus près de lui. Ça rendait Françoise folle. Il ne leur restait pas beaucoup de temps ensemble, et Gerry partait sur des brosses pour ne rentrer quelquefois que plusieurs jours plus tard. Je croyais qu'elle me prenait pour l'un d'eux. Son appel m'a bouleversé et me bouleverse encore.

CHAPITRE 4

LE REFUGE DE MA DOUCE FRANCE

France Labelle a fondé le Refuge des jeunes de Montréal à la fin des années 1980. Honnêtement, je n'ai jamais rencontré de femme plus doucement décidée qu'elle. Avec un sourire, elle esclavagise tendrement tout le monde, pour le bien des jeunes abandonnés et démunis.

J'insiste sur le mot « démunis », parce qu'il n'est pas acceptable pour France. Elle remunit les jeunes en leur fournissant des soins de base essentiels, tout en comprenant très bien que ces soins sont un chemin pour d'autres besoins de base tout aussi essentiels. Par l'amour, l'écoute et l'attention aux autres, elle redonne de l'estime de soi aux jeunes abandonnés qui n'en ont plus.

Ces jeunes, barouettés depuis l'enfance, sont dans l'obligation de se poser la question : « Pourquoi est-ce que personne ne m'aime ? Pas seulement dans la rue, mais depuis toujours ? » Et la première réponse est toujours la même : « Sûrement parce que je ne suis pas aimable, dans le sens de pas digne d'amour, je ne le mérite pas. »

Et nous, on leur fait du bien… ou du mal. Quand un squeegee s'offre pour venir barb… laver nos vitres d'auto, ce qu'on fait souvent c'est d'éviter de le regarder. Je vais vous le dire simplement, ça les blesse. Quand on refuse de leur donner une piastre, ça ne leur fait pas de peine, ça les fait chier. Mais quand on les ignore sciemment, on leur dit : « Je refuse que tu existes. Tu as beau faire n'importe quoi, je ne te regarderai pas. » N'importe qui serait blessé de se faire traiter comme ça, mais pour quelqu'un en dépression, en faible estime de soi, en état de rejet constant, c'est mortel, ça démolit. On le serait à moins.

Je vais vous l'illustrer différemment. Je passe devant une dame, professionnelle, jolie, pas angoissante à regarder. Si, chaque fois, je fais exprès de ne pas la regarder, et pas seulement moi mais tout le monde, dix, cent fois par jour, tous les jours, en trois semaines elle deviendra physiquement laide. La souffrance, c'est la tristesse, la colère et l'incompréhension. Ça ne rend pas mignon, on n'est pas dans la *Petite Maison dans la prairie*.

Sauf que cet énorme booster d'âme qu'est le regard, ça marche dans les deux sens. Si la même dame est dans la rue avec une face dure et que moi, au lieu de l'ignorer, je lui fais un sourire, un salut, si je prends deux minutes pour lui acheter un café et un beigne et jaser un peu avec elle, et pas seulement moi mais tout le monde, dix, cent fois par jour, tous les jours, en trois semaines elle redeviendra physiquement belle. Si ça fonctionne pour l'apparence extérieure, on peut facilement s'imaginer le mal… ou le bien qu'on fait à ses intérieurs en la regardant tout simplement, juste pour lui signifier qu'on est d'accord avec le fait qu'elle existe.

C'est ce que France fait le mieux, regarder les autres, leur redonner leur importance. Elle fait partie de ces gens très rares qui ont la capacité d'avoir mal aux autres. Alors elle prend le mal et le transforme en bien, toujours avec cette patience pressée et ce sourire tranquille. Elle redonne des outils de cœur à des jeunes détruits qui ont le leur broyé.

Ce n'est pas un détail. Quand on a le cœur brisé depuis qu'on est petit et qu'on ne se croit digne de rien au point de se ramasser dans la rue, on considère que notre vie ne vaut pas beaucoup et on n'en prend pas soin. On la risque, on la magane, on la frappe et quelquefois on y met fin. Or, il n'y a rien d'écrit dans les étoiles qui dit qu'un jeune doit mourir plus qu'un autre. Toutes ces vies sont récupérables, sans aucune exception.

L'œuvre de France, c'est ça : montrer aux autres qu'ils sont quelque chose, et quelque chose d'important.

Depuis vingt-huit ans d'action communautaire et avant cela en éducation et en centre jeunesse, le sourire de France a laissé des traces. Ce sourire qui te signifie que tu es important, que tu es « aimable » même si tu n'as pas été aimé avant. Ce sourire qui a donné à un nombre incalculable de jeunes le goût de se choisir et de se rebâtir. Je les recroise, ces anciens jeunes qui, malgré le cœur marqué au fer rouge, viennent me voir pour me parler de France, du Refuge, et qui me présentent leurs enfants. C'est un des moments les plus bouleversants de ma vie et il recommence toujours. Un jeune qui voulait mourir et qui s'est reconstruit au point de faire le plus beau des actes d'amour : un enfant. J'en rencontre un par semaine. C'est ma grande récompense. Si ça continue comme ça, je vais vivre jusqu'à deux cents ans.

C'est la première mission du Refuge. Au-delà des soins d'urgence (hébergement, nourriture, hygiène et repos), c'est la reconstruction du « lien ». Ce lien brisé entre un jeune et sa société. Cette blessure qui a anéanti toute confiance envers les autres et envers soi. C'est un lien facile à briser. Il suffit de le maltraiter petit.

On peut enseigner la pire image de soi à un enfant en le battant, en l'agressant sexuellement, en l'humiliant, en lui montrant, avec des paroles ou des gestes violents, qu'il mérite toutes ces choses laides qui lui arrivent. Mais si on veut faire le vrai voyage au bout de la violence et de la nuit, il y a encore pire que la violence physique ou verbale, il y a la violence de l'abandon. L'horreur la plus dévastatrice pour tous les enfants en difficulté avec qui j'ai travaillé, pour ceux qui sont atteints le plus profondément, c'est la violence de l'abandon. L'abandon est aussi la première chose qu'un enfant ressentira lors d'une agression. Et c'est la meilleure façon de lui enseigner qu'il n'est rien.

Faut-il s'étonner que des jeunes fassent des choses dangereuses, comme échanger des aiguilles qu'ils savent sales ? Du sexe sans protection ? Consommer des cochonneries jusqu'à la mort ? Ça s'appelle la dépression, ça s'appelle ne pas tenir à soi. « Pourquoi ferais-je attention à ma vie ? Tout le monde s'en fout. » C'est danser sur le bord du pont. On tombe un pouce à gauche et ça va encore pour cette fois, mais on finit par tomber un pouce à droite et… Ma famille et moi, on connaît très bien ça, les accidents suspects.

La première mission du Refuge des jeunes est de briser ce pattern, ce moule pervers qui déforme tout et fait croire aux jeunes qu'ils sont et ont toujours été « le problème », alors qu'en réalité, ils n'ont que réagi aux problèmes des autres toute leur vie. Réussir peu à peu à faire entrer ça dans leur cœur : « Tu vois ? Toi tu m'intéresses, tu es intéressant. Bon, ce n'est pas comme avoir une blonde ou une famille, mais on part de ça. Je te jure que tu es intéressant. » Tranquillement, le jeune apprendra à s'occuper de lui vu qu'il est quelqu'un, quelqu'un qui a droit à de beaux sentiments, à de l'amour, comme les autres.

PORTE-PAROLE

J'ai connu France en 1990. Elle cherchait un porte-parole pour le Refuge, qui était ouvert depuis quelques mois seulement. Ce que je ne savais pas, c'est qu'elle m'avait entendu chanter *Ange animal* à l'émission *Ad Lib* de Jean-Pierre Coallier, et qu'elle avait déjà décidé que son porte-parole, ce serait moi et que je serais d'accord. En fait, tout comme moi, la fameuse phrase de Gilbert, « j'espère qu'ailleurs on nous pardonne », l'avait profondément ramassée.

France m'explique que le Refuge a besoin d'un porte-parole, d'une parole forte, pour porter la réalité des jeunes aux autres. Au début, je suis un peu réticent. La mode en ce temps-là était pas mal aux personnalités publiques qui disaient partout: « Cette cause me tient très à cœur. » Ça me semblait appris par cœur, faux, affecté. Et moi, s'il y a une chose dont j'ai bien besoin, c'est de relations clean, franches et sans bullshit.

Le deal que je voulais proposer était: « Je vous apporte des tounes, vous aimez vous achetez, vous n'aimez pas et je retourne dans les bars. » J'avais moyennement envie d'amener autre chose sur la table et de jouer au bon gars. Et France, ma chère tendre calme et féroce France, de me dire doucement:

— Je comprends parfaitement tes réticences. Est-ce pour ça que tu vas refuser de nous aider?

Oups. Elle a le don de te replacer les priorités par ordre alphabétique, elle fait ça clairement et simplement. De la vraie vie. Pas de niaisage.

— Euh... Faudrait peut-être que je commence par aller voir?

La première fois que je suis entré au Refuge, ça a été un choc. En plein cœur. Un sous-sol d'église, du béton froid et tous ces jeunes brisés. Ça a cogné juste une fois et c'était suffisant. À l'époque, je n'étais pas capable de tout mettre ça en mots comme je le fais maintenant, mais ces jeunes, je les connaissais, nous étions presque des copies conformes. Ce que j'essayais de faire pour moi, ce que j'aurais dû faire pour Guillaume, le Refuge le faisait pour eux.

J'ai immédiatement pris ma décision. Je lui ai dit:

— Mouin, d'après moi vous irez pas chier loin si je vous donne ma paye d'un spectacle. Cinquante piastres, on vit pas un an avec ça.

Dans les bars, j'avais développé un petit talent: j'étais pas pire pour réunir des gangs, du monde qui ne se connaissait pas, et créer un show en deux temps trois mouvements. Je faisais sonner ça vite.

— Je vais essayer quelque chose. On va réunir une gang de monde plus connu que moi pis on va faire un osti de gros party. Mais je pose une condition : si je suis utile, je reste. Sinon, je sacre mon camp.

Ce que je voulais dire, c'était : si je ramène du cash, je reste. Sinon, je resterai pas pour faire des guili-guilis aux kodaks et faire perdre de l'argent au Refuge.

Deal.

Je n'avais jamais porte-parlé de ma vie et j'avais très peur de faire une connerie. J'ai donc appelé Judi Richards pour qu'elle me donne un cours accéléré de comment pas faire de niaiseries quand on porte-parle. Elle et Yvon Deschamps s'occupaient du Chaînon, une maison fantastique qui vient en aide aux femmes en difficulté, depuis une quinzaine d'années. Elle m'a dit :

— Dans toute ton existence, tu pourras donner un coup de main à plusieurs organismes, mais tu ne pourras être parrain que d'un, sans ça tu vas diluer ton impact, et un jour tu vas demander de l'argent pour un organisme et ils vont l'envoyer à l'autre. Je le sais, ça m'est arrivé. J'ai accepté d'être porte-parole pour un organisme que j'aimais bien. J'ai été à la télé demander qu'ils leur envoient beaucoup d'argent, et les gens ont envoyé beaucoup d'argent… au Chaînon.

J'ai pris bonne note.

Puis j'ai appelé les Jim Corcoran, Bourbon Gauthier, Steve Faulkner, Nanette Workman et une couple d'autres généreux qui ne savaient pas exactement dans quoi ils s'embarquaient. On a monté ça à la va-comme-je-te-pousse au Club Soda, qui était en ce temps-là situé sur l'avenue du Parc dans le Mile End.

On a mis une couple d'affiches en ville, on a fait beaucoup de bouche à oreille et, miracle, la place était pleine. On a ramassé plus de six mille piastres. Je nous croyais milliardaires. Il y avait donc moyen de faire quelque chose ?

On a vite compris que c'était trop petit ici. J'ai remercié les boss du Club Soda qui nous avaient prêté la salle, et on a réservé le Spectrum pour l'année suivante. J'ai dit à France :

— Ok, là c'est clair. Je vais rester avec vous toute ma vie.

Je ne sais pas si elle m'a cru, je buvais encore à ce moment-là.

La deuxième année, le Spectrum était plein à ras bord et on a ramassé trente mille piastres. J'étais sur le cul. En plus, le producteur Guy Latraverse était sans la salle. Sachant ce qu'il avait fait pour Claude Léveillée, Diane Dufresne et une multitude d'autres, j'étais très impressionné. Guy, c'est l'idole de tous les autres producteurs.

Après le show, nous discutons dans ma loge. Guy me demande :

— Ça t'intéresserait-tu que je te vende ton show aux *Beaux Dimanches* ?

Wow, les *Beaux Dimanches* avec monsieur Bergeron pis sa moustache ! J'écoutais ça tous les dimanches soir quand j'étais petit chez mes parents !

Néanmoins je lui demande :

— Ça apporterait quoi au Refuge ?

Il sourit.

— Radio-Canada paiera toutes tes dépenses et se repaiera avec l'argent de ses commanditaires. Le Refuge gardera toute la billetterie, sans aucune dépense. De plus, ça te ferait d'après moi une excellente tribune pour en parler.

Cher Guy, très cher Guy, un prophète. Grâce à lui et à Radio-Canada, le Show du Refuge est encore là après tout ce temps, vingt-sept ans au moment où j'écris ces lignes, et bien des générations d'artistes extraordinaires y sont venus donner un coup de main... Ah oui, et gratuitement, je le précise pour les quelques-uns qui ne sauraient pas.

LE REFUGE À NOËL

Des fois, j'ai l'impression que Noël a été inventé pour nous rappeler à quel point on vient d'une famille dysfonctionnelle. Mononcles chauds, matantes hystériques... À dix heures, tout le monde commence à être sur le party, à onze heures, c'est les jokes de cul déplacées, les mononcles se trumpisent, minuit est l'heure où les paroles commencent à dépasser les pensées, et à une heure, la moitié de la parenté règle en hurlant la marde de toute une famille pendant que l'autre moitié est en train de pleurer dans une chambre.

Ça, c'est le beau côté. C'est le côté des gens qui ont une famille.

Mais il y a aussi la réalité des enfants enfermés en cellule de centre jeunesse à Noël parce que leurs parents les ont agressés. Et ces enfants battus, violés, torturés par leurs parents, ils sont souvent prêts au suicide si on ne les laisse pas voir ces mêmes parents agresseurs à Noël. Et non, on ne les laisse pas. Plus tard, on retrouve une grande partie d'entre eux dans des ressources comme le Refuge, et chaque guirlande de Noël est là pour leur rappeler que tout le monde a une famille sauf eux. Si on n'a pas passé au moins un Noël avec eux, c'est d'une cruauté difficilement imaginable.

Notre relation avec eux est très étrange. Ils sont absolument seuls pendant que nous, on fait des guignolées et plein d'événements généreux. Je le dis sans cynisme aucun, ces événements, on en a besoin. Je trouve juste dommage qu'on ne les fasse qu'à Noël et qu'immédiatement après, la chasse aux jeunes qu'on trouve dérangeants reprenne de plus belle.

Même chose pour quelques médias. Belle générosité aux fêtes, on pleure pendant une semaine quand le film *Les voleurs d'enfance* de Paul Arcand se retrouve sur nos écrans, et tout de suite après, on reprend les articles sensationnalistes qui dépeignent les jeunes comme des parasites. On voit des gens souffrants et on les hait. « Je ne veux pas de ta souffrance. Tu me la donnes comme un cancer contagieux. Laisse-moi tranquille. Existe ailleurs. Je ne veux même pas te voir dans ma télé. Tu t'infiltres dans mon salon, sors de chez moi. Sors de mon cœur, tu me fais mal. Ne regarde pas mes enfants, ils pourraient l'attraper. »

C'était comme ça quand j'étais jeune, et c'est encore souvent vrai. Quoique depuis vingt-sept ans, je remarque que le regard de beaucoup de gens a changé. Je vois même de plus en plus de tendresse dans ces regards. Si certains mononcles insensibles dans les médias arrêtaient de blaster ces jeunes, ce serait fantastique.

NOTRE BON MAIRE D'ARRONDISSEMENT

Peu de gens ont réussi à me jouer sur le ti-nerf autant que lui. Ce monsieur était à la politique ce que la branlette est à l'amour : on s'en tannait vite. Il passait son temps à magouiller pour persécuter les sans-abri.

On le sait tous, un quartier prend de la valeur s'il est vidé de tout ce qui pourrait déranger la vue de gens aisés qui voudraient bien vivre entre eux. Le jeu des promoteurs immobiliers est de faire monter la valeur du quartier, mais le rôle du maire d'arrondissement est de s'occuper du bien-être de ses citoyens, qu'ils aient de l'argent ou non. Je le soupçonnais de veiller aux intérêts des promoteurs plus qu'à ceux de ses concitoyens… Il s'est depuis fait prendre la main plus ou moins dans le sac en papier brun, et il a dû démissionner dans la honte.

La vérité, c'est que je n'ai pas vraiment de haine envers ce monsieur précisément. C'est tout ce qu'il représente qui m'horripile. Ces gens prêts à faire tant de mal à tant d'autres gens qui ne le méritent pas, pour faire égoïstement avancer leur carrière ne serait-ce que d'un centimètre, sont un fléau pour notre société, bien plus que les sans-abri qu'ils harassent.

Partant du fait qu'on accepte de notre société exactement l'inverse de ce qu'on veut enseigner à nos enfants, par exemple que les gros ne doivent pas attaquer les plus petits et qu'on ne doit jamais abandonner ceux qui souffrent, il me semble qu'on devrait écrire des lois pour la collectivité.

J'entends par là que nous avons déjà des lois pour les individus ; nous sommes obligés par la loi de nourrir nos enfants, de les loger, de les envoyer à l'école, de ne pas les maltraiter, etc., mais ces mêmes lois n'existent pas pour la collectivité. Ce qui fait qu'un comportement que l'on trouverait criminel de la part d'un individu est toléré quand il s'agit de notre société.

Force est de constater que si les mêmes lois régissaient les comportements de la communauté et des individus, notre société aurait passé plusieurs fois devant un juge et elle serait maintenant en prison pour un bout.

MANU LE BLEU

On l'appelait « Le bleu » parce qu'il se teignait les cheveux avec du bleu de méthylène. Quand il venait dormir, il fuckait toutes les osties de taies d'oreiller du Refuge. Un bon petit gars, de bons parents et évidemment rien de décodable sur la mort qui le guettait. Ce n'est pas écrit dans les étoiles qu'un jeune va mourir, et quand on croit qu'untel va partir et qu'un autre va s'en sortir, on se trompe toujours. Quand on croit qu'un jeune est au bout de ses limites, il n'est généralement qu'au bout des nôtres.

Il est mort au Refuge. Overdose de méthadone. Personne n'a vu venir sa mort. Les symptômes d'une overdose de méthadone ressemblent beaucoup à ceux d'une overdose d'héroïne, cette saleté qu'elle est censée éloigner. Le jeune s'endort doucement en respirant de façon très légèrement sifflante, comme une très légère crise d'asthme. Beaucoup de jeunes sont dans cet état, même à jeun. Un intervenant a tenté de secouer Manu. Il a simplement constaté qu'il n'avait plus de pouls.

C'est LE film d'horreur qu'on ne veut pas voir au Refuge. Un petit gars qui meurt pour rien.

Tout le monde qui vient au Refuge a été massacré. Mais jamais un jeune, avant lui, n'était mort au Refuge. Le travail d'un intervenant est gratifiant quand il voit émerger des chances de bonheur, un chemin qui se dessine vers quelque chose qui semble mieux. Mais si tu veux avoir droit à beaucoup d'histoires de bonheur, tu dois accepter les histoires d'horreur. Il n'y a pas de distance sécuritaire, tu es là ou tu n'y es pas.

Cette pièce de théâtre de souffrance s'est terminée de la pire façon pour Manu. Criss qu'il m'a fait penser à mon petit frère Guillaume. Ça a rouvert des plaies pas bien cicatrisées.

À l'église Sacré-Cœur-de-Jésus sur la rue Ontario, le père Emmett Johns (Pops) officiait à ses funérailles. Pops a passé une grande partie de sa vie dans une roulotte qu'il promenait au centre-ville pour recueillir des jeunes de rue, leur fournir de la soupe, des condoms et des seringues propres. Pops était un des curés qui considéraient que les jeunes toxicomanes et prostitués ne devaient pas subir la peine de mort pour la souffrance qu'ils vivaient.

À la cérémonie, tous les chums de rue de Manu sont venus. Il en avait tellement. Un petit gars aimé et apprécié. Ils sont tous venus me parler de lui. Moi, plus j'écoutais ses chums, plus je le ressentais comme un gars qui se traînait une peine d'amour d'enfant.

Nous, les adultes, traitons les amours d'enfants comme si c'était mignon, juste un jeu. On pense que c'est seulement plus tard, une fois adulte, qu'on connaît le vrai amour. C'est une grave erreur. J'ai vu tellement d'adultes jouer à l'amour, alors qu'un amour d'enfant n'est pas un jeu, c'est extrêmement sérieux, une question de vie ou de mort. Mon ami le docteur Julien pourrait vous en parler, il y a un nombre effarant d'enfants qui se suicident. La peine d'amour peut tuer. Et si elle ne tue pas, l'enfant la portera toute sa vie.

D'où je me trouvais, ça me semblait trop lourd pour Manu.

Chaque personne qui était près de lui a dû faire ce qu'il pouvait pour se démassacrer. Moi, ma façon d'essayer de sortir ça de moi et aussi de le rendre utile commence très souvent par une écriture. Quand j'écris de façon automatique, ça rime. Je ne sais pas trop pourquoi. Peut-être que ça fait partie de ma démarche pour nommer l'innommable de façon plus harmonieuse.

Alors j'ai écrit une chanson pour Manu le bleu.

LA RIVIÈRE PERDUE

Quand nos désirs d'enfants
Ont été fracassés
Personne a su comment
Ni par où s'en aller

À cinq ans j'étais fier
Maintenant je m'aime moi non plus
Avec le cœur à l'envers
Je me suis pas reconnu

Quand les tendresses d'enfants
Dérangent ceux qui en ont plus
L'amour se sauve par en dedans
Il y a plus de place dans la rue

Le désir est mort hier
Quand l'amour s'est pendu
Avec le cœur tout de travers
À la rivière perdue

Je rêve qu'on sait nager
Viens-tu dans mon bateau
Si tu te laisses inviter
Dans un cœur qui prend l'eau

J'ai besoin de tes paupières
Moi des larmes j'en ai plus
Nos cœurs seront moins de travers
À la rivière perdue

Être seul c'est pas la mort
Moi je suis fait pour rêver
Je m'arrange avec mon corps
Faut ben que je pense à toé

Y a juste la nuit qui est claire
C'est là que je te vois le plus
Le cœur rêve à l'envers
À la rivière perdue

C'est mon cœur la rivière
Tu peux marcher dessus
Je peux caler pour leur plaire
Je ne remonterai plus

La mort veut pas se taire
Je suis plus capable qu'on se voye plus
Je m'en vas tuer la misère
À la rivière perdue

Ils voulaient qu'on s'aime pas
Gang d'ostis de criminels
C'est facile rire tout bas
Quand tu payes pour ton ciel

Quelque chose coule dans mon cœur
Ma rivière est revenue
J'ai plus peur du bonheur
Je ne mourrai jamais plus

T'es revenue je n'ai plus peur
C'est toi ma rivière perdue

Plus tard, c'est devenu la chanson thème de mon film *La Rage de l'ange*, que je lui ai aussi dédié. Ses parents étaient là à la première. J'espère qu'ils trouveront de la paix et qu'ils ne se puniront pas. Je ne suis pas croyant, mais s'il existe un blasphème sur terre, c'est bien une mère qui enterre son enfant.

J'espère que tu dors en paix, Manu…

CAZENAVE LE TOFF

« Tu as voulu mourir, grand bien t'en fasse. »
(Extrait d'une lettre posthume de Pierre Cazenave à mon père)

Pierre Cazenave, merveilleux fou trompe-la-mort, équilibriste de la survie, psychanalyste-mais-c'est-pas-grave et petit frère volontaire de mon père. Quand mon père s'est laissé mourir, il est devenu un peu mon grand frère à moi.

Diagnostic : cancer généralisé. Pronostic : trois mois à vivre. En 1991, il en est à sa quatorzième année, il en fera dix-huit. Un vrai toff, à poings nus avec la mort. Un vivant, un vrai, pas peur de la vie. Il passe son temps à se faire opérer. Il a accepté tous les traitements que les autres refusent. Chaque fois que le crabe rejoint un organe, on le lui enlève. Il lui reste plus grand-chose, la moitié d'un poumon.

À chaque fois que j'ai des shows en Europe, j'arrête quelques jours chez lui, et on délire en buvant du rosé non-stop. Il attire la gentillesse comme les enfants attirent les sourires. Nous sommes tous des maisons de verre qui lancent des pierres, pas lui.

Pierre est un psychanalyste « va-chier-la-mort » qui soigne des mourants. Il fait ça et il survit. Ce qu'il fait pour lui, il l'enseigne aux autres et vice-versa, il apprend de tout le monde, ça le nourrit. Il est un prof de vie pour un paquet de gens qui se chamaillent avec une mort très proche. Il appelle son cancer sa « maladie du nourrisson ». D'après lui, c'est une maladie que tu développes tout bébé quand tu as le sentiment de déranger tes parents, alors tu développes ce crabe pour pouvoir débarrasser le plancher. Je comprends parfaitement ce qu'il me dit. Quand le cœur souffre, le corps pleure. Même chez un bébé. Surtout chez un bébé.

Je débarque chez lui pour la énième fois avec mes bagages. Il ouvre la porte et me demande :

— Comment tu vas ?

Je le regarde, le cœur un peu chaviré.

— Mieux que toi. On dirait que t'as perdu dix livres depuis la dernière fois.

Il me fait un sourire radieux.

— Ah mais j'ai pas maigri, ils me vident comme un poisson, alors je maigris par en dedans.

Je souris aussi.

— Ils t'ont enlevé quoi cette fois-ci ?

— L'estomac.

— T'as l'œsophage branché sur le trou du cul ?

Il sourit.

— Sur l'intestin.

— Ah merde.

— Ah oui, ah merde. Je peux plus picoler, mais on va rigoler quand même.

À chaque fois que je me pointe chez lui, il s'occupe de ses patients, puis il vient faire mentir la mort avec moi jusqu'aux petites heures du matin. Je suis gros, je pèse près de deux cent soixante-cinq livres et je suis un peu jaune ; la bile dans mon sang. Il ne dit rien sur ma façon gargantuesque de boire, mais je me doute qu'il n'en pense pas moins. Tu parles, son grand chum s'est laissé crever et son fils se laisse tuer lui aussi dans une mer d'alcool. Il est absolument contre, mais il ne m'en parle pas, sauf pour me dire que je suis quand même assez gros et pas mal jaune. Comme médecin, il ne trouve pas ça super encourageant, mais bon…

Alors on fait ça avec un excellent petit rosé qu'il coupe en cachette avec de l'eau pour qu'on veille plus tard. Je bois toujours trop vite, une sorte de panique du gorgoton. Et on recommence tous les soirs.

Ce soir, on est sur l'espèce de très mini balcon de sa fenêtre de cuisine. Il me sert du vin, se verse de l'eau et c'est vrai qu'on rigole bien. Je lui demande :

— Tes patients, c'est tous des mourants ?

— La mort est plus près d'eux que des autres. C'est leur quotidien.

— Tu leur donnes des cours de mort ?

— Mouais. Vie, mort.

— Ça a l'air intéressant. Ça consiste en quoi ?

— Ça dépend pour qui.

— Maitencore ?

— Ben, j'ai un petit gars de dix-sept ans. Sa copine l'a laissé, alors pour ne pas devenir fou de chagrin, il a été voir une pute. Il était saoul, triste, jeune et con, il n'a pas mis de capote et il s'est chopé le sida. Lui, je lui montre pas à mourir, je lui montre à se battre. On va peut-être trouver un remède dans quelques années, alors c'est jouable.

J'y pense en écrivant, et c'est vrai qu'on a trouvé la trithérapie depuis...

— Les autres ?

— J'ai une juge d'instruction rigolote. Elle a trois mois à vivre.

— Suuuper rigolote.

— Attends. Je te dis, tu vas l'aimer. Donc, juge d'instruction. Une juge d'instruction, ça passe sa vie à faire respecter la loi, la plupart ont une espèce de code moral extrêmement rigide. C'est un peu comme vos procureurs de la couronne, mais très bien payés. Tu parles, elle crèche dans le seizième. Ça c'est votre Outremont en beaucoup plus snob. Tu vois le décor ?

— Yep.

— Alors moi, son décor, je le trouve suspect. Être aussi « cul cousu », c'est louche. Par association d'idées, je lui demande : « Avez-vous déjà fait un mauvais coup, madame ? » Elle, insultée, de me répondre les lèvres pincées : « Jamais, monsieur. » Elle a foutu le camp et elle n'est pas revenue pendant trois semaines. Au début, je croyais qu'elle boudait, alors j'attendais, mais au bout de deux semaines, je suis devenu triste parce que tu sais, quand mes patients ne viennent plus pendant si longtemps, c'est parce qu'ils sont à l'hôpital et que c'est la fin.

— Qu'est-ce tu fais dans ce temps-là ?

— Ben, je vais les rejoindre pour les aider à mourir et aider la famille, mais elle, ce n'était pas ça. Au bout des trois semaines, elle se pointe à mon bureau pour sa séance, toute guillerette. Elle avait volé un véhicule amphibie de la police et avait traversé la Seine une bonne vingtaine de fois avant de se faire arrêter par l'armée. Elle est passée devant un de ses collègues juges d'instruction, a payé sa caution en s'en foutant royalement, elle sera morte bien avant son putain de procès.

Et on rigole tellement tous les deux que je passe proche de sacrer le camp en bas de la fenêtre de sa cuisine. Criss, quatre étages en rigolant…

— Tu vois, si elle n'avait pas été mourante, elle se serait jamais autant amusée. Elle s'est pété un rêve de petite fille.

LE PROPHÈTE

Un soir, Pierre a un séminaire quelconque, alors je prends un livre et je vais me saouler tranquillement sur une terrasse du « gai Paris ». Vers les une heure du matin, je commence doucement à me faire chier et je suis pas mal paqueté, alors je me lève pour chercher un taxi. Il y en a un qui s'arrête. J'embarque et lui donne l'adresse de Pierre. On fait une couple de rues et il me demande :

— Québécois ?

— Pourquoi, ils sont tous gros et jaunes ?

Il a la gentillesse de ne pas relever ma joke plate et redemande :

— S'avez envie de vous amuser ?

Je le regarde dans son rétroviseur. Il m'amuse déjà.

— Combien ?

Il arrête le compteur, sourit et tourne dans une petite rue. Dix minutes plus tard, on arrête devant un bar, Le Prophète. Il m'ouvre la porte, me tourne le dos et s'installe au bar.

Je vais m'asseoir sur un sofa dans le fond. Pas le temps de commander, une bouteille de champagne atterrit comme par magie sur ma table, servie par une très jolie dame dans la quarantaine, très élégante, qui me souhaite la bienvenue en me disant que Sophie sera avec moi dans une minute. Je me retiens d'éclater de rire; l'osti de chauffeur m'a emmené dans un bordel et c'est pour ça qu'il reste assis au bar. Il touche une cut sur tout ce que je dépense. Je fais un zouli sourire au zouli cul de la jolie dame qui retourne derrière son zouli bar.

Cinq minutes après, j'ai déjà torché la moitié de la bouteille quand « Sophie » vient s'asseoir à côté de moi.

— Alors mon grand, on veut s'amuser ?

Elle a dû faire un effort pour éviter le « mon gros ». C'est gentil de sa part.

— Ça dépend. Tu prends combien pour une passe ?

Elle me dévisage avec méfiance.

— Tu vas vite. On boit un coup d'abord ?

Je rigole avec ma gueule de fucké, en camisole, avec mes nœuds dans les cheveux et mes soixante livres de trop.

— Sois honnête. J'ai une gueule de flic ?

Elle rigole aussi.

— Non, mais tu vas quand même un peu vite. Ça surprend un peu.

— Ok. Je vais te faire une proposition. Je vais te payer et je te euh… consommerai pas.

Elle est plus jolie à chaque sourire.

— Je suis très sérieux. Je suis un peu pas mal saoul, alors j'ai pas envie de baiser, mais je veux pas te brûler ta soirée. Alors quand t'as un client, tu vas le faire et quand t'as rien à foutre tu reviens me voir. Moi, je sais où je me trouve et j'ai un minimum de savoir-vivre, donc je te paie, je t'offre tout le champagne que tu veux, et si tu me trouves pas trop chieux, tu me tiens compagnie et on jase.

— Cool. T'es Canadien ? Tu fais quoi dans la vie ?

— Québécois. Je fais euh… ça.

Et moi, ultime frais chié, je lui sors mon disque. Je me dis qu'elle va me rembarrer, mais pas du tout. Elle a l'air émerveillée. Elle appelle sa « Madame Claude ». Du coup, je suis obligé de lui donner un disque aussi. Jusqu'au chauffeur de taxi qui en veut un. J'en donne un à tout le monde. La Madame Claude le fait jouer dans le bar. En plus, c'est mon premier album, que je détestais alors et que je déteste encore. Pas fier de moi.

— Je vous prendrais une autre bouteille. Combien je vous dois ?

— Rien du tout, c'est pour la maison. Sophie, tu fais ce que tu veux ce soir.

Sophie me fait un zouli sourire et se colle contre moi. On jase. Les autres filles se pointent. Veulent toutes un disque. À la fin, j'en ai plus, mais je passe une soirée superbe, malgré que la Madame Claude arrête pas de faire jouer mon disque pourri dans le bord… bar.

Le lendemain, je me réveille nu dans mon lit chez Pierre, mes vêtements bien soigneusement pliés à côté du lit. Ça fait un petit signal d'alarme dans ma tête ; je plie jamais mon linge.

Pierre entre dans la chambre avec un gros bol de café au lait fumant. Il me regarde.

— Ça va ? Le taux de sang dans ton alcool est pas trop haut ? T'as une drôle de gueule.

— Attends.

Et je fouille mes poches. Mon portefeuille est là, il ne manque pas une cenne. Ça m'a rien coûté. En plus, il y a une belle marque de rouge à lèvres sur le portefeuille. Sophie a dû signer avec ses lèvres. J'espère que c'est pas le chauffeur.

— Euh Pierre, je te dois des excuses, je sais que t'as pas mal d'objets de valeur ici et hier soir, je sais pas, j'en ai aucun souvenir, je crois bien que des euh... filles sont venues me border.

Pierre sourit.

— T'es pas sûr ?

— J'ai « black-outé » ben raide. Je sais pas combien de bouteilles de champagne j'ai torchées hier... Criss, elles m'ont reconduit jusqu'ici pis elles m'ont bordé. Me demande si elles m'ont pas chanté une tite chanson.

— Tu vois, les putes c'est ça. Elles sont là pour t'arnaquer, mais si elles t'aiment bien, elles vont te protéger jusqu'à la mort. Qu'est-ce t'as à sourire comme un débile léger ?

— Rien. Me disais que ça valait la peine d'apprendre à chanter, même tout croche.

Le soir même, je joue à Sarrebruck en Allemagne. Étrange ville. Généralement, les gens applaudissent quand tu montes sur scène, une façon de te dire bonjour. À Sarrebruck, rien. Silence mortuaire. Ça me surprend, mais je me laisse pas déstabiliser. Par association d'idées, je leur fais un salut de la tête très sec à la Wagner en claquant les talons, et je commence. J'ai l'air d'un cliché de film de la Seconde Guerre mondiale.

On a passé une super soirée, c'est juste qu'ils applaudissent pas au début. Dans le fond, ils ont raison. À nous de faire nos preuves et de mériter les applos. Je finis le dernier rappel en pensant beaucoup au Prophète et à ses femmes fantastiques, et je reviens à Paris en douzième vitesse.

À mon retour, malgré tous mes efforts, j'ai jamais retrouvé l'osti de bar.

C'est toujours resté pour moi un point d'interrogation. Je n'ai jamais vraiment été excité à l'idée de coucher avec une prostituée. Question d'ego et de blessure d'enfance. Je n'arrive pas à concevoir une super bonne baise sans que la femme soit aussi séduite par moi que moi par elle. Rien à voir avec une morale puritaine, j'ai même jamais dit que j'étais contre, c'est juste un sentiment très simple. Ça me fait quand même chier de ne jamais les avoir revues. Pas juste Sophie, mais toute la gang.

Il y a quelques années, j'animais une cool petite émission à Télé-Québec. Ça s'appelait *Gang de rue*. J'avais une gang de jeunes qui devait chaque semaine aider un organisme. Nous voulions aider Stella, un organisme de protection des travailleuses du sexe. Un jour, je demande à la co-directrice:

— C'est vrai ce qu'on dit, que les moralisateurs, les politiciens puritains et autres preachers qui font toujours campagne pour vous criminaliser, ce sont souvent eux qui forment une partie de votre clientèle?

— Dan, c'est 95 %. Nos clients, ce sont les gens qui n'ont pas une vie sexuelle ben ben tripante. Plus ils vivent dans un monde de tabous, plus ils viennent nous voir. C'est normal, on est discrètes, on ferme nos gueules.

Moi, depuis ma soirée au Prophète, je garde une tendresse profonde pour les prostituées, et je rage encore une fois contre notre hypocrisie de société envers elles. Me font penser, par association d'émotions, à Christine, Conrad et Guillaume.

DES DANSEUSES ET DES HOMMES

Quand je jouais dans les bars, ça arrivait quelquefois qu'un agent nous envoyait dans un bar de danseuses sans nous avertir. Il y en a que ça énervait, moi je trouvais plutôt ça sympathique. Il y en avait toujours une couple qui venaient faire une danse sur mon piano quand je jouais un blues. Et honnêtement, ça enflamme toujours un peu l'imaginaire d'un jeune garçon qui corrige son passé par du party.

Un jour, je suis engagé pour jouer à La Sarre en Abitibi, au chic Vic. J'arrive et je constate que la scène, carrée, est pas très grande et que le plancher glisse. Ça semble être un restant de poudre à bébé par terre. Je commence évidemment à comprendre. Je vais vers le sous-sol et là, sur la scène, il y a un poteau. Bon, un autre bar artistique. Pas grave, je descends mon équipement de mon truck, j'installe tout ça sur la scène glissante, et j'entame mon test de son.

À ce moment entre, et ça m'assomme (je l'imaginais partout sauf ici), Jim Corcoran. Il me dit, très étonné :

— Salut Dan, qu'est-ce que tu fais là ?

— Mon marché, Jim… Je fais mon son, pis toi ?

— Euh… c'est moi qui joue ici ce soir.

— Ah… ça je pense pas.

Et là, je vois un Jim que je ne connaissais pas : le Jim en beau tabarnac. Je crois qu'il va vouloir se battre avec moi (osti, je fais un pied de plus que lui), mais non, il se dirige vers le bureau du boss. Franchement, il m'impressionne. Pas certain que je me serais battu avec lui ; un Irlandais en beau fusil, c'est à considérer avec respect. Le boss a aussi eu un peu peur de Jim je crois, mais il a été très correct. Il a accepté qu'on joue tous les deux et qu'on soit payés comme convenu. On a joué séparément et ensemble toute la soirée, et on a eu du fun.

Trois heures, last call on farme, et on sort du chic Vic un ti peu éméchés. Rendus de l'autre côté de la rue, on se retourne et ça nous saute en pleine face. Sur la marquise du bar : « Bienvenue au Vic, danseuses nues. En vedette ce soir : Jim Corcoran et Dan Bigras. » Tordant. Jim et moi, deux belles danseuses exotiques… Je la ris encore.

J'ai joué dans une super petite salle pas loin de Hearst dans le nord de l'Ontario. Après le show, mon tech veut aller prendre une bière. Ça se passe après mon arrêt d'alcool ; je vais donc faire faire de l'argent à une compagnie de jus de canneberge. J'en ai tellement bu en vingt ans que je suis surpris de ne pas pisser rouge. Tout est fermé, mais comme c'est souvent le cas, il y a un bar de danseuses.

On arrive au bar de danseuse, danseuse pas de « s », y en avait juste une… ben fine. On a joué au pool avec, devant les regards furieux des peupères jaloux, qui dans leur courroux ne voyaient pas rentrer les mesdames qui étaient à mon show un peu plus tôt. Elles avaient vu les chars de leurs maris devant le bar et venaient les chercher par le collet. Une d'elles s'arrête devant moi, le regard désapprobateur, et me demande :

— Vous vous tenez dans ces endroits-là, monsieur Bigras ?

Et moi, je regarde mon technicien et fais semblant de l'engueuler :

— Criss, je t'avais dit à gauche pour l'église !

Tout le monde est parti à rire. Même la madame a esquissé une ombre de sourire avant de ramasser son esclave par le collet pour aller le dévorer à la maison. Nous, on a continué à jouer au pool avec la danseuse. Ben belle soirée.

Escale à Baie-Comeau, on va jouer à Natashquan. Trop dangereux de conduire après dix heures de route. Nouvellement célibataire, mon éclairagiste veut absolument sortir. Le réceptionniste de l'hôtel nous dit qu'il n'y a qu'un bar d'ouvert, le bar de danseuses. On hésite… pas pantoute et on se pointe dans ce sanctuaire de la danse moderne.

Une couple de filles viennent jaser avec le chanteur. Agréable, mais faut se surveiller. Les clients qui rêvent à elles n'aiment pas beaucoup voir un chanteur de la grande ville leur piquer leur rêve à leur nez et à leur barbe. Alors de temps en temps, je jette un œil aux alentours pour être bien certain qu'il n'y a pas un amoureux malheureux qui voudrait reporter sa testostérone sur moi. C'est mon tech qui se tanne et décide d'aller voir ailleurs s'il y est. Je lui dis :

— Tu devrais pas, c'est le seul bar ouvert ici. Pis je vois une Claudia Schiffer qui t'observe.

Il me répond par une grande réflexion philosophique :

— Ah pis d'la marde.

Et s'en va. Tant pis pour lui. La ravissante blonde que j'appelle Claudia vient me voir et me demande :

— Ton chum, y'est-tu aux hommes ?

— Hein ! Pourquoi ça ?

— Ça fait une heure que je le vibe, je lui souris pis toute, lui il jase avec le doorman pis il crisse son camp.

Je ris comme un chatouilleux assis sur un nid de fourmis.

— Non, il est pas aux hommes, mais il est un peu twit des fois... Pas fort.

Je sors mon cell et je note : « Pas fort. »

Dans la nuit, sa copine Naomi Watts, j'exagère à peine, vient me rejoindre pour discuter politique. Le matin, on se croise tous dans le hall. Mon tech est tout dépité. Je lui dis :

— T'es vraiment un osti de zouf quand tu veux.

Et après un bisou à ma preuve qu'il aurait dû rester, j'embarque dans le truck. Mon autre tech et moi, on lui a chanté dans la van toute la journée la toune que je lui avais écrite le matin même, sur le thème des hommes qui ont envie de se taper eux-mêmes sur la tête le matin.

PAS FORT

Pendant que ton amour te caresse
Toi le twit tu penses à l'autre maîtresse

Pas fort
Pas fort

Pis là tu cries le mauvais nom
C'est pas grave, ça arrive à tous les colons

Pas fort
Pas fort

Tu lui jures que c'est pas pour son corps
Je m'excuse mais là ton chien est m…
Pas mort mais

Pas fort
Pas fort

Reno de dépôt
Gros boss de bécosse
Constipé du cerveau
Mauvais vendeur d'autos

Réchauffeur de méninges
Président de vauriens
Gros marchand de bonheur
Petit loft c't'horreur

T'es seul pis t'es con
Tu te promènes en caleçon
Tu mérites une chanson
Un hymne aux morons

Y'a des morons qui m'auront pas
C'tait juste une petite chanson sur moi

Pas fort
Pas fort

Dernièrement, me suis planté en show dans mon texte et j'ai arrêté la toune devant tout le monde, un peu surpris. Pas grave, vais écrire un autre couplet sur le fly, pas sorcier, deux lignes qui riment...

J'avise un homme chauve dans la salle. Pas dur à repérer, mon éclairage flair sur son crâne. J'improvise donc.

Quand ta blonde disait rase-toi donc
Elle parlait juste de ton menton

Pas fort
Pas fort

Le monde rigole fort et ça me déconcentre. Le TDA, des fois, c'est énervant. Je décide d'en improviser un autre.

Si un jour j'peux pus faire de rock
M'en vas faire des annonces de truck

La connerie est divine quand on a envie d'avoir du fun

Mes adieux aux bars de culture dansée datent de plusieurs années. J'étais avec un chum à Québec et on avait notre soirée de libre. Il m'emmène j'sais pas trop où, mais il y a des filles sur l'affiche, alors on décide qu'on va aller encourager l'art.

À la porte, un doorman sympathique comme une hémorroïde me regarde avec dédain et refuse de me laisser entrer parce que je suis en camisole. Je lui réponds:

— Hey le smatt, tes filles sont tout nues. Allume.

Ça tourne à l'antipathie claire. Mon chum me prend par le bras pour éviter les ennuis. Pas grave, ça ne m'amusait pas beaucoup.

Je trouve souvent les bars de danseuses un peu sordides. Pas à cause des filles, au contraire, mais les gars qui y vont. Les filles dansent comme des malades, se donnent cœur et âme et y a pas un chat qui applaudit. « On applaudit la belle Cynthia mesdames et messieurs. » Il y a trois quatre totons pas assumés qui font un slow clap, la fille descend de scène dans le silence... Ça me rend malade, peut-être par sympathie. Dans mes années de bar, moi aussi j'en ai rencontré pas mal, des publics comme ça. Si les gars ont honte d'aller aux danseuses, ils ne devraient pas y aller. Les filles ne devraient pas avoir à payer parce que des hommes sont abrutis et complexés.

Les femmes n'ont pas ce problème-là. Suis passé une couple de fois devant le 281, célèbre bar de danseurs nus. Aussitôt que la porte s'ouvre, tu entends un ouragan Katrina de femmes qui s'amusent comme des folles. Les hommes devraient en prendre de la graine... si on peut dire.

TUE-MOI

Dans un dernier effort pour faire lever à la radio un mauvais disque, le producteur a décidé d'engager un agent de promotion... qui n'arrive pas à faire lever quoi que ce soit, pas plus qu'il n'arrive à se faire payer.

Pour faire chier le producteur, il m'offre de produire mon prochain disque. Maintenant, je comprends un peu mieux la game et je lui dis que je veux bien, mais à une condition : je serai le seul réalisateur du disque. Il sonnera comme je l'entends ou pas du tout. Il refuse et je rentre chez moi. Il me relance régulièrement, mais je reste ferme ; les producteurs qui veulent être artistes à la place des artistes n'ont qu'à faire leurs propres disques. Si je présente des tounes au monde et que c'est ma face sur la pochette, ça sera moi dans les chansons et personne d'autre.

Au bout de quelques mois, il finit par plier et accepte. Comme il est toujours à court d'argent, c'est moi qui dois aller l'emprunter. Je lui explique que si je paie la moitié du disque, j'en deviens le coproducteur. Il refuse. M'en fous, vais arrêter de travailler. Il accepte et on signe.

Alors mon coproducteur me fait écouter des chansons. Surtout des chansons de sa femme. Elle a une écriture sympathique, mais ce n'est absolument pas moi, alors ça ne m'intéresse pas. Je ne recommencerai pas la folie du premier disque.

Pendant qu'on discute, la cassette continue de tourner et un air attire mon attention. Je lui demande ce que c'est et il m'explique que c'est une chanson de Francis Basset et Franck Langolff. C'est sur le disque de Franck. Wow! C'est produit très à la française, mais la toune me ramasse pas à peu près. Celle-là, je veux la faire. Je lui demande:

— Comment elle s'appelle?

— *Tue-moi.*

J'entre en studio et l'enregistre à ma façon. Il y a une telle osmose entre la chanson et moi que tout le monde, même mes chums, sont certains que je l'ai écrite. J'ai beau démentir, tout le monde refait régulièrement la même erreur. C'est rare qu'il y a une connexion si proche entre une toune et son interprète. Tout mon band joue dessus et j'appelle ma vieille chum Lulu Hughes; elle et moi on fait tous les chœurs.

Je prends la cassette et décide d'aller emmerder Christian Mistral, qui est en train de m'écrire une couple de textes. Christian Mistral, c'est un acrobate.

La norme la plus répandue est l'écriture en rimes parallèles, c'est-à-dire un quatrain (quatre phrases, ou vers) où le premier vers rime avec le deuxième, et le troisième avec le quatrième. Personnellement, j'écris beaucoup en rimes croisées ; premier avec troisième et deuxième avec quatrième. J'adore la musicalité et le beat, j'écris énormément comme ça. Mistral, lui, écrit tout ce qui lui passe par la tête. Alors le texte, en plus d'être superbe, est toujours un modèle de structure.

Sur *La bête humaine*, il me fait des rimes embrassées (le premier vers rime avec le quatrième et le deuxième avec le troisième, deux et trois s'embrassent goulûment, d'où le terme). Mais là, il n'a pas écrit un quatrain, mais un sextain, soit six vers. On se retrouve donc avec des *triples* rimes embrassées : premier avec sixième, deuxième avec cinquième, et trois avec quatre. Le tout sur ma musique qui était déjà composée, ce qui veut dire pas beaucoup de liberté pour lui.

1- La bête humaine
2- Entre la paix
3- Et la panique
3- Joue ma musique
2- Lèche mes plaies
1- Purge ma peine

1- La bête humaine
2- A dévoré
3- Tous ses petits
3- Et s'est enfuie
2- Leur sang salé
1- Sur son haleine

Il est un peu diabolique. Alors en bon chien fini, je lui fais écouter *Tue-moi*. Il me regarde d'un drôle d'air.

— Tu viens me montrer ça pour me faire grouiller le cul ?

Et moi, hypocrite 101 :

— Pantoute.

On rigole.

Pas longtemps après, il me revient avec *Pourquoi tu veux*. Boom ! Quel texte.

POURQUOI TU VEUX

Pourquoi tu veux qu'on parle de moi
J'ai pas l'goût d'raconter ma vie
Ma vie j'la vis pour m'éclater
J'la vis pas pour la raconter
Pourquoi tu veux qu'on parle de moi
Quand t'es si belle sur le tapis
Les verres sont à moitié remplis
J'ai pas l'goût d'raconter ma vie

Ben oui ! C'est vrai j'ai voyagé
Quand j'ai eu l'temps j'ai étudié
J'ai vu des pays fatigués
J'en ai vu d'autres venir au monde
J'ai eu du fun, j'ai eu des blondes
J'ai galéré autant qu'j'ai pu
J'suis aussi croche qu'la tour de Pise

Qu'est-ce que tu veux que j'te dise

J'ai pas envie qu'on parle de moi
Pendant qu't'enlèves tes bas de soie
J'veux faire du pouce jusqu'à ta peau
La langue a pas besoin de mots

Pourquoi tu veux qu'on parle de moi
J'ai pas l'goût d'raconter ma vie
Ma vie j'la vis pour m'éclater
J'la vis pas pour la raconter

Tu m'prends pour un aventurier
Au fond c'est toi l'aventurière

Faut l'être pour être venue avec moi
Dans un hôtel rue Saint-Hubert

Ben oui ! J'en ai vu des hôtels
J'ai même couché en d'sous des ponts
Jamais avec une fille si belle
Ni qui pose autant d'questions

Pourquoi tu veux qu'on parle de moi
Pourquoi tu veux qu'on parle de moi

Une fois chez nous, me suis foutu au clavier. La toune dure trois minutes dix-huit secondes, et ça m'a pris trois minutes dix-huit secondes pour la composer. Ça me trouble. Je me dis que si c'est si facile, ça peut pas être une vraie toune. J'appelle Luce Dufault.

— Puce ? J'ai fait une toune avec Mistral, mais je suis pas sûr… Je peux-tu te la chanter au téléphone ?

— Envoye fort.

Je lui chante sur mon clavier tout croche avec le téléphone posé dessus. Je lui demande :

— Pis ?

— Wow. Tu me la donnes-tu ?

— Hahaha ! non.

Et je raccroche.

Bon. Je suis pas si chien, j'ai composé d'autres tounes pour Luce, y compris *Soirs de scotch,* avec Mistral.

En studio, tout s'est passé sur le pilote automatique. Je savais tellement ce que je voulais entendre que ça n'a pas niaisé… Sauf quand Lulu Hughes est venue faire les chœurs. C'est une chanteuse imagée, une musicienne. Les chœurs terminés, je la vois rêver.

— Dan, j'entends la blonde du gars qui chante sur un nuage, par là. Et elle pointe le côté droit des haut-parleurs.

— Mais va me chanter ça, trésor.

Et elle me fait une voix d'ange sur un nuage d'une beauté et d'une simplicité qui me désarment complètement. Elle et moi, avec nos passés respectifs, on est connus pour être plutôt des batailleux que des anges. Mais là, j'entends la petite fille d'avant ses guerres qui me chante l'amour avec quelques notes. Comme d'habitude, je l'aime encore plus qu'hier et moins que demain.

J'ai aussi fait avec Mistral une toune en l'honneur de Monica Proietti, dite « Machine-gun Molly ». Le surnom a été traduit pour une pièce de théâtre, et Monica la Mitraille est entrée dans la légende pour avoir fait du sérieux braquage de banques. Elle a été assassinée par la police dans les années 1960. J'ai rencontré sa fille, Ginette Smith, pour en discuter. Une famille qui l'a eue dure. La violence et la destruction jusqu'à la mort, je connais un peu. Je me suis laissé toucher et j'ai plongé à fond dans l'histoire. J'ai composé une toune « qui brasse la cage ». Je crois encore que c'était une erreur, j'aurais dû faire une chanson douce et touchante. Quand même, la toune brasse pas à peu près. Mon coproducteur veut en faire le premier extrait radio, mais j'ai des doutes. À mon avis, elle manque de profondeur.

J'ai fait tout le disque en à peu près cinq semaines, en état de presque frénésie. Dormi sur la console, vomi du sang, mais content. Vomir du sang, c'était pas grand-chose pour moi dans ce temps-là. Dans ma tête, si un disque n'était pas fait dans mon sang, il ne valait rien.

Nanouk Films nous propose Pierre Falardeau pour réaliser le vidéoclip de *Monica la Mitraille*. Pierre voudrait bien faire mon clip, mais lui non plus n'est pas trop fou du choix de chanson. Il aimerait mieux faire *Tue-moi*, ou *Pourquoi tu veux* que j'ai composée avec Mistral. Il finira par faire exactement ces deux tounes-là.

On a lancé le disque le 7 mai 1992, et fait une série interminable de shows à la Licorne, Luce et moi.

Et ma vie a changé.

ELVIS BIGRAS

Un peu avant la sortie du disque, on enregistre le vidéoclip de la chanson *Tue-moi*.

Tourner avec Pierre est extraordinaire. C'est tout le contraire de l'image qu'il projette publiquement. Il fonctionne à la gentillesse, je dirais même à la tendresse. Son équipe se fend en dix-huit pour lui donner ce qu'il veut et moi aussi. Il a engagé le boxeur Gaétan Hart et sa belle-mère pour jouer ce qu'il appelle une vieille pute. « Vous vouliez faire du cinéma, la belle-mère ? Ben c'est ça, on tourne. » Ça doit être rigolo un party de Noël chez eux.

On tourne toute la journée comme des fous. Vers la fin, Pierre me fait envoyer un double scotch sur le piano. Je suis content, c'est une super direction artistique je trouve, et en plus, je me suis retenu toute la journée pour ne pas boire. Il faut dire que tourner un clip, pour un chanteur, c'est pas le bout de la marde. Je me fais chier. La fièvre ne me prend pas comme quand je suis en show. Je fais du lipsync. Je fais semblant de chanter. C'est à mi-chemin entre le cinéma et la musique, mais avec aucun des plaisirs qu'apportent les deux. Alors le scotch me déniaise.

On refait une prise et il m'envoie un autre double. Au bout de quelques prises, je suis complètement paqueté. Le souvenir que j'ai de la dernière prise me fait encore sourire aujourd'hui. Pierre devait faire un mouvement de caméra lui-même, mais, l'espace étant réduit, ses pantalons s'accrochaient entre un morceau d'éclairage et moi. Il l'a donc enlevé. L'image de Falardeau en caleçons criant après moi, complètement paqueté, comme un coach crie après un boxeur restera avec moi jusqu'à ma mort. Un beau moment.

Par la suite, il réalisera aussi le clip de *Pourquoi tu veux*, et moi je ferai la musique de son dernier film : *Elvis Gratton XXX, la vengeance d'Elvis Wong.*

Je garde de Pierre un souvenir d'une grande tendresse et de nostalgie. Il sera parti sans voir son pays.

BULGARIE

La seconde langue officielle de la Bulgarie est le français. L'organisation des Francofolies de La Rochelle a décidé de créer un grand événement à Blagoevgrad, au sud-ouest du pays. La tournée *Tue-moi* est commencée. Avec Luce, on se rend donc en Bulgarie pour participer au festival, et le show est enregistré pour être retransmis plus tard à la radio de Radio-Canada. On est une grosse gang. Plusieurs artistes et techniciens, l'organisation des Francos et l'équipe de Radio-Canada, avec Marie-France Bazzo qui anime le tout.

J'ai joué des années dans les bars, souvent pour des gens qui ne voulaient pas m'entendre et qui parlaient plus fort que ma musique. Depuis *Tue-moi*, je joue dans des salles. Les gens écoutent.

Ici, nous sommes dans une véritable place des arts. C'est une superbe salle très vieille avec des balcons et tout. Mario Chénard fait ma première partie. Avant de commencer, il demande à la foule :

— Comment est-ce qu'on dit le mot « amour » en bulgare ?

Eurk. J'aime beaucoup Mario, mais personnellement, comme entrée de scène, je trouve ça un peu facile. Chacun ses goûts. Alors quand vient mon tour, j'embarque sur la scène et je lance à la foule :

— Comment est-ce qu'on dit « sexe » en bulgare ?

Hilarité générale. Les Bulgares me répondent en chœur :

— Sexe !

Oui, bon. J'aurais pu m'en douter. Je dis :

— Da.

Et on commence.

Va s'ensuivre un des shows les plus étranges que j'aie jamais donnés. Mettez-vous à ma place. Quand je jouais dans les bars, souvent le monde parlait par-dessus mes chansons. Je les dérangeais. Maintenant je joue dans des salles et le monde écoute les chansons. Nous sommes dans une magnifique salle, j'en déduis que les gens vont écouter.

Je commence la première chanson et tout le monde commence à parler, et fort à part ça. Je croise Luce du regard et capote un peu. « Ils haïssent ça. Osti, ça va être long. » Mais on finit la chanson et ils applaudissent à tout rompre. Ils adorent ça. Je commence la deuxième et ils se remettent à parler. Je finis, ils applaudissent. Je me demande si c'est pas un *Surprise sur prise*. Je cherche les caméras. Je regarde vers les coulisses, la gang de Radio-Canada se bidonne. Il y a quelque chose de pas kosher mais je ne le comprends pas encore. Luce chante la troisième chanson, *Amazing Grace*. Silence total… et là je comprends.

Le français est la langue seconde en Bulgarie, mais ils sont très peu à la parler. Alors il y en a quelques-uns dans la salle qui traduisent mes tounes à tous les autres. Je chante « Tu me tueras », et il y en a un qui traduit en criant pour sa rangée : « ЩЕ МЕ УБИЕШ АКО СИ ОТИДЕШ ! » Les radio-canadiens sont hilares. Ils le savaient et ils ont averti tous les artistes avant le show… sauf moi, ils ont oublié. Je souris. Les ostis.

Quelques semaines plus tard, de retour au Québec, j'ouvre la radio de ma voiture et tombe sur Radio-Canada. J'entends la jolie voix de Marie-France: «La radio de Radio-Canada vous présente en primeur le spectacle de Dan Bigras aux Francofolies de Blagoevgrad.» On entend les applaudissement de la foule, puis ma douce voix qui tonne:

— Comment est-ce qu'on dit «sexe» en bulgare?

J'éclate de rire. Sont terribles, les radio-canadiens.

LES GALAS ET MOI

Je suis pas doué pour la compétition. Je l'ai toujours mal vécue. Je m'en effaçais. Je vois des photos de moi et de mes chums de blues du temps de ma rue Saint-Denis, et je suis en arrière sur toutes les photos. Les autres jouaient quelquefois un peu du coude pour être en avant. Il y avait de l'amitié, mais aussi de la compétition. Moi je n'y arrive pas. C'est instinctif, je me referme.

Ce n'est pas du tout un manque d'ambition, mais je ne fais pas ce que je fais pour gagner une course. J'avais juste besoin que des gens me fassent du bien et que je leur en fasse. J'ai fait ce que j'ai fait pour être plus heureux.

C'est pourquoi je ne vis pas très bien les galas. Pourtant, je ne veux pas les snober. Je croyais que de gagner des prix me laisserait indifférent, mais quand *Tue-moi* a gagné l'album rock de l'année et que je suis monté sur la scène pour remercier mes gens, j'ai eu une pensée: «Et si Gerry et papa étaient là ce soir?» Alors j'ai remercié (plus court que ma chum Isabelle Boulay), et je me suis sauvé avant que les larmes sortent. J'étais complètement bouleversé.

J'aurais dû savoir dès le début que c'était pas vraiment pour moi. Dès mon premier trophée, je me suis fait refuser l'entrée au party d'après-gala parce que je n'avais pas mon invitation…

J'avais un Félix dans les mains, mais le bouncer avait un pois chiche à la place du cerveau. J'ai essayé de lui expliquer que si j'avais un trophée, c'est que j'étais évidemment invité. Il restait agréable comme un grain de sable dans une capote et j'étais doucement en train de pogner les nerfs. Derrière mon dos, j'ai pris mon trophée comme on prend un marteau et j'ai commencé à lui sourire. En me retournant, j'ai vu la face paniquée des autres invités autour de moi et j'ai changé d'idée. « Si je le rate, il va me couper en rondelles… Il doit peser trois cents livres de muscle pour un quart d'once de cerveau. Pas grave, vais aller fêter au Grand Café. »

Dans la rue, trois attachées de presse m'ont rattrapé en parlant dans leurs cellulaires.

— On l'a retrouvé, on le ramène.

J'ai dit :

— Vous êtes toutes ben fines, mais vous allez ramener personne, j'ai rien à foutre chez vous, je vais fêter ça avec mes chums à moi.

Ça a même fait les journaux le lendemain, mais pas grave, moi j'ai viré une méga brosse avec mes chums du Grand Café. Aujourd'hui, je regarde mon vieux trophée abîmé et je souris encore.

Quelques années plus tard, un soir, le téléphone dring. C'est mon agente de ce temps-là, Pascale McDougall, une fille vraiment chouette. Elle semble paniquée.

— Qu'est-ce tu faaaais ? !

— Rien, j'écoute des combats.

— Ben voyons donc, c'est le gala de l'ADISQ !

— Oups. Osti, j'ai oublié.

— Mais on oublie pas le gala de l'ADISQ comme ça ! C'est le hors d'onde, mais quand même, tout le monde est là !

— La vie…

— Tu viens de gagner !

— Ah ? Cool. Ben va le chercher.

— Tu sais comment j'haguis ça parler devant du monde !

— Merci au nom de Dan, bonne soirée.

Elle raccroche et je souris. Je veux niaiser personne, mais ça c'est drôle. Dix minutes après, le téléphone redring.

— T'as encore gagné !

— Haha ! Re-merci de la part de Dan. Amuse-toi bien.

— Mon *& ? %& $?# $!

— Criss, quand j'y vas, je gagne pas et quand j'y vas pas, je gagne. Astheure, je vais envoyer mes candidatures, mais j'vas rester chez nous.

Elle rigole et raccroche. Je rigole aussi. Pauvre Paco qui déteste la scène.

Les partys après-gala, ça, c'est pas mon grand moment. Pour moi, une actrice ou une chanteuse qui t'embrasse en regardant s'il n'y aurait pas un chanteur plus connu derrière toi, c'est pas synonyme d'une belle grande fête sincère. Mais je comprends, c'est un moment très stressant pour chacun ; un prix peut lancer une carrière, et une mauvaise perfo pendant le show peut te la terminer. Beaucoup de choses se décident ces soirs-là et tout le monde est hyper angoissé.

J'aime mieux le gala SOCAN, le gala des auteurs-compositeurs. On connaît les gagnants avant, pas de compétition. Si tu es invité, c'est parce que tu as, disons, gagné le prix de la chanson qui a le plus tourné à la radio cette année-là. Tout le monde est déjà content en arrivant, c'est cool et détendu.

À cause de mes trips d'acteur et de réalisateur, j'ai été nommé dans plusieurs galas. J'ai même été une couple de fois aux Génie et Gemini à Toronto. Là c'est encore pire, ils n'ont même pas de band, juste une musique préenregistrée qu'ils coupent quand tu es sur la scène…

Faut quand même pas se tromper. J'apprécie ces petites récompenses et reconnaissances, mais je serai toujours un peu mal à l'aise dans les galas.

ANNE-MARIE DUCHARME

« Si on m'enlevait ma peine d'amour,
je serais en peine de ma peine d'amour. »

Quand Manu le bleu est décédé au Refuge, j'avais pensé à lui, je ne sais trop pourquoi, comme à un jeune adulte qui n'avait jamais guéri d'une peine d'amour d'enfant. Moi, j'ai souvenir d'une grosse peine d'amour. Je devais avoir sept ou huit ans. Une grosse peine, mais pas violente, juste triste, extrêmement mélancolique.

Ma peine s'appelait Anne-Marie Ducharme. En fait, je l'appelais comme ça parce que je n'arrivais pas à me mettre en tête son vrai nom de famille. Elle habitait sur la rue Ducharme, donc pour moi elle s'appelait Anne-Marie Ducharme. Tous les jours, elle passait devant moi sans jamais me regarder. Tous les jours. Moi, je ne voulais pas qu'elle me découvre, mais je l'aimais, la dévorais des yeux. Elle n'était pas méchante, elle ne me voyait pas et je me cachais. Ce n'était aucunement de sa faute. Et puis un jour, sa famille a disparu. Ils ont « déménagé ».

Déménagé. Quel mot horrible pour un enfant. J'ai eu le cœur complètement brisé. J'ai perdu le goût de tout. Je crois que j'ai peut-être fait mon premier burnout à sept ans.

J'ai quand même continué à rêver de temps à autre à cette extraordinaire petite fille. Un peu comme la «petite fille rousse» de Charlie Brown. Sauf que j'étais devenu un adulte, et j'avais appris maintenant qu'on ne rattrape pas les amours d'enfants perdues quand on devient adulte. Ça ne marche pas comme ça. Alors j'ai poursuivi mon chemin.

En 1993, j'ai été donner un show à Vancouver. Tout allait bien, il y avait je suppose à peu près dix mille personnes. Entécas, une grosse gang pour un coin où je ne savais pas qu'on pouvait écouter mes tounes. Tout d'un coup, pendant une chanson, mon cœur s'arrête. Anne-Marie Ducharme est là, en plein milieu de la grosse gang. Je ne vois qu'elle. Je suis Charlie Brown qui a retrouvé sa «petite fille rousse». Elle me regarde aussi, je crois qu'elle m'a reconnu. Je me traite d'épais. «Évidemment qu'elle t'a reconnu, connard, c'est ton show.» Je finis le show et tout de suite en sortant de scène, j'attrape mon directeur de tournée et lui dis précipitamment:

— La fille là-bas. Non pas elle, elle. Non, à droite. Elle essaie de passer pour se rendre ici. Tu la vois?

— C'est rendu que ça fait partie de ma job de te ramener des filles?

Je souris.

— Non, mais tu vas la perdre, ta job, si tu me ramènes pas celle-là. S'il te plaît, c'est super important.

— Pas de problème, monsieur Bigras, mais tu peux me clairer quand même. T'es tellement distrait que demain, je vais être encore là pis tu vas avoir oublié que tu m'as clairé. T'as dû me clairer cent fois pis chus encore là.

— Enwoye, débile, tu vas me la perdre.

Il part en rigolant et revient dans ma loge avec Anne-Marie. Je suis presque sans connaissance. Je suis paralysé, incapable de dire quoi que ce soit. Ce n'est pas le gros Dan qui fige, c'est le petit Daniel. Heureusement, mon DT me balance une connerie :

— Mes services d'entremetteur ne sont plus requis, monsieur Bigras ?

— Non. T'es clairé.

Et il sort en souriant, nous laissant seuls. Maladroitement, gênée elle aussi, elle me demande :

— Tu m'as reconnue ? Au milieu de tout le monde ?

— Tu m'as sauté en pleine face. Tu m'as reconnu aussi ?

J'ai droit à un soleil, que d'autres appelleront bêtement un sourire.

— Euh… Daniel, je suis venue voir ton show. Ça fait plusieurs fois que je t'observe. À la télé, tu nous vois pas… Comment tu m'as reconnue ? Ça fait presque trente ans. J'ai beaucoup changé ?

— Non. Aucune différence. C'est comme si tu étais passée devant moi hier.

— Mais quand on était petits, tu ne me regardais pas.

— Moi, je ne te regardais pas ? Ben voyons, je…

J'aime mieux pas aller là, c'était sûrement moi le cave.

Alors on discute, on discute, je pourrais discuter avec elle pendant une semaine. Tout le monde s'en va, il ne reste que nous deux, à discuter comme si le temps n'existait pas. Le responsable de la sécurité nous regarde bizarre.

— Je sais pas Anne-Marie, mais je pense qu'il a hâte qu'on décrisse.

— Tu veux que je te reconduise à ton hôtel ?

Je bafouille encore. Elle va me prendre pour un débile. Mais elle me prend par la main et m'emmène à son auto. Rendu devant l'hôtel, je vais pour monter à ma chambre, mais elle me demande :

— Je peux monter avec toi ?

Si elle peut m... C'est pas vrai, je vis un conte de fées. Je vais sûrement me réveiller.

On monte à ma chambre et on discute et discute encore. Je n'arrive pas à me fatiguer. Je vais pour dire une quelconque connerie, mais elle bloque mes lèvres avec les siennes. On s'embrasse d'abord doucement, puis ensuite je me dis que si je ne me réveille pas, elle va penser que je ne la désire pas, alors la passion se déchaîne lentement mais sûrement, et on fait et refait le paradis toute la nuit.

Je ne sais pas c'est qui l'épais qui disait qu'on ne rattrape pas les amours d'enfants une fois adulte. Me semble que c'est moi. Mais laissez-moi vous dire que depuis Anne-Marie Ducharme à Vancouver, je suis absolument certain que toutes les blessures d'enfance peuvent se réparer.

— J'ai rêvé à toi.

— Et on faisait quoi ?

— On dormait. Je te dorlotais.

— Ah oui ?

— Oui. C'est un truc de grands gars. Ils dorlotent, mais dans le fond, c'est eux qui se font dorloter. En prenant dans les bras, ils se font bercer.

LA ROCHELLE

La tournée *Tue-moi* continue, avec Luce. À cette époque, officiellement, Luce Dufault était ma choriste, mais en réalité elle était immensément plus que ça. Elle harmonisait, chantait en duo avec moi, improvisait des lignes de blues, imitait des instruments, bref elle faisait tout. Quand tu as Jimi Hendrix avec toi sur scène, tu lui donnes une couple de solos. On a fait la tournée juste nous deux, sans band. J'avais une image de bum, je voulais qu'on comprenne les paroles.

À force de tourner, Luce se faisait de plus en plus remarquer. Elle est partie faire les chœurs pour Roch Voisine. Je l'ai remplacée par des chanteuses fantastiques, mais je n'avais pas avec elles la même complicité qu'avec Luce.

Puis, tous les deux ensemble, on est partis faire les Francofolies de La Rochelle.

Étrange, mes ancêtres sont d'ici. Ça vaut vraiment la peine de téléphoner à mon oncle Simon.

— Salut mon oncle. Je suis à La Rochelle. Il y a une maison des Bigras que je pourrais voir ?

— Où t'es en ce moment ?

— À l'Hôtel Ibis.

— Ok. Tu vois qu'il y a une partie de l'hôtel qui est neuve et aussi une partie composée de très vieilles pierres ?

— Oui.

— C'est l'église où ton ancêtre a été baptisé.

— Hein ? Wow…

Je ressens quelque chose d'étrange. Comme si j'étais connecté un peu à mon histoire. Mon ancêtre François Bigras a été baptisé ici. Je ne me doutais pas que ça reviendrait plus tard sur le tapis.

Le soir, Luce et moi montons sur la grande scène des Francofolies. C'est un succès, je sens le monde très avec nous. En chanson, s'entend, parce que pour le reste... Dans mes shows, je parle souvent entre mes chansons. Là je parle et j'ai un malaise. Je demande à la foule:

— Dites-moi. Ça fait cinq minutes que je vous parle. Vous ne comprenez pas un foutu mot, n'est-ce pas?

Avez-vous déjà vu dix mille têtes faire oui en même temps? C'est absolument pissant. Je leur ai promis de parler plus lentement, je n'ai pas eu à changer ce qu'ils appellent mon accent et tout a bien été. Ben oui. Chez nous, ce sont eux qui ont un accent, là-bas c'est nous.

Généralement, les Français n'aiment pas beaucoup qu'on touche à leurs monstres sacrés. Ils ont l'impression qu'on fait une imitation d'Elvis avec leur histoire et ça les fait grogner. Je les comprends parfaitement, mais moi, Léo Ferré m'a toujours fait brailler. Sur l'album *Tue-moi*, j'ai repris *Avec le temps*. Au rappel, je me fais plaisir et je la chante... avec tout mon cœur. Avec Luce qui me fait du gospel par-dessus, ça arrache rare. Je croyais qu'ils me lanceraient peut-être des tomates, mais tout le monde pleure. J'en reste surpris. C'est néanmoins un des beaux moments de ma vie.

Les gens nous ovationnent, Luce et moi on remercie et on sort. Backstage, les organisateurs nous prennent dans leurs bras en pleurant. Cibole, sont démonstratifs les Français! J'apprendrai dans un bar, plus tard dans la soirée, que Léo Ferré vient de mourir. Ah, là je comprends. Tu prends ça, plus l'âme de Luce sur la toune et ça donne ça. La vie...

Le lendemain, on croise Luc Plamondon. On jase un peu et je m'éloigne. Je comprends que je viens de perdre Luce. Luc ne se déplace jamais dans les festivals pour rien, il est toujours à la recherche de voix pour ses comédies musicales. Plus tard,

Luce partira starmanier, et moi et mes chums lui écrirons ses chansons pour son premier disque.

Ben c'est ça. Quand tu as Jimi Hendrix dans ton band, il faut aussi que tu sois prêt à le perdre un jour.

Je suis parfaitement en paix avec ça, je le savais depuis le début. Sauf qu'il reste encore des shows à faire et je n'ai pas vraiment envie de les faire avec n'importe qui. Alors de retour au Québec, le soir j'écoute les nouvelles à la télé et j'apprends qu'une jeune chanteuse vient de remporter le Festival international de la chanson de Granby avec une de mes chansons, *Naufrage*. Intrigué, je surveille où elle va jouer et j'apprends qu'elle joue dans une Maison de la culture à Montréal. Cool, je vais aller la voir.

Pendant deux heures, elle chante des œuvres complexes, du Ferré, du Brel, des poèmes d'Aragon, avec une émotion qui me rougit les yeux. Après son show, elle m'en refait presque deux autres heures dans sa loge a cappella. Je me dis que c'est la plus jolie voix mélancolique que j'aie entendue depuis Serge Reggiani. J'en suis renversé, sur le cul. Elle m'a complètement eu. Je viens de découvrir Isabelle Boulay.

Bon. Je joue le vendredi avec Luce, et le lendemain, personne. Je n'ai aucun temps pour répéter, ma vie est un vrai tourbillon. Alors le lendemain, Isabelle embarque sur mon show sans aucune répétition. Aucun cue card, aucun pense-bête, pas de ti cartons cachés quelque part, elle fait tout par cœur. Tout ce que faisait Luce, plus ses idées à elle. En plus d'avoir le cœur qui explose dans sa voix, c'est un vrai ordinateur. Elle me souffle même mes propres paroles quand je les oublie. À mesure que les shows passent, on se développe aussi quelque chose de très profond. On respire en même temps sans jamais le calculer, nos émotions se suivent comme deux ombres d'amoureux sur une banquette arrière de char. Je ferai une tournée intense avec Isabelle.

Encore des années plus tard, quand je chante avec elle, c'est comme si on l'avait fait la veille. La complicité est au même niveau. Son chum me confie même en souriant qu'il en est un peu jaloux. Sympathique.

Après la tournée, elle partira à sa propre aventure et connaîtra un succès fulgurant. Pour son album live, je lui ferai un arrangement duo de *Naufrage* que nous ferons ensemble. Et même si je n'ai pas participé au succès de son premier disque, elle me remettra quand même un disque d'or à mon nom, par amitié. Je l'ai encore. Elle est chouette Isabelle.

LES IMMORTELLES

Mes racines musicales sont de blues, et celles de mes poèmes sont d'Europe. À la maison pendant mon enfance, quand ma mère faisait jouer ses Brel, Piaf et les autres, ils me rentraient dedans à chaque fois de plus en plus profondément. Parce que, eux, ils réussissaient à l'émouvoir.

Quand je me mets à entendre des affaires dans ma tête, je suis aussi fou que Jeanne d'Arc. Je passerai au feu ou je ferai faillite, mais le projet va se faire, that's it, et j'ai du sang à perdre.

On est un an après *Tue-moi*, je cours après ma mort, tous mes chums producteurs me disent que c'est beaucoup trop tôt pour lancer un autre disque. J'arrange, j'arrange comme un malade. Je dors plus, m'en sacre. Je dors en dessous de la console, je fume trois à quatre paquets par jour, je marche en rond, j'en fais des trous dans le plancher, mais ça commence à prendre forme. Ça sonne comme du moi, mais en mieux écrit. Je veux réunir toutes mes racines, alors j'enregistre une couple de grandes chansons québécoises aussi.

Trip de fou. Je vomis du sang, mais ça sonne comme je voulais, cette espèce de classe de maîtres que je me suis infligée avec jouissance.

On lance l'album *Les Immortelles* en 1993.

C'était un projet auquel je ne m'attendais pas. Mais le grand Dan a pu jouer avec les vrais grands, et le petit Daniel a pu essayer une ultime fois de faire pleurer sa mère. Tout est beau.

L'IMPOSTEUR

« La plus grande peur des gens est aussi, très souvent, leur plus grand fantasme. »

Même si je ne joue plus vraiment dans les bars, j'y vais souvent. Les gens y sont comme ma famille. Le problème, c'est que je n'habite plus juste à côté et que j'y vais avec mon auto. Pas simple quand tu es alcoolique. Mais grâce à la complicité de ma gang de bars, ça se passe bien. Ils sont gentils avec moi, et ce, depuis des années. Le Grand Café et le Nuit magique me fournissent le même set-up : un parking réservé à « Dan quand y'est paqueté ». Mon sport favori est de quitter le bar et de lancer mes clés de char derrière moi sans regarder où, comme une mariée lance son bouquet. Il y a toujours quelqu'un du staff qui les rattrape et va parquer mon char à son spot régulier. Je prends un taxi pour rentrer, et le lendemain, je viens rechercher mon auto et ils me redonnent mes clés. Puis, ils me posent toujours la même question : « Un pour la route, Dan ? » Un je peux, pas deux. Alors j'en prends un et puis un autre et un troisième, jusqu'à ce que je relance mes clés derrière moi pour prendre un taxi sans même avoir vu mon char. C'est un petit manège qui dure quelquefois trois semaines. Ça nous fait rigoler.

Ce soir, je suis un peu emmerdé. J'ai pris un verre, mais un gros. Je me sens clair, mais c'est évident que je joue pas safe. Demain, je pars en tournée, et mon directeur de tournée/technicien de son vient me chercher à sept heures du matin. Si je lui annonce qu'avant, on doit traverser la ville pour aller chercher mon char dans le Vieux-Montréal, il va m'arracher la tête. Alors moi, l'immense cave, je me fais croire que je ne péterai pas la balloune et je prends mon auto pour rentrer chez moi. Sur De Maisonneuve, j'échappe le restant de mon trousseau de clés par terre et, tout en tenant le volant, je me baisse pour le ramasser. Ça me fait évidemment zigzaguer et je mérite ce qui m'arrive : une sirène de police retentit juste derrière moi.

Comme mon père qui s'est écrié : « Criss, mes enfants » quand ma mère a demandé le divorce, je m'écrie : « Criss, le Refuge ! ! Sale con, criss de cave ! » Je me traite de tous les noms.

Le policier me fait ouvrir ma fenêtre, sortir de mon truck, faire les tests d'usage, et il me met les menottes. Direction le poste de police. Là on me fait vider mes poches sur le comptoir et il me vient une pensée : ça fait un mois que je n'ai pas touché à la coke, mais je suis assez cave pour ne pas avoir vidé la poche carrée au-dessus de la grande poche de mon jean. J'espère qu'il n'y a rien dedans. Le policier sourit, fouille ladite poche et en ressort un vieux sac. Il n'y a même pas pour quatre piastres de poudre dedans, mais c'est de la coke pareil. Il met le sac sur le comptoir et dit laconiquement :

— Possession.

Est-ce que j'ai souvent pris mon char en étant ben paqueté ? Non. Est-ce que je l'ai déjà pris en dépassant le .08 milligramme permis ? Évidemment. On se fait croire qu'on est correct. Tant qu'il n'y a personne pour y mettre fin, ça peut pour certains aller très loin. Ceux qui, quand ils se font prendre, déclarent que « c'est la première fois » me feront toujours sourire. Il n'y a pas un juge qui gobe ça.

Ma mère m'a déjà dit :

— Pour toi, ce n'est pas assez de te mettre dans la marde. Il faut que tu tombes jusqu'au fond du baril, sans ça tu n'as pas pied pour rebondir.

Osti que ce soir elle a raison.

Cela dit, les policiers m'ont traité avec respect et même avec courtoisie. Moi je suis furieux, mais le seul que j'ai envie de tuer, c'est moi-même. Je suis donc poli moi aussi. J'ai appelé mon directeur de tournée. Au lieu d'aller chercher mon char dans le Vieux-Montréal, il est venu me chercher dans une cellule. Je croyais qu'il serait fâché, mais il est plutôt hilare. Pas moi.

S'est ensuivie une période sombre où j'étais plutôt refermé sur moi-même. Quel fantastique coup d'autodestruction. Ce coup-ci, je m'en sortirai pas comme ça.

C'est ça le fantasme, l'ultime fantasme de l'alcoolique. Ce n'est pas de s'en sortir, c'est d'éloigner les autres et de finir seul, misérable, saoul et abandonné jusqu'à la mort. Qui ne s'est jamais imaginé assister à son propre enterrement, caché derrière des buissons, à contempler ces gens qui pleurent toutes les larmes de leurs corps sur sa tombe ?

C'est le fantasme des gens publics affligés du syndrome de l'imposteur. Un imposteur, ça crève seul. Plusieurs personnes publiques se sont sabotées de la même façon pour le même fantasme. Le fantasme ultime est celui de l'autodestruction totale, le suicide par la honte. On en a une terreur bleue, mais ça a quelque chose d'attirant en même temps, exactement comme le vertige. Terrorisant, mais qui nous attire tranquillement vers le bord du précipice. Se laisser aller à l'horreur, à la destruction complète par toutes les blessures qu'on a essayé de soigner. L'animateur vedette qui va faire une connerie sexuelle dans un parc. Il ne fait aucune victime, mais il prend un immense risque sur lui-même. Sans qu'il se l'avoue, c'est ce risque qui l'attire, il n'arrive pas à lui échapper. Le politicien qui vole un veston dans un grand magasin alors qu'il a les moyens de s'en acheter douze. Le chanteur qui apprend mal à être connu et qui se fait prendre à conduire son auto saoul.

C'est souvent le grand fantasme des gens : tomber…

MENS PAS. JAMAIS.

« Le public, c'est exactement comme les amours et les chums. »

Les mois passent. Je me suis trouvé un avocat qui m'a recommandé de ne rien dire à qui que ce soit. Les juges n'aiment pas être influencés par le public. Alors, je n'ai même rien dit à ma propre mère.

Je suis en train de répéter avec mon band pour la tournée des *Immortelles*. J'ouvre la télé et je sursaute.

Mon nom est aux nouvelles. Je change de poste, je suis à tous les postes. Il y a des journalistes qui vont observer les causes en cour au palais de justice pour voir s'il n'y aurait pas des noms intéressants. Ils y ont vu le mien. Tout ce que j'ai monté, c'est fini, foutu. Mon syndrome de l'imposteur a gagné. « Je ne méritais rien de ce succès, je suis toujours un petit bum de rue incapable de vivre avec les autres, et maintenant, ils le savent tous. »

Les billets de mon spectacle au Spectrum se vendaient à coups de deux cents par jour. C'est tombé d'un coup à zéro. Des membres de mon entourage me recommandent de me cacher un bout de temps à la campagne. Je leur réponds que non. J'appelle mon gérant.

— C'est moi qui ai fait la niaiserie, je vas l'assumer. Envoie un télex et convoque les médias.

Le lendemain, les médias se pointent tous. Me semble que je n'en ai jamais eu autant à mes lancements de disques. Mes musiciens ont formé un rang derrière moi comme si on allait avoir une bataille de rue. Ils me protègent. Sont fins, ça me touche. France Labelle du Refuge est aussi là. Ça me réchauffe le cœur, ils n'ont aucune idée à quel point.

Les questions commencent.

— Qu'avez-vous dit à votre mère ?

— Rien, elle l'apprend maintenant.

— Que dites-vous à vos fans ?

— Que j'espère qu'ils peuvent aimer les chansons de quelqu'un sans faire les mêmes conneries que lui.

— Avez-vous honte ?

— Oui. Si j'ai tué personne, c'est pas parce que je suis intelligent, c'est parce que je suis chanceux. Ce que j'ai fait est aussi grave que d'avoir frappé quelqu'un.

— Et la drogue, vous ne considérez pas que c'est le plus grave ?

— Non. Avec mon char, j'aurais pu tuer quelqu'un, mais la dope ça regarde juste moi. C'est mon droit de me détruire et même de me tuer, ça ne regarde personne.

Les prochaines questions sont pour France, qui n'est évidemment pas fière de moi. Elle le dit, mais elle souhaite que je me soigne. Chère France. Ces moments de destruction construisent en même temps. En plus de comprendre ce qu'est la vraie amitié, je comprendrai beaucoup d'autres choses dans les jours qui suivent.

Mes ventes ont repris le lendemain.

Ça m'a fait comprendre une chose que je répéterai souvent aux nouveaux qui arrivent dans le métier : le public est un groupe de gens qui t'aiment bien, et ce sont de vrais sentiments par de vraies personnes. Pas parce qu'ils sont en groupe que ce sont des émotions plus diluées, moins importantes. Comme des gens proches de toi, comme ta blonde ou tes amis, ils te pardonneront pas mal de choses à une seule condition :

que tu ne leur mentes pas. Ils ne pardonneront pas le mensonge. Ah oui, pis recommence pas.

C'est humain et rassurant. Le public m'a donné une leçon que je n'oublierai pas... et ça m'amènera de fil en aiguille, le 1er janvier 1995, à ma rupture totale et à jamais avec l'alcool et la coke. Les gens du public ne le savent peut-être pas, mais ils ont été avec moi dans ma renaissance. Je leur en dois une grosse partie.

LE VIDE

Je commence ma tournée *Les Immortelles* et je joue de plus en plus souvent en France.

Au show du Festival d'été de Québec sur la place d'Youville, il pleut. On s'attendait à personne. Il cesse de pleuvoir dix minutes, et soudainement dix mille personnes semblent sortir des craques de l'asphalte. Ils n'étaient pas là et ils ont surgi. On ne pensait même pas jouer, et soudain c'est le vacarme.

Super contents, on a donné un show de malade, on était complètement survoltés. Ils l'étaient aussi, ils ont exigé une douzaine de rappels. Et ils ne lâchaient pas. En désespoir de cause, n'ayant plus de chansons, je dis à mes musiciens et musiciennes:

— Un shuffle en la mineur.

3-4, on part. Je me souviens de Richie Havens à Woodstock en 1969. Il a rendu quatre cent mille personnes complètement folles avec des hey hey. J'improvise donc des « Oh yeah mama, all night long ». Non seulement ça a foutu le feu, mais sans que je m'en rende compte, le refrain des *Trois Petits Cochons* est né ce soir-là.

Un soir, on finit un show dans un aréna près de La Pocatière. En sortant de scène, une jolie fille m'interpelle backstage. Elle est vraiment cute. Elle est en train de se faire une ligne, elle m'en offre une aussi et moi, osti de cass de plage, au lieu de me demander d'où vient la coke, j'accepte joyeusement, mon show est fini.

Ça ne rate pas. Je commence à avoir des difficultés d'élocution, c'est neuromoteur, la bouche me paralyse et si un médecin prenait ma pression, sa machine busterait. J'entre dans la loge en essayant de camoufler mon malaise, mais mon groupe me dévisage avec inquiétude. Je suis certain que j'ai changé de couleur et que ce n'est pas très joli. Alors je deviens froid de rage contre moi-même. Je regarde tout le monde et je réussis tout juste à articuler :

— Regardez-moi ben, c'est la dernière, tabarnac !

Je demande à mon directeur de tournée de me trouver deux bouteilles de vin blanc, l'anxiété étant en train de m'envahir, et il me reconduit à ma chambre d'hôtel.

Je rentre à ma chambre et avale d'un trait la première bouteille. La seconde me prendra au moins deux à trois minutes. Je suis en train de me détendre et même de commencer à somnoler quand on cogne à la porte de ma chambre. D'abord timidement, puis avec plus d'assurance. C'est Estelle Esse et Paule Magnan, ma claviériste et ma guitariste, qui croient que je suis peut-être mort. Je les rassure en souriant et je m'endors. Ce sera effectivement ma dernière ligne, fini la coke. L'alcool, ça sera pour plus tard.

Estelle et Paule n'ont manifesté aucune colère ou même impatience avec moi par la suite, mais si j'avais été à leur place, j'aurais été très fâché. En fait, mon deal avec tout le monde autour de moi a toujours été assez simple. Je n'invente aucune excuse, aucun mensonge, comme le font beaucoup d'alcooliques et toxicomanes. Je suis toujours clair avec tout le monde :

— Je suis alcoolique et dopé. C'est pas comme si je le savais pas. Si vous n'êtes pas capables de m'endurer, je comprends, mais ne restez pas avec moi. Je le dis gentiment, si vous partez, ça va me faire de la peine mais c'est correct, je vais comprendre. Je suis un fucké, je vais le rester, alors passez pas votre temps à essayer de me faire arrêter, ça me tape.

C'est la raison pour laquelle tant d'alcooliques toxicomanes sont terrorisés à l'idée d'arrêter. C'est parce qu'ils ont une trouille bleue de se ramasser seuls. Effectivement, ça risque fort de leur arriver : ils ont complètement fait le vide autour d'eux.

JEZABEL

Je reçois un appel de Françoise Faraldo Boulet.

— Salut Dan. Dis-moi, Gerry a enregistré dans sa dernière année quelques chansons sur des textes de Denise Boucher, juste piano-voix. On en avait parlé et on pensait que ce serait une bonne idée si tu pouvais réaliser l'album. Tu pourrais passer à la maison les écouter et me dire s'il y a là des vraies chansons ?

— Euh… bien sûr.

Je ne sais pas pourquoi, mais avec Françoise, j'étais incapable de commencer mes phrases autrement que par « euh… ». Je me tapais sur les nerfs.

Je suis allé chez Françoise, trouvant la maison un peu étrange sans Gerry et me disant de fermer ma grand gueule. « Si c'est étrange pour toi, imagine ce que c'est pour Françoise et leur fille Julie. » Elle me fait jouer les chansons et ma gorge se noue. C'est pas l'absence de Gerry, c'est sa présence. Il est comme dans la pièce. J'ai beaucoup de difficulté en écoutant pour la première fois le *Chant de la douleur*.

— Alors, tu crois qu'il y a des tounes ?

Si jamais je réponds « euh... », je m'arrache ma propre tête.

— S'il y a des chansons ? Ce sont des œuvres, le tout est une œuvre.

— Alors, tu pourrais faire le disque ?

— Euh...

Ça y est, câlisse.

— Oui je pourrais, bien évidemment... mais mon seul moyen de savoir s'il aime ça ou si je me plante, ça va être toi.

Alors je m'y suis mis. La mauvaise expérience de mon premier disque m'a appris que s'il n'y a pas de complicité entre le réalisateur et l'artiste, tu vas faire un disque de marde. Mais la complicité posthume, c'est quelque chose de complexe.

Je fous toute mon équipe personnelle sur le projet. Techniquement, ça ne sera pas simple. Gerry a enregistré les chansons piano-voix sans métronome, quelquefois sur la même piste. Ça va être compliqué au mix.

On s'en fout, chaque chose en son temps. Là il faut régler le tempo. Dans ce temps-là, on enregistrait sur bobines, on n'avait donc aucun moyen de réparer les tempos qui sont évidemment joués beaucoup plus librement quand on est seul. Alors, je suis entré en studio avec seulement mon batteur Christian Laflamme, pour faire ça au feel. C'est-à-dire qu'il jouait seul avec Gerry, se penchant en arrière pour ralentir et en avant pour accélérer légèrement. Christian a beaucoup aidé la cause. Après une semaine de contorsions, j'ai fait rentrer les autres musiciens, qui ont pu se coller sur Gerry en bonne partie grâce à la batterie de Christian.

Grâce à Françoise qui venait au studio régulièrement ou qui continuait à me guider de petits commentaires toujours précieux, j'ai fini par faire quelque chose que je serais à peu près capable de lui présenter à lui. Quand elle ne venait pas au studio, je lui faisais écouter chez elle. Quelquefois, elle écoutait, perdue dans ses pensées.

— Euh… tu sais, Dan…

YEAH ! Elle a fait un « euh… ».

— Les petites guitares, elles sont… cute. Gerry aurait plus été vers le gros sax cochon.

Immédiatement j'appelais le studio.

— Fred, scrappe les tracks de guitare pis appelle le gros Martel, dis-y d'apporter ses deux sax.

On continue cahin-caha cette aventure périlleuse et passionnante. On arrive au *Chant de l'amour*. Superbe chanson. Gerry a laissé de grands moments de la chanson au piano, sans chanter. Il pensait évidemment à un duo. Quelqu'un me suggère Ginette Reno. Flash brillant. Elle accepte. Ça a donné lieu à un grand moment et à une anecdote rigolote.

Je buvais encore en 1994, mais je tentais de me débarrasser de la cigarette qui accentuait mon asthme. Juste avant d'entrer au studio pour ma session avec Ginette, j'aperçois par terre une suce pour bébé. Je souris, ramasse la suce, la nettoie au robinet et me la colle dans la bouche. C'était miraculeux, je n'ai pas fumé de la journée, mais j'ai tété en criss, il y avait des traces de dents sur la suce. J'avais juste oublié que quand Ginette se déplaçait, il y avait souvent des journalistes qui la suivaient.

On fait une session incroyable. Ginette va toujours faire hurler mon âme et la nôtre à chaque fois qu'elle chante. Une des plus grandes chanteuses de l'Univers pour moi. Après Ginette, c'est au tour de la grande Angèle Dubeau de venir décorer la chanson. Elle fait une job extraordinaire.

Épuisé par toutes ces émotions, je rentre chez moi le cœur aux anges. Je me fais une bouffe et je m'installe pour souper devant la télé comme je fais toujours. C'est l'heure des nouvelles, ensuite le sport et la chronique artistique. Et là, je vois en gros plan ma superbe Ginette et moi… avec ma criss de suce. J'ai l'air suuuuper smatt.

Le lendemain, je suis dans mon truck en chemin vers le studio et un cave me coupe dangereusement. Ça déclenche ma gueule d'assassin automatiquement, mais ça n'impressionne pas le gars une seule seconde. Il part à rire. Je réfléchis à l'idée de lui donner des cours de conduite maintenant tu-suite, mais je m'entraperçois dans le miroir. J'ai mon ostie de suce. Il peut bien rire. Va quand même falloir que je me sèvre, à mon âge…

Je ferai faire les chœurs par le People's Gospel Choir, avec qui je nourrirai des liens étroits par la suite. Moi, je rajoute un peu de piano et d'orgue, comme Gerry m'avait demandé de le faire dix ans plus tôt sur son premier disque, *Presque quarante ans de blues*. Deux semaines de mix, mastering, et on était prêts à le lancer. Ce qu'on a fait au Marché central dans le Vieux-Montréal, fin 1994. La production avait décidé qu'on jouerait le *Chant de la douleur* avec des bandes, la chorale et l'orgue de Gerry au milieu de la scène. J'ai dirigé la chorale et j'en ai eu des frissons.

Gerry m'avait sorti des bars. Cette journée-là, j'ai pu le border pour vrai.

MA TROISIÈME VIE

Ça fait un bout que j'ai commencé à me réveiller tôt. L'alcool me comatise, quand j'ai beaucoup bu je m'assomme avec, mais c'est aussi un excitant. Alors je me réveille après trois ou quatre heures de sommeil. Le manque de sommeil et l'anxiété à répétition, c'est une horreur, tu peux facilement en devenir fou. Un matin je me lève, me verse un verre de vin et me rendors. Fantastique, je peux enfin me reposer.

Mais le principal problème d'un alcoolique est l'habitude. Avec l'habitude, ça s'est mis à ne plus fonctionner. Je bois un verre de vin le matin, mais je ne me rendors plus. Maintenant je bois du matin au soir. Trois litres de vin et une demi-bouteille de scotch par jour. Mon corps se transforme, je deviens très gros, mes traits se boursouflent et même ma peau est jaunâtre border marécage. Ma bile coule de plus en plus dans mon sang.

Je vais voir un médecin. Il me fait passer une batterie de tests, mais il aurait pu me diagnostiquer à l'œil nu. Il me dit tout simplement:

— Tu vas mourir.

— Quand?

— Tu feras pas deux ans.

— Si ça te fait rien, je vais prendre un deuxième avis.

— Je vais te le donner tout de suite: t'es laitte.

Je souris quand même. Il est sympathique, mon doc.

Je vais quand même chercher un autre avis. J'irai voir un cardiologue; celui-là ne me donnera même pas un an.

Merde.

Ce soir, j'ai joué au Sentier des Halles à Paris. Une superbe petite salle dans le quartier des Halles, comme son nom l'indique. Ça a super bien été. Faut juste que je parle un peu plus lentement que d'habitude entre les chansons, mais ils comprennent à peu près tout. Pas envie de prendre un accent français. Même pas besoin.

Ceci dit, je suis crevé. Tout le long du show, j'étais essoufflé, comme d'habitude. Je pèse deux cent soixante-cinq livres et je suis d'un beau jaune malade qui me va comme un gant de test de prostate. Françoise Bessis, la blonde de mon chum Pierre Cazenave, vient me voir dans ma loge.

— C'était vraiment un super concert. Quand tu fais *Ange animal*, Pierre en devient presque fou. C'en est fascinant. Chatoune est parti le coucher, il est épuisé... Tu sais Dan, Pierre est très inquiet pour toi.

Et moi, hypocritement :

— Pourquoi ?

— Avec ton alcool et ta coke, là, tu vas mourir. Tu es tout gros et tout jaune, tu es plein de bile. Tu sais, on est médecins, on voit ça. Ça l'inquiète vraiment beaucoup. Il voudrait qu'on dîne ensemble demain soir. Tu veux bien ?

— Bien sûr.

On s'embrasse.

— À demain.

En réalité, je suis assez terrorisé. Lui il va me confronter, et je ne m'en sortirai pas avec une pirouette.

Le lendemain, je suis assis à sa table, songeur et inquiet. C'est le premier qui ose me prendre de front avec mon comportement semi-suicidaire.

Personne ne me confronte sur mon alcoolisme, jamais. J'ai fait le ménage, c'est-à-dire ce fameux vide autour de moi. Sont restés mes chums de brosse et, Dieu merci, ma blonde. Sont pas restés pour les mêmes raisons. Si j'arrête, il ne restera qu'elle. C'est énorme. Ceux qui n'ont pas de Marie-Geneviève se ramassent vraiment seuls au monde, ils ont créé leur propre vide.

Alors Pierre et moi, on parle tranquillement de tout, de rien, du show d'hier soir. Il me dit :

— Tu sais, ton *Ange animal*, à chaque fois que tu le chantes, tu es comme un sorcier, tu es comme en transe... En tout cas, tu as un diable qui danse à l'intérieur.

Ça me fait sourire et réfléchir. Effectivement, cette chanson déclenche à chaque fois quelque chose dans mes intérieurs qui semble danser tout seul.

Quand un artiste donne une performance qui frappe le public, on parle toujours de talent. De talent, comme si c'était une bénédiction, un don du ciel ou quelque chose. Pour moi, c'est plutôt une sorte de délire. Une espèce d'endroit imaginé par un petit garçon qui cherche à être heureux ailleurs, dans un monde qu'il construit à sa mesure parce que celui-ci est trop infernal. Je vois plus le talent comme une maladie mentale. Dont certains essaient même de guérir parfois. Ça peut être assez fatigant, cette création et cet « acting out » permanents.

Et comme pour beaucoup d'autres maladies mentales, on ne veut jamais complètement en guérir. On veut pouvoir y revenir quand on veut. Alors moi, j'aime bien qu'on m'aime quand je délire sur scène, mais ça a ses limites. J'ai besoin de rentrer chez moi, là où il y a ma famille, mes amis et très peu de talent en moi.

Je suis comme les autres malades, je cherche le meilleur des deux mondes. Ça se conjugue avec le temps. Mieux comprendre sa maladie n'empêche en rien de l'exercer.

Cette maladie est quand même un endroit où je suis beaucoup plus inventif sur les solutions que je cherche à mon brouillard noir. Les solutions des autres me semblent toujours convenir… aux autres, et très peu à moi. Je ne peux pas vraiment me soigner dans un monde « normal », balisé et réglementé par d'autres, ça ne fonctionne pas pour moi.

C'est pour ça que ma rue, mes bars, ma propre compagnie de disques, ma propre gérance, mon studio me mettent toujours un peu à part des autres et que j'y suis très bien. La solitude me permet de re-baliser mon existence. Je délire, je me schizophrénise un peu si on peut dire, et ensuite je me re-socialise en venant vous montrer ce que j'ai écrit, comme un enfant vient montrer son château de sable à ses parents. Je passe de seul à beaucoup de monde et j'y reviens. L'équilibre, ce n'est pas toujours être au milieu. On peut être très loin aux extrêmes, ça prend juste un bon balancier. Archimède a dit: « Donnez-moi un point d'appui et je soulèverai le monde. » Moi j'essaie juste de tenir debout, mais mon équilibre vacille de tant de choses que je ne connais pas.

Faudrait peut-être que je me trouve un psy, Pierre peut pas toujours faire toute la job. C'est un peu compliqué pour moi de trouver un psy, ils connaissent tous papa. Et tout le monde parle de ses parents en analyse, généralement on commence même par ça. Imaginez que votre père est policier et qu'il vous bat… Vous vous plaignez à qui ? La police ?

Pierre prend une pause et demande tout innocemment:

— Pourquoi t'arrêtes pas ?

Je me raidis immédiatement. Bon. That's it, ça a l'air que j'y couperai pas. J'essaie de niaiser.

— Ben tu sais, les Bigras, de père en fils, c'est pas mal mort en boisson. C'est comme ça depuis la nuit des temps.

— Je suis au courant, ton père a préféré crever plutôt que de se battre. On a remonté votre arbre généalogique. À part pour ton grand-père, ça semble vrai. Sais-tu comment ça s'appelle ? Un pattern. Ben j'ai des petites nouvelles pour toi : un pattern, ça se casse.

Ça me frappe comme une évidence. C'est con, les choses les plus évidentes ont toujours l'air loin et mystérieuses, alors qu'elles sont là devant ton nez en train de te faire des grands signes. Elles te pointent la lune et tu regardes le doigt.

— Bon. Arrête de faire le con. Je t'ai demandé pourquoi t'arrêtes pas.

BAM ! That's it, je suis en douleur, mon corps, ma tête, mon cœur, le petit Daniel, tout, j'ai mal criss. C'est instantané.

Je tente de répondre. La vérité. Toute la vérité.

— Parce que… c'est même pas envisageable tellement je suis terrorisé. J'ai peur criss…

Pas capable de finir ma phrase. J'arrive plus à respirer. Criss de Pierre de marde. Je voudrais pas être un de ses patients.

Tout le monde me regarde pleurer tranquillement. Personne ne s'énerve. Ça a l'air normal. Même ma blonde a l'air absolument impénétrable. Pierre brise le silence.

— Tu sais, c'est pas si grave. J'ai une petite maison en Espagne, tu viens deux semaines et je te désintoxique.

Il me dit ça avec un zouli petit sourire. Comme si c'était pas la fin du monde. M'énarfe. Alors moi, avec toute la mauvaise foi possible :

— Pis si tu te plantes ?

— Ben, je repère ce que j'ai mal fait et on recommence.

Avec le même sourire.

Je réfléchis. En revenant de France, j'ai une semaine de vacances dans le Sud. En revenant, je fais le *Bye bye 94*… Ok. À compter du 1er janvier 1995, je serai sobre total jusqu'à la fin de mes jours. Je suis rendu là, je le sens jusque dans mes os.

— Ok Pierre. Écoute ben ça. Je vais aller en revirer une tabarnac dans le Sud. Pas envie de me désintoxiquer sous un osti de palmier. En revenant, je commence ma bataille. J'arrête drette en revenant. Pis si ça marche pas, je viens te rejoindre en Espagne.

Il me fait un de ses fantastiques sourires radieux et me donne un osti de gros bisou. That's it, ma troisième vie commence.

Je m'étais juré, quand j'étais jeune, que je serais mort à quarante ans, mais que je vivrais avec une intensité pas permise à tout le monde. Comme une sorte de pacte avec le diable. Ça me fait rigoler. Une espèce de « chasse-galerie personnelle ».

C'est comme ça qu'on appelle ces deals qu'on fait avec sa propre folie.

Le diable a tenu parole, il m'a tout donné, au-delà même de toutes mes espérances, et là, je m'apprête à le fourrer. Pis pour fourrer le diable, il faut être assez vite. Je commence à comploter secrètement pour sauver ma vie en essayant de m'imaginer vieux. Me semble que je ferais un pas pire beau ti vieux.

Il est évident que quand tu as quinze ans, quarante ans c'est vieux. Vieux et loin. C'était pourtant bien assumé, mon affaire. Vivre à deux cents à l'heure et crever à quarante ans. Boris Vian l'a bien fait, lui, et volontairement. Mais aujourd'hui là là, à trente-six ans, je trouve ça un ti peu moins romantique, ça donne un peu envie de renégocier tout ça, même si vu d'ici, ça semble impossible.

Ça m'excite un peu quand même. Je me sens fébrile. Criss de belle bataille. Peut-être la dernière, mais peut-être pas non plus. Quand on arrête, si on bullshite, tout le château va tomber. On peut pas nier qu'au début, ça nous a aidés et peut-être même sauvés.

En 1995, j'écrirai donc mes premières chansons sans être saoul. J'avais jamais écrit straight. J'appellerai mon disque *Le fou du diable.* Je l'ai fourré ben raide, je lui dois ben un disque, ne serait-ce que pour rire de lui… donc de moi.

M'en vais faire écouter mes tounes à mon bassiste et grand chum Maurice. Il écoute, impassible. Moi je me dis that's it, y a plus d'âme dans mes affaires. Il me dit:

— Dan?

Je lève les yeux.

— Yep.

— Tout le monde va penser que t'as arrêté de boire pis que t'as commencé à faire de l'acide.

J'en reste comme un poisson qui a vu des épices : un peu surpris. Et tranquillement, je souris.

— Ah ouin ? Cool…

CHAPITRE 5

L'ARRÊT

« Dan, comment on arrête ? »

Je me le fais souvent demander, mais je n'ai absolument aucune recette.

— N'importe comment. Tu fais du yoga, de la psychanalyse, du combat extrême, de la danse avec des plumes dans le cul, je ne sais pas, mais pendant que tu y réfléchis, tu ne bois pas. C'est tout. Et tu oublies ton principal fantasme, cet osti de fantasme de mourir tout seul abandonné.

Je prends mes vacances dans le Sud en décembre 1994. Étrangement, moi qui croyais en virer une solide avant d'arrêter pour toujours, je bois de moins en moins. Ça ne rentre plus. Je suis écœuré. Envie de vomir 24/7.

De retour à Montréal, je fais le *Bye bye 94* à Radio-Canada et vais rejoindre les autres au party. Ils sont tous là. Un verre de vin rouge à la main, je discute avec Claude Charron. Je l'ai toujours bien aimé. Ministre brillant et journaliste pertinent, communicateur hors pair, rarement vu un type aussi humain. Ça sera mon témoin, je le trouve crédible.

— Claude, regarde ben ce verre-là.

J'ai l'impression qu'il comprend.

— Pourquoi ?

— Parce que c'est le tabarnac de dernier.

On se sourit tous les deux. C'est un peu rigolo tout ça, mais je ne suis pas certain qu'il me croit. C'est amusant, la plupart des alcooliques ne sont pas crus lorsqu'ils disent qu'ils vont arrêter. Des années plus tard, on ne les croira pas plus s'ils essaient d'expliquer à quel point ils étaient alcooliques... Normal, moi-même j'oublie.

Curieusement, tout de suite après les sourires, une immense tristesse m'envahit. Je m'ennuie sérieusement de ma mère. Je demande à Marie-Geneviève :

— On s'en va ?

Arrivé chez nous, même pas le temps d'aller aux toilettes, je dégueule le seul verre de ma soirée sur le mur. Parti comme une fusée. Criss, j'étais écœuré pas à peu près. Je m'endors difficilement les poings serrés, perdu comme jamais.

Le lendemain, je me réveille en super mauvais état. Gueule de bois épouvantable. Mal à la tête, mal au cœur, mal à l'existence et je tremble comme une feuille. Gueule de bois avec un verre ? Naon osti, gueule de bois de plus de vingt ans qui me rentre dedans ce matin. Jamais été aussi malade. Je me lève péniblement, je marche en zigzag jusqu'à la cuisine, agrippe les trois bouteilles de vin qui me restent, sors dans la cour, repère un bloc de béton dans la ruelle et les fracasse toutes les trois.

— Quins ma tabarnac. Tu m'approcheras pus.

La plupart des alcoolos vident leurs dernières bouteilles dans les toilettes, ça fait du bien et ça encourage, mais moi il faut toujours que je m'énerve. Je reste devant le tas de verre comme si je voulais vérifier qu'elles n'avaient rien à ajouter, puis je leur tourne le dos avec mépris comme si je venais de terminer une bagarre dans la ruelle. Faut toujours que je fasse les choses importantes comme un ado pas trop sûr de lui.

J'ai averti mes chums de ne pas me déranger pendant dix jours. Je prévois les hallucinations du delirium tremens et je veux être seul. Ça va être l'horreur.

Au bout de trois jours, pas grand-chose. J'ai tremblé comme un malade – d'ailleurs, vingt-deux ans après, je tremble encore un peu, ce sera ma seule lésion –, j'ai fait un tout petit peu de fièvre et de délire qui vient avec, c'est tout. Je rigole. Tout ça pour ça ?

Au bout de trois jours, je rappelle mes chums.

— M'emmerde, veux sortir.

— Euh Dan… pas certain que c'est une bonne idée.

— Ah bon. Pas grave, vais sortir tu-seul.

— Bon bon, correct correct, on s'en vient.

C'était absolument rigolo. Au début, l'alcool m'avait servi de « déniaiseur » pour avoir le courage d'approcher les filles, et vingt ans plus tard, plus la soirée avançait et plus les jolies filles se rapprochaient de moi. C'était très logique ; plus le temps passait, plus mes chums étaient saouls et moins ils avaient l'air brillants. J'étais le seul qui était capable de finir une phrase sans roter ou postillonner. Le plus drôle, et ça personne ne s'y est jamais habitué, c'est que je suis devenu le conducteur désigné d'un peu tout le monde qui essayait de me surveiller la rechute.

Étrange. Depuis ce 1er janvier 1995, je n'ai pas eu soif. Plusieurs de mes amis doivent combattre chaque jour pour réussir à se contrôler, même après vingt ans. Pas moi. Je pense à mes bouteilles fracassées sur le béton dans la ruelle, et je songe que ma rage m'est souvent plus utile que je le crois. Si je ne rechute pas, je crois que c'est en partie par rancune.

Je suis passé il y a pas longtemps devant le Grand Café. J'ai l'impression que ça fait deux jours ou mille ans que je n'y suis pas retourné. J'entre. Ça n'a pas énormément changé, mais c'est un restaurant maintenant. J'attends un serveur qui ne vient pas. Intrigué, je me lève et me promène dans le restaurant pour finalement découvrir un buffet. Je m'approche. BLASPHÈME ! Un osti de restaurant végétarien. Après toutes les cochonneries que j'ai consommées ici, un osti de restaurant végétarien ! Je rigole, insulté, furieux contre ces restaurants-santé qui s'attaquent à des endroits aussi emblématiques de la « fuckance » personnelle et nationale.

Finalement, j'y mange en réprimant un petit fou rire en même temps qu'une certaine nostalgie. C'est clairement la fin d'une époque. Puis je quitte en pardonnant au Commensal de vendre des choses si bonnes pour la santé.

Je discutais dernièrement avec un de mes chums, chanteur connu qui connaît l'enfer avec l'alcool et le reste. Il vient d'arrêter lui aussi. Il ne me semble même pas triste, c'est plus grave. En dehors il a l'air blasé, mais en dedans je sais qu'il se sent mort.

Il me dit doucement, comme si ce n'était pas important :

— J'embarque sur le stage, y a une foule en furie devant moi, mon band sonne l'enfer. Ça devrait être le paradis pis je sens rien. Je fais mes affaires, je donne tout ce que j'ai, mais j'ai l'impression de donner du vide. Je ressens rien.

— Je vais te dire quelque chose, j'ai vécu ça aussi. Je jouais, je donnais tout, mais j'avais l'impression que je n'étais plus fou, et donc, que j'étais plate. Pus de feel, pus de groove, pus d'imagination, pus de folie. Les gens étaient super fins, ils m'applaudissaient et moi, j'avais l'impression de les trahir en ne leur donnant plus ma folie jusqu'à ma mort. Après le show, je suis passé devant la loge de mes musiciens. Ils parlaient de moi. Ils disaient à quel point c'était super de jouer avec moi depuis que je me fuckais plus. Ils disaient à quel point j'avais une belle folie, qu'ils étaient capables de la ressentir eux aussi. « Il groove sans osti de bon sens, je le suis les yeux fermés. À soir, c'est le meilleur show qu'on a jamais fait.» Paradoxal, hein?

— C'était-tu vrai?

— Pour eux, oui.

— C'est censé m'aider?

— Pas pantoute, arrange-toi avec tes ostis de troubles.

Et on se sourit du coin de l'œil.

Quand on arrête l'alcool, on cherche sa folie pendant un bout de temps. Chacun porte sa marde.

ALCOOLISME

Je n'ai jamais été foutu d'expliquer mon alcoolisme à qui que ce soit de non alcoolique, même vingt-deux ans après avoir remonté le taux de sang dans mon alcool. Jusqu'à maintenant. J'ai une couple de pistes. Entre autres, la piste médicale.

L'alcool est reconnu médicalement pour être l'anxiolytique le plus efficace sur la planète en ce moment. Aucun médicament connu ne réussit à désanxioliser aussi bien que l'alcool. Par la suite, avec l'accoutumance, l'alcool deviendra un puissant dépresseur qui peut mener jusqu'à la mort.

Je connais bien les enfants souffrant d'hyper-anxiété. Je travaille avec eux et j'en ai été un.

«La première bière va être bonne en osti.» Je crois que c'est une phrase que nous avons tous entendue. La vérité est que chez une personne ayant un niveau d'anxiété normal, la première bière sera généralement suffisante. Mais pour une personne dont l'anxiété est pratiquement sans limites, une bière n'est que l'ombre du reflet d'un possible soulagement. Je le vois chez les enfants, mais forcément aussi chez les adultes.

Quand notre angoisse est sans fond, notre consommation d'alcool le sera aussi. Pour ces gens, l'alcool représente une promesse et un début de soulagement, sans jamais le donner complètement. Mais l'hyper-anxieux préférera souvent mourir plutôt que de renoncer à la seule chose qui peut le soulager. Comme l'alcool fait de puissants dégâts à la santé, c'est souvent ce qui arrivera.

Et la piste émotive.

Il y a un lien émotif puissant à la substance. J'ai eu, parmi mes élèves en arts martiaux, un jeune qui consommait à l'âge de douze ans. Un jour, il m'a apporté une photo de lui dans un party. Une mauvaise photo de téléphone cellulaire sur laquelle ses chums lèvent leurs bouteilles vers la caméra alors que lui la serre sur son cœur, exactement comme on serre quelqu'un qu'on aime. Quand on sait qu'il était privé de sa mère… c'est une image que j'ai trouvée difficile à regarder. Quand il arrêtera, il sera privé de beaucoup plus que l'alcool.

Les jeunes sont de plus en plus encouragés à consommer. Cela fait belle lurette que l'illégalité des drogues n'impressionne plus personne. On peut bien faire toutes les conférences qu'on veut sur les méfaits de la drogue, les jeunes ont tellement vu les adultes boire de façon compulsive que ce double standard leur est profondément hypocrite. Le nombre de jeunes qui ont été foutus à la porte de chez eux par des parents alcooliques qui leur reprochaient de fumer du pot…

De plus, des substances illégales dans d'autres pays mais légales ici, comme le Red Bull, font des ravages énormes. Ici, le Red Bull est légal, mais le mélange avec l'alcool ne l'est pas. Pourtant, on voit dans tous les bars des publicités de « Vodka-Red Bull » ou de Red Bull avec autres alcools. Les jeunes sont constamment sollicités par la publicité. L'anxiété et le désespoir non avoués sont extrêmement payants une fois rendus « cool » par les publicités.

Quand un jeune est privé de ce dont il a le plus besoin, il ne faut pas s'étonner qu'il le cherche ailleurs. On ne peut pas essayer de lui vendre de l'alcool en lui interdisant la drogue, on perd toute sa confiance.

Il y a un autre endroit où mettre sa mère perdue, son trou noir : la musique. Cet endroit unit la terre entière. La couleur de la peau n'y est pas plus importante que la couleur des yeux. Même les ennemis peuvent y mettre ensemble leurs souffrances, leur histoire. Des gens qui ne se parlaient pas chantent ensemble. C'est ça mon école, c'est là que j'ai été formé. Dans les bars, on joue presque toujours le blues avec des gens qu'on ne connaît pas. Et ça nous change. La façon de jouer de l'un change la façon de jouer de l'autre. Aux Francofolies de La Rochelle une fois, j'ai fait du blues toute la nuit dans un bar avec des Chinois. On a tellement tripé. On s'est, l'espace d'une nuit, rendus heureux. Nos leaders politiques en sont bien incapables en représentant leurs seigneurs.

LES AA

J'ai donc officiellement arrêté de boire. Bonne nouvelle, astheure faudrait bien que ça tienne. Je me dis que j'ai besoin de voir d'autres alcooliques. Des vrais, des très malades qui se sont soignés. On croit toujours qu'on est le pire et que personne ne peut nous comprendre, alors on se referme au lieu de s'ouvrir. Facile de s'ouvrir quand ça va bien. Quand on se sent monstrueux, laid et foutu, c'est autre chose.

Alors où sont donc ces alcooliques miraculeux ? Pas eu besoin de réfléchir cent ans, la réponse m'a sauté dessus en cinq secondes : les Alcooliques anonymes, évidemment. Je me suis donc mis à la recherche des meetings.

Je me suis pointé une fois en restant en retrait, juste pour observer. J'étais assez émerveillé. Des gens beaucoup plus atteints que moi témoignaient devant tout le monde. Des gens qui avaient déjà fait des pipes contre une bière. Des gens qui avaient arrêté depuis des années et qui étaient solides. Des personnes âgées sobres depuis trente quarante ans qui étaient là chaque semaine. C'était donc concret, c'était possible, ça se faisait.

Je restais en arrière, ne parlais à personne jusqu'à ce qu'évidemment, un des leurs me repère et vienne me parler. J'ai discuté avec l'un et avec l'autre, on m'a affecté un parrain. J'ai assisté à d'autres meetings, j'ai été discuter chez mon parrain AA avec plusieurs autres. Ils ont une très belle énergie ensemble, j'étais très touché. Je n'avais qu'un seul malaise : les prières. Je ne croyais pas en Dieu avant, je n'y croyais pas maintenant. Je n'allais pas commencer à faire semblant.

J'ai eu une première rencontre de groupe. Nous devions tous nous présenter avec notre pathologie, c'était en fait notre titre, notre fonction. Un peu comme on se présente en disant « Joseph Lafleur, plombier ».

— Daniel, alcoolique toxicom…

Pas pu finir. Encore pleuré comme une Madeleine. Woyons criss, aucune espèce d'ombre de début de commencement de contrôle sur moi. Une fontaine. Ça les a pas impressionnés, sont habitués. À la fin, une tite tape d'encouragement sur l'épaule. Ça m'a fait du bien. Ils sont vraiment chouettes. Ils sont profondément humains en restant efficaces, ils ne dramatisent rien. Ils ont sauvé des millions de gens en détresse.

Leur secret, c'est la verbalisation. Parce que t'as beau te dire que tu fais tes affaires de façon honnête, que tu as déjà averti tout le monde que tu savais que tu étais accro et qu'il ne fallait pas t'emmerder, le fait est que si tout est clair, c'est quand même un mensonge. C'est comme être pris au milieu d'un incendie et dire à tes chums : « Ça va, je sais où je suis, mais si j'étais pas capable d'endurer la chaleur, je partirais. » Ça ne fait aucun osti de bon sens. Et les AA te forcent à te nommer toi-même et à nommer ta maladie. À un moment donné, à force de t'en tenir à ta version « Je suis bien dans mon incendie », t'as l'air vraiment très cave. Ce que tu te disais dans ta tête ne fait plus de sens au dehors. C'est comme écrire ta biographie. Tu ne peux plus te raconter n'importe quoi, tu te vérifies dans le regard des autres et c'est confrontant, alors maintenant, tu n'as plus le choix d'être droit. Les AA t'amènent là.

Mais à chaque prière, mon malaise s'amplifie. Ils y croient sincèrement, mais moi, zéro. Je leur dis mon malaise, et là, je comprends que je ferai un petit bout avec eux, mais que ce sera limité. Ils me répondent que Dieu n'est pas vraiment nécessaire… « pour l'instant », que j'y viendrai « quand je serai prêt ». Ils n'appellent pas Dieu Dieu, mais ils me disent que jamais je ne m'en sortirai sans la présence d'un « être supérieur ».

— C'est pas obligé d'être Dieu, je ne sais pas… pense à ton père ?

Je rigole.

— Euh… pas l'idée du siècle, celle-là. Et franchement, je n'y crois tellement pas à votre puissance supérieure, je ne vais sûrement pas faire semblant au moment de sauver ma vie. Je me doute bien que si je mets ça dans les mains de Dieu, la journée où le diable va se remontrer le bout de la queue, je vais être dans une marde épouvantable. Pour moi, l'alcoolisme, c'est pas une maladie de Dieu ou du diable, c'est une maladie d'humain, pis je vais régler ça avec mes armes d'humain. Mais merci du fond du cœur pour tout, vous êtes du beau monde avec des beaux cœurs. S'il y a une chose en laquelle je crois, c'est bien la nature humaine, la vôtre. Merci.

Je leur serai reconnaissant pour l'éternité. C'est un peu religieux pour un mécréant quand même, l'éternité, non ?

PRAGUE

Bizarre. Quand t'arrêtes de boire, tu recommences à savoir compter. J'ai ouvert ma propre compagnie de disques, les Disques de l'Ange animal, en hommage à mon chum Gilbert. J'y ferai mes tounes exactement comme je les veux sans devoir négocier avec quelqu'un qui se fout entre le public et moi. J'ai aussi ma propre compagnie d'édition et mon propre studio d'enregistrement. Quand les sessions sont trop grosses, je retourne avec plaisir chez mon chum Raymond Duberger aux studios Multisons.

Première mission, avant quoi que ce soit, je vais recommencer *Ange animal* de la bonne façon, c'est-à-dire comme un vrai fou, un vrai *Ange animal.* Je me le devais et, surtout, je le devais à mon grand chum poète Gilbert Langevin. Peu d'hommes m'ont fait pleurer avec leur poésie. Gilbert est le premier. Je me souviens encore du message délirant d'une demi-heure qu'il avait laissé en 1990 sur mon répondeur et qui, une fois que je l'avais retranscrit en sacrant, étant rentré à quatre heures du matin dans un état assez avancé, s'était avéré être le chef-d'œuvre *Ange animal.*

M'avait pris près d'une heure pour retranscrire le message. J'avais ensuite lu le poème à ma blonde et mes yeux s'étaient mouillés. Si je pleure difficilement sur les choses tristes, les trop belles me bouleversent. En dix minutes, la musique était composée et les arrangements symphoniques… faits dans ma tête. Je ne touche jamais un instrument de musique sans avoir fini la chanson. Il faut que je délire dans un endroit où tout est permis. Ça, c'est dans ma tête. Depuis que je suis petit, tout est permis dans ma tête.

En 1990, je n'avais aucun contrôle sur ce que je faisais en studio et ça a donné un disque pitoyable. Là, je vais t'y refoutre le bordel et ça va délirer en sacrament. Je veux que Gilbert soit content.

J'enregistre mes musiciens en fonction de la folie qui refuse de me sortir de la tête et je me mets aux arrangements symphoniques. J'ai pas besoin de glockenspiel ou de harpe, mais le reste de l'orchestre va brasser jusqu'à ce qu'il s'effondre, ça se passera pas autrement, fie-moé su toé, comme disait l'autre. Je suis extrêmement décidé. L'écriture musicale note par note sur une portée pour chaque instrument et ensuite sur une feuille avec tous les instruments pour le chef d'orchestre est laborieuse pour moi, mais je m'en fous, je suis patient. Je sais écrire, mais c'est long. La musique passe mieux par mes oreilles que mes yeux... ce qui au fond est mieux que l'inverse. Quand les grandes œuvres classiques ont été composées, il n'y avait pas d'enregistreurs, c'est pourquoi elles se sont transmises par l'écriture.

En quelques semaines, je fais les arrangements pour *Ange animal* et pour *Oreste*, tirée de la pièce *Andromaque* de Jean Racine que j'appelle affectueusement Johnny, au grand désespoir des puristes que j'envoie chier chaque matin pour me mettre de bonne humeur.

J'entends parler du Philharmonique de Prague. On me dit qu'ils y ont un studio et qu'ils font des sessions pour des musiques de films parfois. Je m'embarque pour Prague et je les rejoins.

Ce sera la plus belle ville de la terre pour moi, jusqu'à ce que plus tard je rencontre Sarajevo. C'est hallucinant, je me promène dans le vieux Prague et je vous jure que si je croisais un chevalier en armure, je le saluerais sans même y penser. Je joue à me perdre. C'est facile, personne ne parle français ni anglais, le vieux Prague n'est pas si grand et il est entouré d'une muraille. On retrouve toujours son chemin en moins d'une heure. J'ai du temps à perdre, j'ai dû prendre un billet d'avion de cinq jours et je ne travaille qu'une journée avec le Philarmonique. Je note au moins une centaine de petites tavernes avec chacune une centaine des meilleures bières de la terre… juste après que j'ai arrêté de boire. Je me dis en rigolant que j'ai zéro sens du timing.

Je dois admettre que l'orchestre fait un petit saut quand j'arrive avec mes bandes, mes partitions, ma camisole et des nœuds dans les cheveux. Le chef, Leos Svarovsky, écoute *Ange animal* avec mes musiciens et ma voix, regarde les partitions. Il parle un anglais déformé par un énorme accent tchèque. D'ailleurs, je devrai toujours reproduire cet étrange accent avec lui, sans ça on ne se comprendra jamais.

Il me demande :

— Who wrrrrote tha musik ? Who did di arrangmonts ? Who is the singggar ?

— It's me, osti.

— It is grrrétte.

Cool. Il aime ça. Au boulot.

S'ensuivra une séance aussi mémorable que rocambolesque.

On fait commencer les cuivres. Ils attaquent. Criss, c'est faux, on dirait une fanfare de l'Armée du Salut sur le crack. Atroce. Je suis un peu paniqué, j'ai pas les moyens de payer un autre orchestre. Le chef me sourit, moi je ne souris pas pantoute. Il me demande :

— You record in 440 ?

— Of course cibole.

— Ah. Here is Check Republic. We work in 442.

Il pèse sur un bouton et ça accélère ma bande. Imperceptible à l'oreille. La Republic-fanfare reprend et c'est parfaitement juste. Passé proche de m'évanouir.

Le reste a été une journée de travail acharné, inspirée, dans un accent complètement fou.

— Can aïe chenge diss ? Maybi we shoude traïe datt…

— Of course, of course, go ahhhead.

Un orchestre symphonique utilise presque toujours la même prise de son. Chez les cordes, les premiers violons, qui font généralement les plus hautes notes, sont situés dans l'espace stéréophonique, dans le haut-parleur de gauche. Suivent les deuxièmes violons, qu'on entend un peu plus dans le milieu-gauche. Les altos font généralement les accords dans le milieu, les violoncelles vers le milieu-droit, et les contrebasses complètement à droite. Ce qui fait que si une mélodie de cordes part dans les très hautes notes pour finir dans les extrêmes graves, on pourra clairement l'entendre se déplacer de gauche à droite. On enregistrera *Oreste* comme ça.

Pour *Ange animal*, le chef me fait remarquer, avec son inénarrable accent, que mes arrangements sont quand même assez rock. J'ai évidemment fait le mur, donc j'ai fait jouer ma merveilleuse guitariste Paule Magnan deux fois. Une prise dans le haut-parleur de gauche et l'autre dans le haut-parleur de droite. Ça a fait mon « wall », mon « mur de son ». Alors le chef me dit :

— We shoude dou saïme thing wit orchestra.

On fait donc la même chose avec l'orchestre. Le Philharmonique au complet joue tout une fois à gauche, puis recommence tout une fois à droite. Ça fera plus de cent vingt musiciens. Je tombe sur le cul tellement ça sonne l'enfer. Du béton armé.

Une fois la session terminée et tous les musiciens officiellement en burnout, je demande au chef :

— Comment dit-on en tchèque « l'ange est animal » ?

— Phonetically, it is : Andiel ze svige.

— Et comment dit-on « le poète est fou » ?

— Basnik ye blazen.

— Thanks a lot ben gros, chief.

Je reviens à Montréal et convoque ma chorale habituelle, le People's Gospel Choir, et les force à chanter en tchèque. J'en pleure de rire. Ils sont tous anglophones et je les force à chanter avec moi en français, italien, latin et maintenant tchèque. Bref, tout sauf en anglais. Ils sont gentils, les chanteurs du People's Gospel Choir. C'est une chorale gospel, comme son nom l'indique, et moi je sacre comme un redneck qui vient de trouver sa femme au lit avec son cousin. M'en rends même pas compte. Ils sont convaincus que la foudre va nous exploser la gueule, mais ils chantent de tout leur heart. Difficiles, les accents, et dangereux, les blasphèmes. Super gentils. Je les aime bien.

Astheure, faut mixer ça. Je me suis fait plaisir, et je veux que ça fasse plaisir à Gilbert. Alors ça crée des problèmes techniques. J'essaie désespérément de synchroniser les osties de douze millions de pistes tchèques avec les quatorze millions de pistes québécoises, en résistant à la très douce envie de sacrer les maudites machines par la fenêtre. Le studio a un enregistreur 24 pistes, tous les studios ont ça. On devra en linker deux, j'ai trop d'instruments. L'automatisation de consoles étant, en 1995, très limitée, ça se faisait pas mal à la mitaine. Dix mains, chacune responsable d'un mouvement précis à un moment précis et quand une des mains ratait son cue, t'avais quatre gars qui voulaient tuer le cinquième.

Ça a pris dix heures et une sérieuse tournée générale une fois fini. D'autant qu'on a été interrompus en pleine session…

LA MORT DE PIERRE

Raymond Du Berger, le propriétaire du studio, vient me chercher. À voir sa gueule, on dirait que sa femme vient de lui annoncer qu'elle est amoureuse d'une équipe de hockey en entier.

— Qu'est-ce qu'y a, son Raymond Du Berger ? T'as une face de faillite.

— Téléphone pour toi, Dan. De Paris, ça a l'air important.

Crampe au cœur et très mauvais pressentiment, je vais prendre le téléphone au bureau. C'est Françoise, la blonde de Pierre.

— Salut Françoise, c'est la merde ?

— Ben, tu sais Dan, ce n'est pas comme si c'était une surprise, ça fait dix-huit ans qu'on s'y attend.

— Il lui reste combien de temps ?

— Une semaine, deux semaines, deux jours ? Je ne sais pas.

— Comment vous avez su ?

— Ben on était tous les trois, Chatoune, Pierre et moi en train de souper...

Chatoune, c'est la fille de Pierre. Une fille adorable que moi j'appelle affectueusement salope parce qu'elle me force tout le temps à faire la vaisselle.

— ... et on rigolait comme des malades. Pierre a eu envie de pisser, alors on l'a soutenu jusqu'aux WC et je lui tenais la quéquette comme d'habitude, sauf que je visais partout sauf dans la toilette tellement on riait et tout d'un coup, il nous a demandé si on lui avait donné sa pilule. Tu sais, la petite pilule pour le tuer si vraiment on considérait tous que c'était assez. Je lui ai répondu : « Ça va pas la tête ? Tu crois vraiment qu'on rigolerait comme des bossues si on t'avait donné ta pilule ? » On a compris qu'il y avait quelque chose qui clochait. On l'a amené à l'urgence et ils nous l'ont renvoyé. Terminé.

— Il peut parler ?

— Oui oui. Je te le passe. Je t'embrasse très fort.

— Moi aussi, je t'envoie toute ma tendresse. Embrasse très fort salope pour moi.

— Allo…

Une toute petite voix éteinte, chevrotante. Criss, ça sent la mort même au téléphone. Ça saisit. J'essaie de faire l'imbécile.

— Ça fait que t'es foutu ? Tu fais chier, hein.

J'ai les yeux rouges mais je me contrôle. On parle de lui, pas de moi. Il me répond faiblement :

— Eh ben, j'ai quand même fait tout ce que j'ai pu.

— Je sais bien. Je suis surpris quand même, je te croyais immortel. J'ai arrêté de boire en très grande partie grâce à toi. J'étais certain de plus jamais pouvoir écrire une toune, j'en ai finalement écrit plein, j'ai remué un peu le ciel et beaucoup l'enfer pour les enregistrer, j'ai même fait sacrer des évangélistes, je te dédie mon disque de miraculé, ton nom est déjà imprimé sur la pochette, et toi, tu fous le camp comme un voleur. J'ai pas écrit « in memoriam » osti, je l'ai dédié à un vivant mon disque, au plus vivant.

— Ah, mais change rien, je te fais mille bisous pour ça. Si tu savais le plaisir que ça me fait.

Silence.

— Le son est bizarre. T'es où ?

— Chez moi. Sous une tente à oxygène.

— Qu'est-ce tu fous avec tes patients ?

— Ben, je continue de les voir. Ceux qui ne sont pas capables de voir ma gueule, on fait ça au téléphone. Tu sais, si je meurs bien, ça va les aider.

Je réfléchis à toute vitesse.

— T'es capable de toffer vingt-quatre heures ?

Je l'entends presque sourire de ma question d'enfant têtu.

— Je vais faire ce que je peux.

— Ok, watch ben. Je fais des ruff mix à toute vitesse, pis je m'arrange pour que t'aies ça en deux temps trois mouvements. Kekpart, c'est ton osti de disque, cette affaire-là. Faque grouille pas, je t'envoie ça.

Avoir un but important et urgent me donne le courage de raccrocher. En quelques heures, ruff mix de toutes les tounes, surtout *Ange animal* avec le Philharmonique. Même quand je la chante tout seul, c'est sa favorite. Je fous la cassette dans un taxi. Taxi-Mirabel, Mirabel-Charles de Gaulle, Charles de Gaulle-taxi, livré chez lui à Paris à neuf heures le matin... pour rien. Pierre Cazenave est mort.

Déception dans un premier temps, mais ensuite je me dis que c'est pas si grave. L'important, c'est qu'il a su que je la lui dédiais et pourquoi. Mon disque s'appelle *Le fou du diable* et Pierre Cazenave a réussi à déjouer tous mes diables, le plus visible de tous étant l'alcool. Sans lui, je me demande si j'aurais trouvé la force, le moteur pour arrêter. J'en retiens que la mort finit tout le temps par gagner, mais que c'est pas une raison pour se faire chier en attendant.

LA MORT DE GILBERT

Après des semaines de travail, j'ai un mix final du *Fou du diable*, et en particulier d'*Ange animal.* Même le mastering est bien foutu, je suis content. Je compte le nombre de chanteurs et musiciens sur la chanson. On est au-dessus de cent cinquante. Je trouve qu'il est grand temps de réparer ma bêtise du premier disque de marde et d'aller faire écouter à mon ami Gilbert ce qu'est un vrai *Ange animal.*

Merde, Gilbert est à l'hôpital. Et pas en psychiatrie cette fois. Il était dans une telle phase maniaque qu'il ne s'est même pas aperçu qu'il avait de graves ulcères d'estomac. Un d'eux vient de crever et il est doucement en train de mourir.

Je commence à prendre ça dur. C'est ma grande névrose. Peur que les gens que j'aime meurent. À chaque fois que je vais en tournée en Europe, aussitôt arrivé, je saute sur le premier téléphone disponible et appelle aussitôt chez moi pour vérifier des conneries. En fait, je m'en apercevrai des années plus tard, je vérifie que personne ne s'est tué. C'est compulsif.

Alors, je me dis que celui-là, contrairement à Guillaume, je vais pas le rater. Je m'achète un énorme ghetto blaster, je fous la cassette dedans et me pointe aux soins intensifs de l'Hôpital Notre-Dame. Ça m'a encore une fois démontré, si besoin était, que les choses épouvantables et les belles choses ne sont pas séparées comme dans les films. L'agonie de Gilbert nous a fait vivre un moment extraordinaire dans sa tristesse. C'est ça les poètes.

J'arrive au chevet de mon beau Gilbert. Sa merveilleuse belle-fille Katherine est à ses côtés pour l'aider à mourir dans la tendresse.

— Salut Gilbert.

Il me fait un maigre sourire. Il souffre.

— Je te demande pardon pour l'*Ange animal* que je t'ai livré en 1990. Je viens de le refaire en entier. On doit être à peu près cent cinquante dessus. Pour moi, c'est ça, un vrai *Ange animal*, pas la cochonnerie pop que t'avais entendue. Je voulais te le faire écouter. Ça te tente-tu ?

Il me refait un sourire. Je pars la cassette. Il écoute la chanson. Et puis silence. C'est comme s'il reprenait son souffle. Il murmure :

— Encore.

Je la refais jouer, mais je grimpe le son. Il l'écoute comme en extase, ce sont ses propres mots avec une vraie musique. Il fait doucement bouger ses mains comme s'il dirigeait l'orchestre, il sourit encore plus…

— Encore.

Là, j'ai grimpé ça au coton. La pièce veut arracher, les murs tremblent. Il est heureux et moi aussi. Un moment de bonheur complice avec mon Gilbert d'amour. Je ne me rends pas compte que j'ai peut-être tué les autres patients, on est aux soins intensifs quand même, mais les infirmières ne m'ont pas arrêté. Elles ressentaient peut-être notre moment d'exception.

HELL'S FIF

« Quand je me vois jouer, ça veut dire que j'ai raté mon coup. »

Je rencontre le cinéaste Claude Fournier et sa femme et productrice Marie-José Raymond qui veulent me proposer de chanter le chef-d'œuvre de Raymond Lévesque, *Quand les hommes vivront d'amour*, sur leur nouveau film *J'en suis*. Au fil de la discussion, j'ai plein d'idées de musique pour leur projet, et ils m'engagent pour la faire. C'est ma première musique de film à vie et ça m'amuse beaucoup.

Claude me téléphone et me demande si j'aimerais avoir un rôle dans le film, tout petit, juste une scène, un caméo. Il m'explique la scène et je pouffe de rire. Je serai un motard toff qui s'efféminise en quatre mots. Foudroyant. Je tourne la scène, et je finis la musique.

À la première, qui a lieu au Forum de Montréal, Claude fait plein d'entrevues. Je passe à côté quand il mentionne à une télé en direct que je joue un « Hell's fif » dans le film. Un frisson d'horreur me parcourt la colonne et je lui coupe la parole.

— Ça t'écorcherait la gueule de dire un motard gai ?

En une phrase, il me met dans marde avec deux gangs, pis il y en a une des deux que chus pas certain de leur sens de l'humour.

Un projet est toujours une audition pour le prochain, alors ça se parle un peu dans le milieu et je me fais engager pour faire la musique d'une télésérie avec Ginette Reno, *Une voix en or*. Puis je jouerai dans *Juliette Pomerleau*, *Tag*, *Le Dernier Chapitre I* et *II*, *Les Guerriers* de Micheline Lanctôt, *René Lévesque*, *Le Goût des jeunes filles* de Dany Laferrière, *30 Vies* de Fabienne Larouche, etc. Bref, avec la gueule que j'ai, on m'appelle pas souvent pour la nouvelle petite comédie romantique de l'année. Je sais pas pourquoi…

Farce plate à part, jouer un rôle, c'est comme faire de la musique. La différence avec un show de musique, c'est que l'acteur joue à être quelqu'un d'autre, alors que le chanteur joue à être lui-même… en plus fort. Si je rentrais chez moi en hurlant « J'ai inventé le désespoir » ou « Tue-moi ! », ma famille me dirait probablement d'aller me faire soigner.

L'acteur et le musicien ont ceci en commun : s'il n'y a pas un complet abandon, tu « n'es » pas le personnage, tu le joues et tu as tout raté. Quand je me vois jouer, je me déçois énormément. Mais bon, des fois, je chante faux aussi. La vie…

BONG BONG BONG

Quand j'étais petit, je me suis mis en colère après le seul petit gars qui acceptait de jouer avec moi. Et mon père me disait que si je continuais comme ça, je n'aurais pas beaucoup d'amis. Je savais qu'il avait raison, mais je trouvais que mon père était quand même pas gêné de m'emmerder avec ma colère ; c'est lui qui me l'avait plantée calvaire.

Et mon nuage noir qui revenait sans cesse m'isoler de ceux qui auraient pu me ramener à eux, aux autres. No wonder que ça m'a pris ben du public, ben des aventures pis ben de la boisson pour revenir à quelqu'un. Le handicap de la rage peut mener à la folie, et ça sera la faute des autres bien sûr. Je me dis qu'il faut absolument que ça soit ma faute, sans ça je ne pourrai jamais rien changer, j'ai juste du pouvoir sur moi. Je vis comme ça maintenant. J'aime bien que ça soit de ma faute, ça me donne une poigne sur les éléments.

Ça m'a pris du temps, mais par la folie de la musique, les partys, la dope, je me recommence et même un peu réinvente. Perdu dans une très grande forêt d'amours et de passions. Mes amours changeaient, donc j'étais souvent seul. Je recommençais toujours tout à zéro. Puis je tombais amoureux et l'amour me terrorisait, c'était le seul qui pouvait me tuer s'il m'abandonnait, alors je m'abandonnais de mes amours. Comme ça, je me faisais pas laisser. Toujours. Merde.

Quand est-ce que la relation se transforme ? Avant, mon amoureuse pépiait comme un petit oiseau et mon cœur et mon cœur... Maintenant, on regarde un film d'enquête et elle se met à parler juste au moment où ils disent le nom de l'assassin.

C'est ça, être affecté de la maladie de mal aimer. T'as juste jamais appris. Tout ce qui est normal pour les autres est hypersensible chez toi et tu n'en viens pas à bout. Tu te sens nul, inadéquat et méchant. Les autres ont quelque chose que tu n'as pas. Plus facile de passer de l'une à l'autre, mais ce qui était plein de vie au début n'est maintenant qu'un miroir de ton incompétence, de ta paralysie d'amour. Tu tournes en rond en chaise roulante avec un flat de la couille gauche et tu sais très bien que c'est toi l'handicapé du cœur. Le rejet sexuel n'a pas vraiment de profondeur, de racines. Le rejet amoureux me replonge dans les solitudes infernales de l'enfance du petit Daniel.

Tout est devenu beaucoup plus facile quand mon fils est arrivé. Un enfant, ça brise les fantômes. Les fantômes peuvent te traîner avec eux jusque dans la mort, plusieurs vivants se font prendre. C'est très tentant. Ils sont morts, mais pas ton amour pour eux, toi tu trouves ça très vivant. Tabra dira que « les morts ça baise avec les morts, toi tu es vivant ».

Mais un enfant, c'est de la vie, c'est la vie pure. Il veut des bisous, des câlins, manger, être rassuré. Et là, tu regardes tes fantômes et tu dis : « Désolé, c'est pas que je vous aime pas, mais là j'ai plus le temps. » Ton fils te tire vers la vie. Et tout ce qui t'énervait chez les autres ne t'énerve plus, et tu sens bien qu'ils sont gentils et que tu n'es peut-être pas si handicapé que ça. Tu comprends que tout existe, que tu n'as pas besoin de courir très loin, ça t'attendait juste ici. Tu rentres d'un show à cinq heures du matin et tu te relèves à sept heures pour faire son lunch, le lever, le chatouiller, l'aimer, le porter à l'école, et c'est pas grave, t'es juste crevé, pas magané, tu bois plus. Il est heureux et tu l'es aussi jusqu'au plus profond de ton âme. Juste ce petit moment du matin ne s'effacera jamais, tu le réécriras dans un petit livre vingt ans après avec les mêmes émotions qu'au premier jour.

L'après-midi tu devrais faire une sieste, mais tu es trop heureux, tu ne dors pas, tu fais l'amour à ta blonde et on déconne toute la journée. Ensuite tu travailles dans ton studio et tu vas le chercher à l'école et tu passes une fantastique soirée d'amour de famille.

Le soir, tu commences à vraiment être crevé et il n'a aucune envie de se coucher, il est heureux, il veut jouer, il veut des histoires. Tu joues, tu racontes toutes les histoires et tu es en train de tomber, épuisé de bonheur. Tu voudrais tellement dormir.

— Olivier, il faut dormir mon amour.

— Pourquoi papa ?

— Parce que… parce que c'est la nuit.

Et il se couche. Quand tu lui donnes une raison valable, il obéit. Sans ça il est têtu comme un coffre-fort de paradis fiscal et j'en suis fier. De ma douce voix, je lui chante une berceuse. Il survit. Alors je tombe comme une masse, j'ai l'impression d'avoir vu mon oreiller attaquer ma face et…

Bong bong bong, Olivier saute à quatre pattes dans notre lit.

— Olivier, pourquoi t'es réveillé ?

Et il répond en rigolant et en sautant de plus belle :

— Parce que c'est le jour !

Bong bong bong. Pour moi le bonheur c'est l'amour, l'amour c'est mon fils, et mon fils c'est bong bong bong.

LADY ALYS

Ce soir, je joue au Grand Théâtre de Québec. C'est très émouvant. Pour moi, tout a commencé ici, j'étais un ti-gars de rue et je suis devenu un musicien. Et là, je reviens par une ostie de grande porte. En fait, j'ai une extinction de voix, mais je crois qu'elle va revenir juste à temps. Je suis sûrement plus énervé que je le croyais.

En arrivant pour le test de son, je tombe sur le propriétaire de la salle qui me demande :

— Devine qui est venu chanter ici hier soir ? Alys Robi.

— Hein ? Ça c'est une belle nouvelle. Chus content, si y en a une qui l'a eue dure…

— C'est pas tout, devine ce qu'elle a chanté ?

— Aucune idée.

— *Mes blues passent pus dans porte.*

— Tu me niaaaaises. Wow !

Qu'est-ce que vous croyez. Le lendemain, je suis sur le téléphone pour la retrouver et l'inviter au Show du Refuge. Elle accepte avec enthousiasme.

La journée du show, elle vient pour la répète générale. En attendant son tour, elle boit du cognac. Ça, c'est une moins bonne idée. Elle commence à se désorganiser et frappe même un de mes techniciens avec sa canne. Lui brise presque un tibia.

Le soir, elle embarque sur scène et donne son show. Une bête de scène. Je comprends pourquoi elle est devenue une si grande star. Elle chante avec tout ce qu'elle a, elle donne littéralement tout, les gens sont debout dans la salle. À la fin de la toune, elle te fait un de ces « drop mike » à la « Obama out » qui a fait trembler le Spectrum. Elle n'avait évidemment pas averti les techniciens qui avaient donc laissé le micro ouvert à plein volume. On a tous eu une légère impression d'essai nucléaire, mais elle a quand même eu son ovation. J'étais super content.

Fin de la première partie, m'en vais dans ma loge avec mes musiciens préparer la deuxième. Mouffe arrive et me dit :

— Alys est furieuse. Elle vient de se rendre compte qu'elle a juste une toune alors que tous les autres en ont deux.

— Calvaire, elle a ben qu'trop raison. C'est de ma faute, j'y ai pas pensé. Je voulais pas mal faire. J'vas aller y parler.

Je me rends à sa loge et garde quand même mes tibias à distance prudente.

— C'est absolument mon erreur, Lady Alys, mais on va réparer ça tout de suite. Si vous êtes d'accord, je vais vous faire faire la dernière toune, vous allez faire le rappel vous-même, ça va être une fin de show suprême. Qu'est-ce que vous aimeriez chanter ?

— Tu connais-tu le *Amazing Grace* ?

— Bien sûr, je vais vous faire ça avec plaisir. Vous le faites en quelle clé ?

Et je me mords les lèvres. Trop tard, j'ai dit une niaiserie. Je me sens comme sur une chaise électrique avec les cheveux mouillés.

— JE LE SAIS-TU, MOI ? J'vas la partir pis tu me suivras.

J'ai aucun problème avec ça. Je devine les tonalités rapidement, pis je peux suivre à peu près n'importe qui, je le fais depuis les bars. Surtout le regretté Freddy Boudreau, qui m'a formé sans le savoir. La première qualité d'un musicien, c'est pas sa virtuosité, c'est son écoute... comme pour un acteur, d'ailleurs.

On finit le show, arrive le rappel et Alys commence. Je devine que c'est en la. Bingo, ça roule. Je la suis. C'est un peu acrobatique, elle est pas juste allergique aux tonalités, elle l'est aux tempos aussi. Au milieu du premier couplet, elle est rendue en do. Je la suis. J'ai décidé de laisser mes musiciens en dehors de ça et de la suivre moi-même. Cibole, elle change de clé à tout bout de champ, j'ai même pas compté, mais je l'ai suivie jusqu'à la fin.

Ça a bien fini le show, tout le monde est content. Moi je suis un peu en sueur, mais heureux moi aussi. Le Refuge va être financé une autre année.

Mouffe redébarque dans ma loge.

— Dan, Alys te cherche pour te tuer, elle dit que t'as fucké son *Amazing Grace*.

À chaque fin de Show du Refuge, je reste avec tout le monde. Je suis toujours le dernier à partir. Pas ce soir. J'ai tellement crissé mon camp vite que le courant d'air doit encore tourner aujourd'hui. Quand j'étais jeune, un Popeye (ancêtre des Hells) m'avait fait traverser la vitre d'un bar, mais c'était pas la moitié de la terreur que je ressentais ce soir-là. À partir de désormais, je vais interdire l'alcool tant que le show est pas fini.

Je sourirais presque à ce souvenir si ce n'était la triste constatation qu'Alys était notre plus grande star à l'époque et qu'elle a souffert jusqu'à sa mort. Dans son temps, personne ne connaissait la dépression ou la bipolarité en tant que telles. Les seuls traitements étaient épouvantables, entre autres des électrochocs. On traitait la maladie mentale avec une violence inouïe, comme tout ce qu'on ne connaît pas et qui nous fait peur.

Quoique dans l'histoire il ait été dit qu'Alys Robi fut lobotomisée, je n'y crois pas une seule seconde. Chanter *Mes blues* en étant lobotomisé est une impossibilité médicale. Chose certaine, elle a été maltraitée de façon épouvantable.

LA DERNIÈRE POUPÉE RUSSE

Quand maman a commencé à perdre la tête à cause de son lupus, elle faisait tout pour le cacher. Un jour, elle conduisait sa petite Subaru et j'étais sur le siège passager. Elle est sortie d'un stationnement sans regarder, j'ai vu clairement qu'une voiture allait nous percuter de plein fouet.

— Maman, attention !

— Ah, j'haïs ça quand tu me dis comment conduire !

— Maman, on allait se faire rentrer dedans.

— Pantoute. En plus, il y a juste toi qui me fais ça.

Elle veut mettre ça sur mon dos, « spy »chanalyste de merde. Mais j'ai appris à jouer moi aussi, alors je souris et fais comme elle :

— C'est drôle, moi il y a juste à toi que je fais ça.

Elle contre hypocritement :

— Ahhh, intéressant. Tu fais ça juste à ta mère ?…

Je la regarde en coin, elle me regarde aussi. On se dévisage deux secondes… et on pouffe de rire. Maudit qu'elle est hot en manipulation. J'ai encore des croûtes à manger.

Un jour d'automne 1998, tôt le matin, je suis dans mon camion, j'arrive à Montréal. Ma mère me téléphone.

— Daniel, viendrais-tu me chercher ?

— Ben sûr, je suis pas loin en plus. Qu'est-ce qu'il y a ?

— Je saigne du cul.

— Hein ! Depuis quand ?

— Hier.

— Criss, t'étais pas foutue de m'appeler avant ? Bouge pas m'man, je vais être là dans dix minutes.

Toujours la même chose. Elle n'est jamais claire sur sa santé.

Un lupus est vraiment une saloperie. Le système immunitaire s'en prend au corps au lieu de le protéger. Il y a quelques années, cette saloperie s'est attaquée à ses poumons aux Îles-de-la-Madeleine. Elle a failli mourir noyée dans son propre sang, une horreur. Elle a été rapatriée en avion-ambulance. Depuis, elle ne s'éloigne plus de Montréal.

J'embraye et brûle une couple de lumières rouges. J'arrive devant chez elle, me stationne en double et monte les escaliers à la course. Je la trouve dans son salon, assez pâle.

— Tu veux que je te porte ?

— Je peux marcher.

On descend par l'ascenseur. Une fois dans mon truck, elle me dit des choses qu'elle m'a déjà dites plusieurs fois auparavant et me reproche de n'avoir pas fait des choses que je me souviens très bien d'avoir faites. Une petite lumière rouge s'allume dans mon cerveau.

À l'hôpital, pendant qu'ils la soignent, des images passent dans ma tête. Elle a passé plus d'une fois très près de faire des accidents, elle semble très distraite et oublie tout. C'est alarmant.

Le médecin vient me voir.

— On va la garder le temps de bien comprendre ce qui lui arrive.

— Merci. Dis-moi, peux-tu aussi examiner sa tête, elle n'est plus claire du tout. Il y a quelque chose.

— Pas de problème, on s'en occupe.

Il me rappelle le lendemain.

— Tout va bien, j'ai discuté avec elle. Elle m'a parlé pendant une demi-heure de sa maladie.

— Ben oui. Moi avec, je peux te parler de mon alcoolisme pendant une demi-heure pis tu verras même pas que je suis saoul, on est experts dans nos affaires. Je te dis qu'il y a quelque chose.

— Ok, je te rappelle.

Il me rappelle vers la fin de la journée.

— Ayoye, ça va pas bien. Effectivement, tant qu'on lui parle de sa maladie, elle est passée maître pour noyer le poisson. Je lui ai parlé d'autre chose et c'est clair qu'il y a un problème.

— Merde.

— Je lui ai proposé de l'aide en psychiatrie, mais ça n'a pas eu l'air de l'enchanter.

— Mets-toi à sa place, la moitié de ses collègues travaillent là.

— Je lui ai tendu un piège. Je lui ai demandé si elle voulait aller en gériatrie. Elle m'a demandé si ce n'était pas pour les gens qui n'étaient plus capables de s'arranger seuls, je lui ai répondu qu'au contraire, c'était pour les gens qui se cherchaient des trucs pour s'arranger seuls. Ça l'a prodigieusement intéressée. Alors on lui a fait passer des tests, elle a tout échoué. On lui a fait faire la cuisine et elle a mis le feu.

Merde merde merde.

— Je vais passer demain matin.

Le lendemain, je me présente et le médecin vient tout de suite me voir. Je lui dis :

— Écoute-moi ben, je suis pas une petite fille de huit ans. La seule chose qui me met dans tous mes états, c'est de ne pas savoir. Ça fait que tu prends pas de gants pis tu me dis tout.

— Bon. Il va falloir que tu te prépares à travailler avec le terme « démence ». Ta mère se promènera pas avec des couteaux demain matin, c'est pas *Fatal Attraction*. En fait, ça ressemble à de l'Alzheimer mais c'en est pas. On sait pas encore quoi, mais je peux t'annoncer qu'elle ne conduira plus jamais son auto, je lui ai fait retirer son permis ce matin, et qu'il y a des chances qu'elle ne rentre plus jamais chez elle.

Ainsi a commencé la fin de ma mère.

Le soir dans sa chambre d'hôpital, je me sens mal. Sa journée l'a fatiguée et elle ne peut plus parler. Je voudrais bien passer la soirée avec elle, mais là c'est la répète générale du Show du Refuge au Spectrum. Toute mon équipe est là à m'attendre. Il faut que je parte, mais je m'en sens incapable. Elle me regarde tranquillement. Je suis sûr qu'elle ne comprend rien, ça ne me sert à rien de lui expliquer. Et soudain, je vois une lueur dans son regard. Elle me sourit et me marmonne du mieux qu'elle peut :

— Scram.

En français : décâlisse. Je la regarde en souriant. Elle m'étonnera toujours. Je lui fais un bisou sur le front et vais m'occuper de mon Show du Refuge. Ce sera un de mes plus durs. J'ai ma mère dans le cœur toute la soirée, et je prie je sais pas qui ou quoi pour qu'elle ne meure pas pendant le show.

Après le show, la pression tombe et pour la première fois, je pleure. Je retourne discrètement à l'hôpital. Je la regarde dormir paisiblement. Une infirmière me rassure : ça ne sera pas pour ce soir.

Son état se dégrade tous les jours. Ils sont obligés de la nourrir avec un tube dans la gorge. Évidemment, maman passe son temps à l'arracher, alors ils l'ont attachée à son lit. Mon frère est arrivé à l'hôpital pour la découvrir dans son lit, baignant dans ses déjections, sa perruque dans le visage. Il était sérieusement fâché, mais en même temps, il voyait bien que les infirmières passaient leur temps à courir partout comme des folles. Quand on n'arrête pas de couper dans les services, ce sont des drames comme ça qu'on crée tous les jours.

Puis un jour, Cybelle téléphone à mon frère. Cybelle fait partie de ces infirmières haïtiennes super solides qui ne se laissent pas facilement impressionner, elles en ont vu du monde mourir. Elle dit à Jean-François :

— Ça suffit maintenant, votre mère n'en peut plus. Elle doit partir.

Que Cybelle soit si bouleversée nous secoue, mon frère et moi. Ma mère a toute sa vie milité pour le droit de mourir dignement. Il serait de la dernière indécence de passer outre à sa volonté. Le problème est le consentement. Peut-elle donner un consentement éclairé ? Le soir, non. Mais le matin, elle est généralement lucide.

— Bon, on va voir ça demain ?

— Oui. À demain.

Le lendemain matin, Jean-François et moi sommes dans la chambre de ma mère. Je suis assis en face d'elle et mon frère est un peu en retrait. Je lui dis :

— Cybelle nous a appelés.

Elle me regarde droit dans les yeux. Aujourd'hui, elle est parfaitement réveillée.

— Je sais.

— Elle dit que tu n'en peux plus et que là c'est assez, tu dois partir.

— C'est ça.

Je regarde la multitude de tuyaux, de fils et de machines qui entourent ma mère. Je me dis que c'était peut-être facile d'en parler hier, mais aujourd'hui c'est beaucoup plus impressionnant. J'avale difficilement ma salive.

— Maman, va falloir être extrêmement précis. Tous tes tuyaux, tes fils, je suis parfaitement capable de revenir cette nuit et de tout arracher. Je m'arrangerai avec nos lois d'attardés plus tard…

Elle me regarde toujours dans les yeux le regard clair, presque impitoyable.

— Mais maman, avant, il faut que je sois sûr à cent pour cent. Veux-tu partir ?

— Il me semble que j'ai été claire, OUI.

Moment de silence. Pendant que je visualise, assez anxieux, ce que je reviendrai faire dans la nuit, mon frère a une impulsion. Il me tasse et va se planter droit dans le regard de maman. Il lui demande à un pouce du nez :

— Maman, veux-tu mourir ?

Elle lui répond, pas contente :

— Non, je veux rentrer chez moi !

Ooosti ! Je saute trente pieds dans les airs. Mon frère me regarde avec un air bizarre, et je fous le camp, absolument bouleversé. J'ai presque tué ma mère, pour vrai. Pas que j'en aie jamais eu envie, mais là c'était pour vrai, c'était pas du Xavier Dolan. J'en tremble physiquement.

Le même soir, je demande à l'hôpital de m'appeler si la pression de ma mère baisse. Je veux être avec elle, je ne veux pas qu'elle meure seule. Elle mérite que je lui tienne la main et lui parle doucement.

En nombre insuffisant, les infirmières de l'hôpital ne faisaient que des rondes aux demi-heures... et elles l'ont échappée. Ma mère est morte seule, sans moi, sans nous, le 27 novembre 1998. La différence n'était pas vraiment pour elle, mais pour moi. Je ne sais pas comment on s'arrange avec sa propre histoire quand on a tué sa mère.

Dans ses derniers moments, je l'ai soignée, lavée, je lui ai parlé même quand elle ne répondait plus, mais je l'ai fait mécaniquement, presque froidement, avec une tendresse authentique mais vide de communication, comme elle me l'avait enseigné. J'ai fait comme elle. Elle n'aurait, de toute façon, pas supporté les câlinours qu'on ne s'était jamais donnés. J'aurais bien voulu, mais ce qu'elle m'a appris toute ma vie ne se désapprend pas magiquement comme ça.

Son corps mort ne m'a rien fait. Je me suis trouvé monstrueux dans ma façon de l'aimer, mais avec elle, je n'en connaissais pas d'autres.

Mon rapport avec la mort changeait, mais elle, elle s'amusait à se rapprocher. Plus le temps avançait et plus je sentais comme une forme de deathwish sur la famille. Après la mort de Guillaume, papa, Cazenave, Gerry et maman, j'étais sûr d'être le prochain. La salope se rapprochait, m'observant avec un sourire carnassier. M'en fous. Je l'ai envoyée temporairement chier et j'ai fait toute la vie et tout l'amour que j'ai pu, dans un combat que je perdrai le plus tard possible. Je veux bien me battre contre mes diables, mais je ne me battrai pas contre la nature.

Je le dois à Pierre Cazenave. Les grands vivants, ça existe au temps des seigneurs.

PRO-VIE

Des années plus tard, Jean-François et moi reparlerons du presque meurtre de ma mère, à table chez lui, pendant que les enfants sont au salon. Il me sourit de sa belle face calme.

— T'sais, j'étais pas fâché du tout, c'est juste que personne avait prononcé le mot « mourir ». J'étais complètement d'accord avec toi, j'ai juste demandé ça par acquit de conscience.

— Une ostie de chance que tu l'as fait...

Je retiens un enseignement important de cette histoire. Les conservateurs qui se nomment eux-mêmes « pro-vie », encore une fois, ne sont pas plus pro-vie que je ne suis pro-mort ; ils sont anti-choix. Pro-guerres, pro-peine de mort, mais contre l'euthanasie et l'avortement... Ces gens diront qu'au moment de la fin de ma mère, je n'avais qu'à laisser les choses suivre leur cours, mais ce n'est pas du tout mon avis.

Ce que je crois, c'est que tant qu'on refusera de faire ce débat important jusqu'au bout, les médecins ne suivront pas l'évolution d'une maladie mortelle de la façon dont on doit la suivre quand l'euthanasie peut devenir une nécessité. Ce faisant, ce sont les enfants qui seront obligés de le faire ou de laisser souffrir leur parent.

ROGER BOUARITZ

L'ai jamais appelé Roger ni Bouaritz. Pour moi c'est Tabra. Comme certains enfants m'appellent Danbigras en un mot parce que pour eux, c'est littéralement un seul mot. Il y en a même eu un qui m'appelait Madamebigras... en un mot.

En fait, je l'appelle Tabra ou la Mitraillette, tellement la poésie lui sort à coups de balles d'AK47. Il fusille des perles avec une rapidité à foutre la honte à Lucky Luke. Poète nomade maintenant établi à Montréal, Tabra s'est fait connaître en écrivant des chansons fantastiques avec celui qu'il appelle affectueusement son petit bonhomme, Éric Lapointe. Ils ont une relation un peu père-fils.

Je l'ai fait engager par la production pour travailler sur la série *Une voix en or*, avec Ginette Reno, Cathy Verney et Sami Bouajila, tournée au Québec et en France. On est dans mon studio, soit le studio B chez Multisons, rue Beaubien. Je lui explique l'histoire :

— Bon, la petite habite dans l'Ardèche. Sa mère a toujours voulu être une chanteuse, mais elle y a renoncé pour être avec sa petite. Elle s'est pogné un cancer et est morte. La petite veut se venger en montant à Paris pour devenir elle-même chanteuse.

— Donc, elle est en pétard et s'impose le même exil que sa mère mais à l'envers ?

— Yep.

— Ok, c'est parti.

Il faut fuir son histoire
Pour ne plus lui dire tu
Mais à chaque départ
C'est toujours soi que l'on tue

— Et toute cette merde qu'elle fuit, elle la traîne partout forcément ?

— Forcément.

— Ok.

Mais comment fuir l'absence
Quand on la porte en soi
Les portes du silence
Ne se referment pas

Je lui dis pas à quel point je frissonne. Il est exactement au cœur de l'histoire. Tous les poètes devraient être psys, on sauverait un temps fou.

— Ça prend un refrain pis on est parti, je te finis la musique.

— Si je comprends bien, elle est rancunière ?

— Yep.

— Ok.

Je me souviens de toi
Je me souviens de nous
Il était une fois
Je me souviens de tout

Je regarde ma montre.

— Quarante-cinq secondes.

— Quoi quarante-cinq secondes ?

Je lui réponds en riant :

— Ça t'a pas pris une minute pour écrire ça, pis t'as déjà résumé toute l'histoire.

J'ai tellement aimé le trip que j'ai rappelé Tabra pour mon album *Le chien*. Même scénario, on est dans mon studio, pis moi, je m'amuse à le faire accoucher, pis chus pas timide des forceps. L'écriture, c'est pas fait pour se crosser le cerveau.

— Tabra, écris-moi en une phrase la plus grande peine d'amour.

J'ai inventé le désespoir

Bam ! Il m'envoie ça comme si c'était rien.

— Bon ben, quatre phrases pis j'ai un refrain.

— Ok.

J'ai inventé le désespoir
Et pour la couleur de nos soirs
Pour faire semblant de ne plus te voir
J'ai inventé la couleur noire

Re-bam ! En pleine gueule. Me demande ce qu'il a vécu pour pondre ça, mais il n'aime pas en parler.

— J'ai une musique dans la tête. Si tu me sors deux phrases à la fin du refrain, on a une toune.

— Ok.

Et pour la couleur de nos jours
J'ai inventé le mal d'amour

On s'est amusés avec l'idée d'écrire pour nos fils, on a chacun un petit garçon du même âge. Il m'accouche une rafale de poésie qui me frappe loin en dedans. Je commence à composer la musique. Il manque quelque chose et c'est pas sa faute, c'est moi. Ça m'énerve.

Au bout de quelques semaines, je renonce. La toune ira pas sur le disque. Faut que je l'annonce à Tabra. Il va être ravi osti, mais je peux pas ne pas lui dire. Je l'appelle vers les dix heures le matin. Comme de raison, il est mortifié.

Dix minutes après, miracle, mon téléphone sonne. C'est Éric.

— Salut le grand. Ça va ?

— Moyen, mais ça je pense tu le sais déjà.

Tu parles, il y a hasard et hasard.

— Je peux-tu venir faire un tour au studio ?

Je rigole.

— Un tour au studio. T'as pas parlé à Tabra toi, ben non... À dix heures le matin. T'es-tu couché toi criss ? Enwoye, viens-t'en.

Il vient, écoute la toune, essaie quelque chose avec ma guitare, la crisse au bout de ses bras, essaie une autre affaire sur mon clavier, donne un coup de poing dessus et mine de rien, en retouchant un peu le texte, en rajoutant un bridge et en détruisant mon studio, il a complètement réparé la toune. J'aime beaucoup Éric, c'est un autodestruconstructeur comme moi. Ça a donné *Un homme ça pleure aussi*, une de mes grosses tounes.

Roger dit souvent publiquement à quel point il est fier de moi. Il dit que j'ai vaincu la nuit. Je l'appelle en riant et lui dis :

— Relaxe un peu, j'ai juste arrêté de consommer.

Lui et moi, on se croise tout le temps. Un soir, il arrive au gala de l'ADISQ et il a pas l'air très bien. Ça m'attriste, je ne doute bien que son foie lui fait une grève du zèle. Il me dit :

— J'ai fait comme toi le grand, j'ai arrêté de boire. Je ne touche plus à rien, je bois que de la bière.

— Hahaha. Tabra, c'est pas vraiment ça arrêter de boire, mais c'est pas grave.

Je lui donne son habituel bec sur le front. J'aime profondément Tabra.

Évidemment, il n'a jamais régularisé sa citoyenneté au Québec et il a dû aller se faire soigner en France. Il y est mort. Cher Roger, il connaissait la douleur par cœur et il nous a soignés avec.

Je te garderai avec moi
Y a rien qui change la mort
Et mon frère où que tu sois
J'espère qu'il y a du fort

Becs...

L'ÉCRITURE

On a tous des choses enfouies. Quelquefois belles, mais souvent dures, souvent honteuses. On n'en parle pas, on ne les verbalise pas, mais elles sont là. L'écriture évite souvent l'empoisonnement intérieur par le silence. Que ce soit des enfants qui rêvent de devenir écrivains sans même savoir écrire un mot, des jeunes filles qui écrivent « Cher journal » ou du plus célèbre prix Goncourt, tout ce qui ne se dit pas s'écrit. En un jet délirant ou avec beaucoup de réflexion, de la technique ou pas, tout est valide. Tout raconte quelque chose, mais il faut être… possédé. S'il n'y a pas cette histoire enfouie, n'écris pas. Ça donne rien de se faire un tortifuckingcolis pour rien.

En ce qui me concerne, il y a une technique involontaire. Comme si, pour me rassurer, je structurais un délire pour éviter de perdre le contrôle et de tomber dedans. À chaque fois que je me suis laissé aller à l'écriture automatique, ça a toujours donné des quatrains en rimes croisées de six pieds.

Je l'ai déjà expliqué, « quatrain » veut simplement dire « groupe de quatre vers ». La « rime croisée » est toute bête, ça veut simplement dire que le premier vers rime avec le troisième et le deuxième avec le quatrième. « Six pieds » veut seulement dire « six syllabes par vers ». Je sais, c'est un peu plate décrit comme ça, mais pour moi ce sont les rimes les plus naturelles. Ce sont aussi les plus utilisées, à part dans un temps plus ancien, où on utilisait plutôt les alexandrins qui, eux, comptent douze pieds par vers. Alors je ne suis pas vraiment surpris d'être un peu esclave de cette forme quand j'arrête de réfléchir et me laisse doucement délirer. J'aime bien devenir fou, mais je suis pas fou du bungee littéraire, je me protège un peu.

Et évidemment, à chaque fois que je deviens fou, je parle presque toujours à une femme. On ne se refait pas.

FOU

Être fou comme c'est doux
Tous les jours inventer
Mon cœur, ton cœur et tout
Ce que je ne peux même pas rêver

Fou c'est moi dans ton corps
Et c'est toi dans ma tête
À faire attendre la mort
Jusqu'à la fin de la fête

Même si l'amour et la guerre
Sont nos enfants à nous
S'il n'y a qu'un amour sur terre
C'est toi et je veux tout

Mais c'est trop douloureux
C'est juste que tu es trop belle
Je me sens comme un aveugle
Qui est fou d'un arc-en-ciel

Fou c'est dans ton lit
Ou bien dans tous les cieux
Fou c'est quand tu jouis
Et tes yeux dans mes yeux

Il n'y a plus rien à dire
Quand les étoiles se touchent
Être fou c'est sourire
Et ton corps et ma bouche

Tu peux briser les murs
De mon vieux cœur de pierre
Moi c'est par mes blessures
Que j'vois la lumière

Et tes yeux sur mon cœur
C'est deux balles dans mon corps
Et même si je meurs
J'en sortirai plus fort

Être fou c'est nous
C'est nous pour toujours
Mon amour

Le flash qui fait sortir ce flot, chez moi, est souvent anecdotique, banal, pour rien. J'avais été souper avec une copine chorégraphe et ancienne danseuse. Elle s'était gardée en forme et avait un corps magnifique, mais notre relation ne se passait pas là. Nous, on était dans le rire chaque fois et notre relation ne se sensualisait pas. On était heureux comme ça.

Messieurs, quand vous allez souper avec une dame, assurez-vous de la regarder dans les yeux du haut. Nous n'avons pas assez de sang pour irriguer nos deux cerveaux, et notre pensée qui dévie est aussi visible que l'armée canadienne habillée en vert dans un désert de sable. Si vous remarquez ne serait-ce qu'un millième de seconde les jambes de la serveuse au restaurant et que ça fait quarante ans que vous êtes avec votre femme, ça fait quarante ans que votre femme vous voit et vous fout la paix. Les hommes sont d'une naïveté incroyable quand ils s'imaginent qu'ils ne se font pas prendre.

Bref, mon amie avait (et a toujours) les jambes les plus extraordinaires de la planète. Moi, à force d'un entraînement inhumain, je réussis toujours à ne jamais regarder sauf… ce soir-là. Quand mes yeux ont fini par remonter, les siens me souriaient avec indulgence. « Épais, tu viens de te faire piquer. » Ma propre gêne m'a fait sourire moi-même, on est épais comme ça, les hommes. J'ai pris mon téléphone beaucoup plus intelligent que moi et j'ai commencé à écrire. Ma copine m'a demandé :

— Sérieux, tu vas faire une toune là-dessus?

— Watch-moi ben aller.

Je voulais honnêtement faire une bête toune de cul, ça m'amusait. Comme de raison, j'ai perdu le contrôle et ça a donné une toune d'amour. Pour moi, l'écriture c'est ça: un lapsus. Ça t'échappe.

Ça a donné ça.

BOUCLES D'OREILLES

Deux belles jambes démoniaques
Et tes yeux de bonheur
M'ont rendu raide fou braque
Comme dans un film de cœur

C'est trop beau j'en viens fou
J'dors plus faut que j't'appelle
J'insomnise mon bijou
Ça fait mal t'es trop belle

Tes yeux tes cheveux mais
Une paire de pattes pareille
Me semble que je m'en ferais
Une paire de boucles d'oreilles

Je mets jamais de bijoux
Mais des jambes si belles
Tout autour de mon cou
J's'rais beau comme une chapelle

Je t'invite à souper
J'vais m'attacher les mains
Tu me feras manger
À cuillère ça va ben

J'en mets mon désir au feu
Ta vertu à couper
On priera si tu veux
Les anges vont surveiller

Le chanteur va se calmer
J'te jure parole de scout
On va juste discuter
Pis rien dire jusqu'au boutte

Un petit souper gentil
Un beau baisemain français
Un petit waiter poli
Et le temps se sauverait

Des épaisses jokes d'amour
Et jolis poèmes de cul
Ça ferait sourire nos corps
Pauvres bijoux ils sont dus

Qu'est-ce tu dis pas besoin
Pour te faire ma p'tite cour
De m'attacher les mains
Pas d'momie pour l'amour

On a la vie à prendre
On rit on jouit à deux
Nos corps meurent et se cambrent
Et tes yeux et mes yeux

Sous ton regard caresse
Mon âme volcan s'éveille
Sur tes grands yeux tendresses
Et mon cœur... boucles d'oreilles

L'ART DU LAPSUS

« — Je voulais pas dire ça.
— Non, mais tu l'as écrit en osti par exemple. »

Quelquefois, le flash me vient par quelque chose que j'ai vu sans vraiment m'en rendre compte.

En rentrant chez moi le même soir, me sont venus deux quatrains:

Un couteau dans poitrine
Et un cœur sur chaque main
J'irai mourir la lune
Pour la voir chaque matin

Quand la terre se lève
Et que moi je me couche
Un sourire sans ses lèvres
C'est l'amour sans sa bouche

Là, je me pose la question: D'où c'est venu, cette affaire-là?

À force de recommencer ma journée dans ma tête, je finis par me souvenir; sur Sainte-Catherine, j'observais un monsieur de rue assis par terre. Je l'appelle l'astronaute parce qu'il est perdu dans ses pensées, comme moi, mais puissance mille. Seul dans son monde.

Sauf aujourd'hui.

Une très jolie dame, de style professionnel, je ne sais pas, avocate, notaire ou whatever, passe devant lui, et pour la première fois, il lève un œil. Puis il retourne dans son monde. Ça m'a fait sursauter. Je ne l'avais jamais vu regarder qui que ce soit. Et là je comprends, cette jolie dame le fait rêver, mais il sait très bien qu'il n'y aurait aucune chance qu'elle le remarque amanché comme il est, alors il se disqualifie lui-même et il retourne dans sa lune.

C'est cette auto-disqualification-là qui m'a fait mal. Un humain qui a accepté de ne pas être digne des autres et donc de retourner dans son monde à lui. Alors, j'ai fini le texte comme si j'étais lui :

C'est pas que j'aime pas les autres
J'ai juste besoin de partir
Je suis juste un astronaute
Incapable de lui dire

Je t'aime
De la lune je peux tout voir
Moi le jour et eux le soir
Je t'aime
De la lune moi je peux voir
Ce que personne n'a voulu croire
Je t'aime
De la lune je peux tout voir
Ce que le cœur a peint en noir
Je t'aime

S'il n'y a personne pour croire
Qu'on puisse mourir pour une fille
Ben moi j'efface l'histoire
D'un tout petit coup d'aiguille

Si je mourais de bonheur
Et que je couvrais mon cul
Je ne ferais plus jamais peur
À tous ceux qui n'aiment plus

Je suis un clown loin des autres
Si je suis seul c'est pas si pire
Je suis juste un cosmonaute
Qui l'aime à mourir

Si elle me cherche demain
Dites-lui qu'elle est trop belle
Je suis parti très très loin
Juste pour être avec elle

LA BEAUTÉ DU TEMPS

Dans le temps de ma rue Saint-Denis, j'ai vécu une extraordinaire passion avec celle que je vous avais décrite comme mon « irascible dealeuse ». Comme je vous l'ai raconté, je l'ai recroisée il y a quelques années sur la rue Saint-Denis, pas loin de notre ancien Grand Café. J'étais assommé. Elle était encore plus belle qu'il y a trente ans. Tout de suite, je me suis posé la question : Qu'essé le criss que j'étais allé chercher toute ma vie loin d'elle ?

En fait, j'étais allé chercher tout ce qui a construit ma vie. Mais la revoir, ça m'a remis sur le nez ma difficulté d'aimer, d'essayer, à deux, d'être un peu un.

La toune s'est écrite dans ma tête pendant qu'on faisait diversion en parlant du temps qui passe. Mes tounes sont toujours plus autobiographiques qu'aucune autobiographie que je pourrais jamais écrire…

RUE SAINT-DENIS

J'cherche des choses inutiles
Toujours au bout d'la nuit
Avec un cœur fragile
Et mes poings bien enfouis

Je t'ai tellement cherchée
Aux quatre coins de ma vie
Tu étais juste restée
Sur la rue Saint-Denis

Pour écrire notre amour
On inventait la nuit
Qu'on oubliait chaque jour
Buvant les beaux esprits

Et on s'est fait la cour
Et la vie dans notre lit
Nos cœurs vivront toujours
Sur la rue Saint-Denis

J'ai fait mille fois le tour
De l'enfer au bout de la nuit
Mon passé me joue des tours
Je te croyais avec lui

Je me sauvais juste de moi
Mais la douleur que l'on fuit
On la traîne avec soi
Depuis la rue Saint-Denis

De mes nuits et mes jours
Ressurgissent nos vies
J'peux plus rien sans amour
J'peux plus rien sans notre lit

Ton sourire c'est le jour
Au milieu de mes nuits
Je reviendrai mon amour
Sur la rue Saint-Denis

J'ai chanté j'ai écrit
Les gens seuls et sans voix
Si j'étais sans abri
Je serais déjà chez moi

Je voulais juste repeindre
Les ruelles de nos nuits

Et venir te rejoindre
Sur la rue Saint-Denis

Un sentier dans la nuit
Jusqu'au bout de nulle part
C'tu mon chemin pour mourir
J'aime personne assez fort

J'veux plus vivre sans tes bras
Y a rien au bout d'ma nuit
Je suis perdu sans toi
Et ma rue Saint-Denis

C'est juste le temps qui passe
Et qui te resplendit
Le monde se ramasse
Et pis toi t'embellis

Mes nuits ont trouvé l'jour
Qu'j'ai cherché toute ma vie
J't'ai r'trouvée mon amour
Sur la rue Saint-Denis

Et voilà, c'est sorti tout seul. Encore comme un lapsus: « J'aime personne assez fort. »

Quand tu es petit, tu dois composer avec un environnement qui t'est imposé. Ensuite, c'est toi le responsable de ton environnement. Quand je me suis senti peu aimé, la vérité, c'est que c'est moi qui n'aimais pas comme j'aurais dû. Je suis encore un peu fâché après moi, mais bon. En trouvant la beauté et la tendresse, tu défâches.

À force de passions, essais, réussites et erreurs, j'ai fini par reconstruire une zone de confiance avec les femmes. Ça a été plus compliqué avec les femmes qu'avec les hommes à cause des pièges et du silence de ma mère. Ça m'a laissé une histoire non finie, non résolue et mécanique. Un petit garçon qui doit perpétuellement se méfier des pièges que sa mère lui tend devra regagner ses zones de confiance avant de pouvoir prétendre à la moindre relation signifiante.

La passion pour une femme, là où tu ne peux que penser à elle, où tu embrasses chaque pouce carré de son corps, où tu ne peux plus marcher sans lui tenir la main, où tu te redécouvres plus humain que tu ne l'aurais jamais imaginé, est vraiment l'un des cadeaux les plus extraordinaires qui m'aura jamais été donné. Mais même si cela en a toutes les apparences, ce n'est pas de l'amour. L'amour, c'est ce qui reste... après ça. Luc Plamondon l'avait écrit dans une toune qu'on avait faite ensemble pour ma chum Luce Dufault: l'amour, c'est ce qui reste après l'amour.

J'ai d'abord cherché la passion, puis plus tard, l'amour. Dans l'ordre. Il faut être capable. Il faut juste pouvoir faire confiance.

J'en ai écrit des chansons d'amour avant de commencer à le trouver, mais il y a quelque chose qui a fonctionné. Quelque chose seulement. Pas tout, j'y travaille encore.

J'AIME MON PUBLIC, MON PUBLIC M'AIME

Ça marche pas juste avec La Poune. Que ceux qui n'ont jamais vu un public aimer profondément son artiste aillent voir Michel Louvain en spectacle.

Je répétais un de mes shows avec mon band chez Showmedia. Fait deux cents ans que je répète là-bas. Me suis trouvé un banc unique. Il est beaucoup plus haut que les bancs de bars. Assis dessus, j'ai l'air debout. Un matin, je viens répéter et mon banc n'est plus là. Shit, me le suis fait piquer. Pas grave, j'en trouverai un autre. J'oublie ce grand vol du siècle.

Un soir, je me promène sur la rue Saint-Denis. Un gars que je connais produit Michel Louvain au théâtre Saint-Denis et m'invite à aller voir le show. Super, j'aime beaucoup Michel.

Je m'installe arrière-salle pour constater que je suis probablement le seul homme dans la salle ce soir, pas beaucoup de moustaches. Mon regard est attiré par quelque chose sur la scène. Je sursaute et rigole; c'est mon osti de banc. Michel répétait dans le local à côté et il m'a littéralement piqué mon banc.

Le show commence et il s'en vante.

— Savez-vous à qui appartient ce beau banc-là ? C'est à Dan Bigras.

La foule applaudit et les madames autour de moi crient :

— Il est ici ! Il est ici !

Moi, comme un cave :

— Chut chut chut ! ! !

— Oh Dan. Qu'un artiste vienne en voir un autre, ça fait toujours plaisir, mais un rocker... Lève-toi Dan !

Baon. Moi qui me voulais discret, je suis le seul six pieds trois en camisole.

Après le show, je suis allé voir Michel dans sa loge. Tellement gentleman et gentil du cœur. On a jasé pendant une demi-heure. Par la suite, je lui ai donné mon banc avec tendresse.

Je l'aimais déjà, je l'aime encore plus. Des artistes sont respectés, lui il est aimé. Son contact avec son public est digne d'une famille fonctionnelle.

MICHEL AU SHOW DU REFUGE

Michel Louvain et moi sommes sur le programme d'un même show extérieur derrière la mairie de Montréal. Il a été notre premier grand vendeur de disques et notre premier sex-symbol. Il est aussi d'une gentillesse hors du commun. À chaque soir, il a une attention spéciale pour ses musiciens et techniciens, que ce soit une bouteille de champagne ou autres cadeaux dans leurs loges.

De nos jours, on dirait que la mode est à la toffitude publique, mais on se fait berner par des faux toffs qui ne sont que méchants. Michel est foncièrement gentil, et il traverse le temps avec une grâce qui m'inspire.

À la fin du show, je vais le voir et lui propose de venir au Show du Refuge. Il hésite. Je vois qu'il est craintif. Plusieurs soi-disant rockers le traitent de quétaine, et je crois qu'il se demande si je ne fais pas partie de ce clan ridicule. Moi, le mot « quétaine » est un mot qui m'horripile, c'est un mot méchant et inutile qui ne veut rien dire ; on est toujours le quétaine de quelqu'un. Mon super guitariste et ami Dan Mongrain joue avec le band mythique Voivod quand il ne joue pas avec moi. Il ne me l'a jamais dit et ne me le dira jamais, mais jouer avec moi pour lui, c'est sûrement un peu comme jouer avec Elvis Gratton. Pas grave, on a du gros fun à chaque show.

Je dis à Michel qu'il ne sera pas une curiosité et qu'on va tous chanter avec lui. Je suis sérieux, et il décide de me faire confiance.

— Ok, mais fais-moi des suggestions, moi je n'ai pas d'idées.

— Pas de trouble mon Michel, je m'en occupe. Tu n'acceptes que ce que tu aimes, sens-toi obligé de rien.

Le lendemain, je l'appelle :

— Michel, connais-tu la toune « Ma gang de malades » ? Son vrai titre, c'est *La désise.*

— Oh oui, ça c'est bon.

— Je te l'envoie tout de suite.

Le lendemain, il me rappelle, un peu paniqué :

— Dan, je peux pas chanter ça, « Je suis un crotté »…

— Hahaha ! Pas de trouble, je vais te trouver autre chose. Aimes-tu *Mon ange* d'Éric Lapointe ?

— Oh oui, ça, c'est une belle chanson.

— Une grande chanson. Je te l'envoie.

Je raccroche et appelle Éric. C'est l'heure du souper, il devrait être levé. Au bout du fil, un dragon dans le fond d'une grotte me borborygme :

— Aaallo.

— Salut man, c'est Dan. Dis-moi, je te demande pas, je t'annonce que Michel Louvain va venir chanter *Mon ange* au Show du Refuge.

Des vapeurs de soufre s'échappent du téléphone :

— Pas de trouble.

— Euh... ce qui serait tripant, c'est que juste après, on parte un osti de gros beat rock tango, et là t'apparais en chantant : « Qui est la belle inconnue »...

Oups, silence dans la grotte. Je pense que j'ai un ti peu trop poussé ma luck.

— Tsé Éric, tu peux y penser, pis rappelle-moi.

Et un bruit de baobab qui craque tranquillement me répond :

— Non non. Pas de trouble, j'embarque.

C'est ça, la bebelle. Éric fait pas partie des méchants qui traitent les autres de quétaines.

Il a fait ça de bon cœur. Ils sont arrivés ensemble au local de répète et nous ont fait leur numéro ensemble. On s'attendait à un bon number ben sympathique, on a eu autre chose. Tout le monde était ému. Une magie quelconque, je sais pas.

Le soir du show, tout se passe de façon impeccable et ils ont une ovation debout qui ne veut pas finir. Après ça, en descendant dans la loge des artistes, Michel en a eu une autre. Il a braillé. Une chance que j'avais un show à faire, j'aurais braillé aussi.

C'est ça les Shows du Refuge, de grandes rencontres.

LA CRITIQUE

En 1999, j'ai fini par me décourager de mon écriture, et j'ai pris ma retraite… ce qui n'a convaincu que moi. Tout le monde se doute que j'y reviendrai. Pourtant, j'arrêterai tout pendant plusieurs années (sauf les Shows du Refuge), pour me consacrer aux arts martiaux mixtes et ensuite au cinéma. C'est d'ailleurs en faisant la musique de deux de mes films que je reviendrai non seulement à la composition musicale, mais à l'écriture des paroles et à la poésie. Finalement, en écrivant les chansons pour mon film *La Rage de l'ange*, je referai un disque en 2005: *Fou*. Je n'ai plus arrêté d'écrire depuis. Je ne serai jamais Gilbert Langevin, mais j'assume ce que j'écris.

Reste que comme beaucoup d'autres artistes, j'ai quand même un rapport ambigu avec la critique professionnelle. Même quand elle est positive, il arrive que je ne comprenne pas vraiment ce qu'elle veut dire. Elle t'encense, ok, elle te rentre dans le plancher, ok. C'est la game, comme on dit. Mais quelquefois, les critiques dissèquent, décortiquent et analysent tant et si bien que mon propre disque ou film, que je voyais comme quelque chose d'assez simple, m'apparaît soudainement comme trop compliqué pour moi. C'est souvent un peu surréaliste.

À la fin de l'année 1998, je viens de lancer mon cinquième album, *Le chien*, et le critique du *Devoir* Sylvain Cormier l'assassine un peu. Ce n'est pas bien méchant, mais il compare une à une les tounes de mon disque avec celles de mon précédent, *Le fou du diable*. Je ne fais jamais ça, mais là, furieux, je l'appelle chez lui. Je me le permets parce qu'on se connaît et que je l'aime bien. Il a une plume fantastique. Même se faire descendre par lui est fascinant.

— Sylvain, es-tu fou criss? Comparer telle toune avec telle toune, c'est facile en osti comme raisonnement.

— J'ai écrit ce que je pensais.

— Ben t'es dans le champ en tabarnac.

Il me répond très calmement:

— Je te le souhaite.

Je rigole. « L'osti, il se fout de ma gueule en plus. »

Je raccroche et je me parle dans l'cass: « Ben oui, qu'est-ce tu crois, qu'il va se rétracter? C'est pas brillant de l'appeler chez lui. Finalement, t'acceptes peut-être pas la game tant que ça? »

J'y repense plus tard en me disant que, oui, j'ai mal réagi. Je n'ai pas pris une critique pourtant très honnête. Pourquoi est-ce qu'elle me blesse plus que les autres? Et soudainement la réponse m'a sauté aux yeux:

— Parce qu'il a raison. Je me suis répété.

Plus le temps passe et plus je constate qu'effectivement, mes deux disques se ressemblent. Je ne le vois pas aussi simplement que Sylvain, toune par toune, mais c'est vraiment ça. Je me suis répété. Je suis dévasté.

J'entends résonner les mots de ma mère: « Si t'as pas un nouveau show, dérange-moi pas », et ceux de mon père: « Quand t'as rien à dire, t'es mieux de fermer ta gueule »... et j'en conclus qu'il est peut-être temps d'aller voir ailleurs si je n'y suis pas un ti peu plus intelligent.

Ce que je fais. Dans ma tête, je prends sincèrement ma retraite, j'accroche mes patins comme on dit. Je me dis que j'ai eu quelques très belles longues années quand même. En fait, mon erreur, ça a été de croire que c'était définitif.

Sauf qu'un matin, au lendemain de ta « retraite », tu te réveilles, tu t'assieds dans ta cuisine, tu te fais un café et tu te demandes :

— Euh... là, qu'est-ce qu'on fait ?

COMMUNIO

Me restait quand même quelques shows et émissions de télé à faire. Dans les coulisses de TVA, je croise Laurence Jalbert. On a éclos au public presque en même temps et on se demandait souvent, à moitié sérieux : « Quand est-ce qu'on fait une couple de shows ensemble ? » Je le lui redemande, et à ma grande surprise elle me répond :

— Quand tu veux, j'ai du temps.

— Euh... Garnouille, là là ?

Je l'appelle Laurence seulement quand je suis de mauvaise humeur. Fait des années que j'ai décidé que son vrai nom c'était Garnouille. Ma belle grand garnouille rouge... Elle, elle m'appelle « mon chaton gris bouilli ». On devrait peut-être recommencer à boire.

On a rencontré son agent, Alain Simard, qui m'a juste dit :

— Dan, c'est pas possible de faire juste trois ou quatre shows. Faut investir dans la pub, et si on fait juste une couple de shows, on remboursera même pas les dépenses.

Moi ça m'emmerde un peu. J'ai fait un constat important sur ma musique, j'ai pris une grande décision, et j'en suis encore un peu secoué. Je suis pas en super forme. Pas en dépression, mon moral n'est pas si mal, je suis plutôt en... burnout musical, si on peut dire. C'est pas mon brouillard noir, mais c'est un peu gris quand même. Dans ma tête je m'en vais, c'est pas le temps de booker quarante ans de shows, ça me fait un peu chier. Mais bon, Laurence est sous contrat avec lui. Il va booker les shows, il faut donc que tout le monde s'entende.

Dans ma tête, j'accepte de faire une trentaine de shows. Je dis à Laurence :

— Enwoye dans divamobile, on décolle.

Finalement, on en a fait près de cent quarante.

J'avais de moins en moins envie de jouer. J'allais à chaque spectacle à reculons. Mais Garnouille commençait toujours le show seule en chantant *Tue-moi* a cappella, et c'était toujours la même chose : elle chantait deux notes et j'avais automatiquement le poil drette sur les bras. Cette fille-là me renversait à chaque fois avec sa voix de tous les cieux, et à chaque fois, grâce à elle j'embarquais sur la scène avec un sourire. Les grandes chanteuses ont toujours béni ma vie, et Garnouille encore plus.

Un soir, nous sommes dans une loge en train de rire du temps qui passe.

— Garnouille, je suis sûr qu'on a déjà joué ici. La loge me dit kekchose.

— Il y a vingt ans certain.

— Mets-en. Dans le temps, c'était les jokes de cul, de dope. Là on parle de nos enfants, je tiens ta tasse d'osti de tisane au gingembre que tu me forces à boire chaque soir, pis là en buvant je vois mon petit doigt qui pointe en l'air. Ooooooosti, c'est weird.

On rit comme deux mémères qui se bercent sur le balcon. J'aime bien ce temps qui passe avec ma Garnouille-Laurence.

On finira la tournée en enregistrant un disque live en 2000. Laurence et moi voulions une carte postale de cette super tournée. Laurence a choisi le titre du disque. Très beau titre : *Communio*.

Et là, la musique s'est arrêtée pour vrai. Sauf, évidemment, pour les Shows du Refuge. Il n'y aura retraite que si je suis trop malade. Et même là, j'en doute. Pour arrêter, je pense qu'il va falloir que je sois mort.

CHAPITRE 6

LA COLÈRE, C'EST JUSTE LA PEUR QUI RETOURNE LES SHOTS

« Je n'avais plus d'endroit où me cacher, alors je n'ai plus eu peur. »
(Gengis Khan à propos de la foudre)

Avant, je traitais ma tête, mon cœur et mon corps comme des dossiers séparés. Je ne le ferai jamais plus. Prends soin de ta tête, à moins que tu penses avec ton cul, aime avec ton cœur parce qu'il y a quatre-vingt-dix pour cent de ta vie que tu pourras pas faire avec ta tête, pis prends soin de ton corps, t'as pas d'autre place où rester.

Dans ma vie, il m'est arrivé de croiser des hommes qui ne semblaient pas avoir peur. Je n'ai pas trouvé ça très édifiant. Gengis Khan a remplacé la sienne par une colère aveugle qui l'a lancé dans une tentative de domination des autres, tous les autres, et qui a foutu une grande partie de la planète à feu et à sang.

Il y a une progression ; la peur, la terreur, qui entraînent la colère, la fureur, la rage et, enfin, la psychopathie. Ça peut aller très loin pour certains. Ils ne savent même plus qu'ils sont enragés, et personne ne peut plus rien pour eux. J'ai trop vu la colère chez moi et chez les autres pour la laisser se balader sans surveillance. Comment croyez-vous que se sont construits des Ted Bundy, Jeffrey Dahmer ou même Hitler ? On leur a enseigné la peur dès leur naissance, comme on forme des chiens de combat. On les terrorise et on les abandonne.

J'ai soigné la grande majorité de mes peurs et de mes rages, mais il y en a une qui m'échappe : la violence physique. C'est un endroit dangereux pour moi, alors je veux y exercer un contrôle. Je vais traiter ça comme quelqu'un qui a le vertige et qui se soigne en sautant en parachute.

Dès le départ, les arts martiaux mixtes, ça m'a semblé être un excellent pays pour ma colère à moi. Je me disais : je vais aller au cœur du combat. Ça va brasser, pis on va avoir du fun.

On sait ben, la colère, c'est pas beau, il paraît… Oooon. Ce sont des tabous imbéciles et dangereux. Ça ne fonctionne pas comme ça. Non seulement tout le monde a droit à sa colère, mais personne n'a même le choix. Tout ce qu'il faut faire avec la colère, c'est décider de ce qu'on en fait. Ceux qui veulent toujours bloquer le bouchon au-dessus du presto de la rage ne proposent généralement pas de solution intelligente. Alors arrive ce qui doit arriver, le presto saute. Ça prend pas la tête à Parizeau.

Aux nouvelles du sport, on montre rarement le but gagnant d'une belle partie de hockey, on montre la bagarre. Pourquoi ? Parce que c'est ce que les gens veulent voir. On est toujours prêt à assassiner l'autre dans sa course à sa carrière, on laisse crever nos jeunes dans la rue sans broncher, on appuie la guerre ou on y est indifférent. On dit soutenir nos soldats quand ils partent au front, mais on les abandonne quand ils reviennent. On tolère la misère en acceptant les mensonges des seigneurs et de leurs peddlers, on laisse passer les viols d'enfants par des prêtres sans faire de révolution… et on s'insurge contre un combat loyal encadré par des règles précises, tout en l'écoutant en cachette.

Je déteste tellement l'agression que je suis toujours surpris du discours des moralistes. En ce qui me concerne, la vraie violence fait des victimes, ce que les sports de combat ne font pas. Par ailleurs, je comprends les craintes des gens peu habitués à mon sport, mais moi je préfère m'attaquer à la violence malsaine et détaboutiser la saine. C'est violent exister.

ARTS MARTIAUX MIXTES (MMA)

Le sport a toujours été et sera toujours le meilleur endroit pour faire la guerre. On s'entraîne comme des fous, on vient s'affronter, on donne deux cents pour cent de ce qu'on a, on laisse notre cœur sur le terrain. On respecte notre adversaire. À la fin du combat, on lui serre la main, puis on recommence une autre journée.

Ce processus de canalisation de la violence a été utilisé depuis la nuit des temps par toutes les civilisations, d'une façon ou d'une autre. Dans la Grèce antique, les premiers Olympiques en 776 av. J.-C. transposaient les rivalités en jeux. Bien sûr, il y avait la course et l'athlétisme, mais aussi les sports de combat à mains nues : lutte, pugilat et pancrace.

Aux Philippines, les jours où le grand boxeur Manny Pacquiao se bat, le taux de criminalité tombe à zéro. Même les soldats et les rebelles posent les armes. Il redonne la fierté à un peuple qui, comme tous les peuples opprimés, connaît la honte.

J'en ai même vu une illustration poétique. En Nouvelle-Zélande, ce sont les *hakas* des All Blacks, plusieurs fois champions du monde de rugby. Avant chaque match, afin d'intimider l'adversaire, ils font la danse de guerre des Maoris. C'est une chorégraphie de guerre terrifiante, mais aussi une des plus belles danses que j'aie jamais vues.

Contrairement à l'image que beaucoup s'en font, les arts martiaux mixtes sont pratiqués par des grands maîtres. Il s'agit d'un endroit de discipline et de construction de vie. Dans un combat, si tu perds en donnant tout, tu n'as pas perdu, mais si tu gagnes en trichant, tu n'as pas gagné. Pire, tu t'es enseigné à toi-même que tu n'étais pas assez bon pour gagner. Comme la compétition d'arts martiaux est une façon de t'affronter toi-même au travers de ton adversaire, la triche est donc contre toi-même... C'est une forme de suicide déguisé. Si ça a marché et que personne ne t'a vu, personne ne pourra jamais t'aider; dans le miroir, tu verras toujours un perdant. C'est idiot, tu as travaillé tellement fort pour gagner. Tu as saboté ta vie.

La première fois où je me suis battu (ce qu'on appelle un *sparring*), j'étais nerveux. Je pensais que recevoir des coups me rappellerait mes volées d'enfant et que je deviendrais émotif. Peur non fondée. Les coups me sonnaient un peu mais ne créaient aucune émotion chez moi, à part le fun de se donner à fond. Il n'y avait pas la rage d'un grand malade qui m'humiliait et me détruisait, et personne ne voulait que je m'écrase comme une larve pour demander pardon. Au contraire, ils m'encourageaient et me poussaient à aller plus loin. Rien à voir avec la bagarre dans la haine. Je vais essayer de vous l'illustrer par trois exemples.

Le premier: Quelqu'un que vous ne connaissez pas vous frappe dans la rue. C'est humiliant et enrageant, et vous serez peut-être tenté de partir après pour lui remettre le change... ou pas.

Le deuxième: Quelqu'un que vous aimez profondément vous frappe. Un de vos parents, votre amoureux... Ça vous prendra des années à soigner votre âme. C'est une blessure grave qui laissera des séquelles sur toute votre vie.

Et le troisième: Vous acceptez de mettre les gants dans un sport balisé où il y a des règles, un arbitre et un code. Vous prendrez et donnerez des coups, mais à la fin du combat, gagne ou perd, vous irez remercier votre adversaire. Nous, on se donne parfois même des hugs. Vous lui serez souvent reconnaissant, surtout si pendant le combat vous réalisez que vous êtes en train de perdre et devez aller chercher en vous des forces que, sans lui, vous n'auriez jamais découvertes. C'est ce que les fighters disent souvent après un combat acharné : « Tu es allé chercher le meilleur en moi. » C'est courant.

La violence, pour moi, c'est autre chose. C'est la tentative de destruction, d'écrasement de l'autre. Là sont les dégâts. C'est la perversion, aller chercher dans l'autre quelque chose pour soi-même en se contrecrissant des dommages qu'on lui fait. Il y a violence quand il y a victime.

En échangeant des coups dans la tentative d'excellence dans mon sport, et la plupart du temps dans l'amitié avec mes chums d'arts martiaux, j'ai parcouru le trajet inverse de la violence que j'avais subie. Pour faire le trajet inverse, il faut évidemment passer par le même chemin, mais sans le désarroi d'un enfant sans défense. J'ai appris énormément de paix dans cet endroit de reconstruction qu'est le dojo de mon ami Ali Nestor.

DÉCOUVERTE

Tout ça a commencé quand j'ai vu les premiers UFC (Ultimate Fighting Championship) en 1993, avant qu'ils soient bannis et qu'on les perde de vue pour quelques années. Quand c'est arrivé, j'étais un peu catastrophé. Je commençais juste à comprendre les prises et je sentais qu'il y avait là-dedans quelque chose pour moi.

Un distributeur de films me devait alors des sous. C'était pas énorme, mais il avait toujours des excuses de marde et ça me tapait sur les nerfs, alors je m'amusais à terroriser son bureau.

Je m'y présente un jour, et pendant qu'un pauvre employé qui ne m'a jamais rien fait essaie d'artistique-patiner en bégayant des conneries pour expliquer l'absence de mon chèque, mon regard est attiré par une pile de cassettes vidéo.

Je ne rêve pas, c'est bel et bien marqué UFC dessus. C'est eux qui distribuent les combats au Canada.

J'ai une brillante idée. Je m'adresse à tout le bureau :

— J'ai un deal à vous proposer. Je vous laisse le chèque et ne viendrai plus jamais vous emmerder si vous me donnez un exemplaire de chaque UFC que vous avez.

Ils acceptent avec empressement, enchantés à l'idée que j'aille me faire voir ailleurs. Je suis reparti avec toutes les VHS, et eux ont continué de m'envoyer les nouvelles pendant des mois, ce que je n'avais même pas demandé. Ils étaient fins, moi je trouve.

Le facteur qui me livrait mon courrier à L'Île-Perrot était champion de jiu-jitsu japonais. Il m'a offert de m'entraîner. Super. On a commencé, mais ça finissait toujours avec un de ses genoux sur ma grand couette de cheval. Il faisait pas exprès, mais c'est vrai que la coupe Dalida n'est pas commode pour le combat au sol. Un jour, j'ai un peu pogné les nerfs et lui ai demandé de m'attendre vingt minutes. Suis entré dans une shop de coiffeuse et lui ai demandé de me couper la queue... la couette, gang de pervers. Ce qu'elle a fait avec beaucoup d'hésitation. Tchouik, et j'avais l'air d'un page du Moyen Âge. Je lui ai dit :

— Ok, arrange ça astheure.

Et j'ai eu droit à ma première coupe de « preppy » depuis l'école primaire.

J'ai ensuite repris l'entraînement, mais je trouvais ça un peu trop traditionnel à mon goût, et j'avais pas mal fait le tour de toutes mes cassettes UFC.

Et là, tiens donc, un promoteur de combat astucieux a décidé d'organiser ce que tout le monde appelait un gala de « combat extrême » sur la réserve mohawk de Kahnawake, afin d'échapper aux lois fédérales.

L'événement était diffusé sur RDS, alors j'ai pu l'écouter tranquillement de chez moi. J'y ai vu pour la première fois des combattants québécois extraordinaires. Ils plantaient les vedettes américaines, j'étais très impressionné.

Il s'agissait de spécialistes de plusieurs disciplines qui unissaient leurs connaissances pour former un vrai système de combat mixte. Il y avait Krystof Midoux, champion de karaté kyokushyn et maintenant senseï et mentor pour Georges St-Pierre, David Loiseau, taekwondo et kickboxing, qui allait devenir le premier combattant québécois dans l'UFC, Steeve Vigneault, futur champion canadien, Roger Pena, excellent brawler, et Ali Nestor, champion international de boxe chinoise. Ensemble, ils avaient créé un nouveau style, une synthèse de toutes leurs disciplines, et ils étaient redoutables. Ils s'étaient donnés un nom: le Strike Force. Je me doutais bien que c'était un nom de marketing et qu'ils n'étaient pas inscrits dans les Pages jaunes, mais j'ai été surpris de ne pas les trouver malgré mes recherches. Je suis généralement un pas pire fouilleux.

Tout ça coïncide avec la période où Julie Snyder tentait sa chance avec un nouveau show en France. Fallait ben que quelqu'un anime son émission, *Le Poing J*, à Montréal pendant ce temps-là. Elle a donc demandé à plusieurs animateurs et artistes de la remplacer. Moi j'avais déjà animé *Trois gars un samedi soir*, avec Pierre Therrien et Gilbert Sicotte, pendant une saison. J'ai donc accepté d'animer six émissions.

Je me pointe donc pour la première réunion de prod à ses bureaux, à l'époque chez TVA, et je suis très gentiment reçu par son équipe de super pros. Le chef recherchiste me demande:

— Alors Dan, quels seront tes premiers invités?

Et l'idée me vient automatiquement avec un sourire facétieux:

— Ils s'appellent le Strike Force.

Quand je vous dis que je suis un pas pire fouilleux.

Les recherchistes me les retrouvent en deux temps trois pichenottes et fixent un rendez-vous au dojo d'Ali Nestor. Je m'y pointe, et je discute pendant des heures avec Steeve Vigneault qui semble connaître toutes mes tounes, David Loiseau qui par gentillesse fait semblant de les connaître, et tous les autres. Seul Ali ne dit pas un mot, il m'observe attentivement. À la longue, ça devient intrigant. Je sais pas trop ce qu'il me veut. Généralement, quelqu'un qui fait ça cherche la marde, mais pas lui. Je ne sens pas ça.

D'un signe de tête, il me montre le ring. Je me dis ah bon, ok. J'enlève mon t-shirt et embarque. Je ne me sens absolument pas menacé, je ne sens pas de méchanceté. Il me dit :

— Moitié de shots, pas full power.

C'était un vieux truc (dont je me servirai souvent par la suite pour montrer à des jeunes toffs qu'ils ne savent pas se battre), mais je me fais avoir. J'envoie un jab et, comme un serpent, il passe en dessous, me fait une projection et prend le dessus. Moi je suis donc en dessous mais ça ne m'énerve pas, plein de fighters de jiu-jitsu brésiliens gagnent leurs combats sur le dos. Ali se bat avec moi comme avec un de ses élèves et me laisse des chances, je le vois bien. Entre autres choses à ne pas faire quand on se bat au sol : ne laisse pas un de tes bras dépasser, ton opposant peut décider de le ramasser et de décorer sa cheminée avec. Il laisse dépasser les deux, alors je tire l'un, pousse l'autre, passe mes jambes autour de son cou, abaisse sa tête et serre… assez fort quand même. J'étais un peu plus impressionné que je ne le croyais, alors, adrénaline aidant, j'ai tiré un peu raide. Tout les autres crient :

— Lâche le, lâche-le !

Je lâche immédiatement et demande à Ali :

— Ah ouin ? Ça marche c'te prise-là ?

Il me répond avec éloquence :

— Garglglglllgl…

Les autres m'accusent avec le sourire :

— Come on Dan, t'en as déjà fait.

— Non non, je vous jure. Juste un peu de jiu traditionnel y'a une copeulle d'années. Mais j'suis un visuel, j'ai ben observé tous les matchs que je voyais. Honnêtement, c'te prise-là, je savais même pas si ça marchait pour moi.

— Étranglement triangulaire parfait. Sérieux, tu devrais t'entraîner avec nous.

Et mon cœur fait un soleil de bonheur.

En dix-huit mois, j'ai perdu près de quatre-vingts livres de graisse, gagné une couple de sparrings, des chums extraordinaires… et un frère.

ALI NESTOR

Il est arrivé d'Haïti à l'âge de cinq ans. Il s'en souvient comme si c'était hier.

— C'était frette pour les fesses.

(Je signale ici que le mot « frette » n'est pas québécois mais créole. « F'ette », je l'ai beaucoup entendu quand j'étais en Haïti.)

Décrocheur à quatorze ans, recruté par un gang de rue, puis arrêté par la police et envoyé au Centre jeunesse de Quartier à Laval, ensuite au Mont-Saint-Antoine et finalement à Rivière-des-Prairies, où étaient incarcérés les plus criminalisés. Ça, c'était la dernière chance, après c'était la prison pour adultes.

Ali m'a dit que c'était la meilleure chose qui lui soit arrivée, de s'être fait arrêter. Tu n'es pas juste arrêté par la police, tu es en dedans, littéralement arrêté, tu ne peux plus bouger, avancer, tu dois donc réfléchir, et c'est cette réflexion qui lui a sauvé la vie et qui a enclenché tout le reste. Il est devenu un champion de boxe chinoise, anglaise, d'arts martiaux mixtes, et il est maintenant un aidant, un répareux et un grand frère des jeunes exceptionnel.

En sortant de Rivière-des-Prairies, il a laissé son gang et, ce faisant, s'est retrouvé menacé et par ses anciens rivaux et par son ancien gang qui non seulement ne le protégeait plus, mais aurait bien aimé lui faire la peau. On ne laisse pas un gang comme ça. Alors en sortant, il a rasé les murs pendant un bout de temps. Puis il est allé voir le président de la Fédération de boxe chinoise canadienne, Fernand Morneau, à son dojo, qui lui a dit:

— Tu couches par terre ici, tu passes la moppe, pis je vais t'entraîner.

Aujourd'hui, Ali Nestor est propriétaire et entraîneur chef arts martiaux de l'Académie Ness Martial à Montréal-Nord. Et il a fondé l'organisme Ali et les princes de la rue. Les jeunes peuvent s'entraîner et se défouler, tandis que des professeurs d'école viennent les aider à progresser dans leurs études. Ça développe chez les jeunes un grand sentiment d'appartenance, et ils se reconstruisent.

C'est là-dessus qu'Ali base toute son intervention auprès des jeunes. Il se sert de son passé comme moi du mien. Comme ancien membre de gang lui-même, il sait très bien comment les gangs recrutent: les leaders proposent un sentiment d'appartenance à des jeunes qui n'en ont pas, et ils leur font faire des coups de plus en plus graves. Sous-entendu: on te donne une famille à condition que tu nous rapportes de l'argent.

Ali est passé par là avant de trouver sa passion. C'était avant l'avènement des rouges et des bleus, soit les Bloods et les Crips, et même des Mauves pendant un bout de temps à Laval. Le gang qui avait recruté mon ami adolescent s'appelait… Family. Ça dit tout.

LES COUPS QUI SOIGNENT

« Ain't no rich white kid that comes to train and fight for real. »
George Foreman

Bon, je suis pas idiot, ce sont des sports de combat, pas des concours de tricot. J'ai vu beaucoup de fighters avoir des fins de vie tristes. J'ai toujours peur, pour mes chums, du fameux combat de trop et des commotions cérébrales. C'est comme dans tous les sports « full contact ». Des commotions, il y en a en MMA, au-dessus du double en boxe, encore plus au hockey. Le sport qui gagne la palme du record de commotions, c'est le football, américain et canadien.

Ce qui empêche la mise en place de commissions indépendantes chargées de se pencher sur la question, c'est toujours la perte de profits potentielle. On doit mettre sur pied des organisations assez puissantes pour tenir tête aux fédérations professionnelles et aux diffuseurs. Elles doivent aussi être indépendantes des commissions athlétiques qui sont en théorie indépendantes, mais qui sont payées par pourcentage des recettes.

Dans notre sport, un syndicat des combattants ne serait pas de trop. Je sais que Georges St-Pierre y travaille fort, avec d'autres athlètes, mais les seigneurs font des milliards avec ces sports, et ils empêchent le changement. La vraie violence, ici, est économique.

Pour moi, c'est moins dur, je ne suis pas un pro. J'ai fait pas mal de BJJ (jiu-jitsu brésilien), de lutte et de boxe, mais mon art martial favori est le muay thaï.

Le muay thaï est, comme son nom l'indique, thaïlandais. Le muay thaï n'est pas seulement un art martial, c'est l'âme. Les Thaïlandais sont en majorité bouddhistes. « Mon muay thaï est plus fort que le tien » ne signifie pas seulement « mon art martial est plus fort que le tien ». Ça veut dire : « Mon âme est plus forte que la tienne. »

Notre maître de muay thaï se nomme Dirk Wardenberg. Champion de Belgique et fucking spécialiste des « low kicks », c'est-à-dire coups de pied dans les jambes. Contrairement aux coups de pied de karaté ou de taekwondo, où on envoie le genou pour ensuite déplier la jambe et projeter le pied sur la cible, les coups de pied de thaï lèvent toute la jambe en même temps. On le voit venir de plus loin, mais ça cogne comme un batte de baseball. On ne frappe pas avec le pied, mais avec le tibia.

J'ai pas mal goûté aux low kicks de Dirk. Je rentre chez moi après l'entraînement de muay thaï avec non pas des bleus, mais des noirs qui font le tour de ma cuisse. Ma blonde a beau comprendre ma démarche, elle a toujours la même réaction :

— Toi pis ton sport de fou.

Ce qui résume assez la pensée générale à ce moment-là, et la question qu'on se posait autour de moi : Pourquoi quelqu'un qu'on estimait à peu près sain d'esprit délaissait-il le métier de chanteur pour aller se faire frapper comme une piñata ?

Les sports de combat comme la boxe et les arts martiaux mixtes sont souvent pratiqués par des jeunes qui n'ont que ça pour se sortir de la misère. Les gens privilégiés viennent beaucoup plus regarder que s'y mettre pour vrai. Très peu de jeunes qui venaient au dojo étaient issus de milieux riches. La vérité est que les sports de combat sont tellement durs qu'il faut vraiment être défavorisé pour s'y consacrer pendant des années, jusqu'à devenir champion. Les enfants de riches préfèrent souvent les endroits où on les frappe moins... Qui pourrait les en blâmer?

En fait, il faut avoir une maudite bonne raison pour se lancer dans les arts martiaux. Pour certains, c'est la seule porte de sortie par où fuir la pauvreté. Pour d'autres, c'est une question de survie intérieure.

Pour moi, c'était ça. Ma seule porte de sortie à ce moment-là. Je croyais naïvement à l'époque que cinquante pour cent des gens qui s'entraînaient sérieusement le faisaient pour des raisons thérapeutiques... J'ai compris plus tard qu'en fait, c'était cent pour cent.

SOURIS, OSTI

Ali a un combat au centre Pierre-Charbonneau contre un gars hyper dangereux dans une couple de semaines. Je suis inquiet, il a pris une mauvaise shot et il a le tympan perforé. Il est étourdi et s'accote partout, mais il ne veut annuler sous aucun prétexte. Comme homme de coin et chum, j'aimerais bien qu'il fasse son combat, mais câlisse, c'est pas une soirée de bingo.

Je l'invite à souper chez moi à L'Île-Perrot et je passe la soirée à essayer de le convaincre que c'est trop dangereux. Il ne veut rien entendre. Osti qu'il est tête de cul.

— Viens dehors.

On sort dans ma cour.

— Put them up.

Il se met en garde. Je fais semblant de lancer des jabs, mais hypocritement, je tourne autour de lui. Pas le temps de faire un tour, il tombe.

Là il a compris.

Je l'ai rarement vu avec une larme, mais là il a les yeux rouges. Il n'a jamais annulé un seul combat, c'est sa raison de vivre. C'est un combat important, et l'équipe de lutte olympique du centre Claude-Robillard l'a tellement aidé qu'il a l'impression de la trahir. Mais pour une fois dans sa vie, il m'écoute et annule.

Autre soir, au Métropolis. Ali se bat en MMA. Son adversaire me rend un peu mal à l'aise. Gengis Khan a l'air d'Annie Brocoli à côté de lui. Moi, quand on me donne une face de psychopathe avec qui sparrer, je m'en sacre un peu. Je me dis que plus il est laitte, plus je vais avoir du fun à fesser dessus. Sauf que c'est mon ti-frère qui se bat. Quand je suis dans son coin, si ça se passe moins bien, j'ai l'impression qu'il se fait battre dans une cour d'école pis que je peux pas intervenir. J'haïs ça.

Sauf qu'il revient d'un boot camp extrêmement dur en Thaïlande et il est en super forme. En tout cas, il est pas trop nerveux. Il me sourit et me dit :

— Je vais le dévorer.

Ah bon. Les voies du combat sont gastronomiques. Je me sens comme l'homme de coin de Ricardo.

Le présentateur fait sa job, on s'avance vers le ring.

— Ouin, ben check ses coudes quand même, 'tention à ses clefs de chevilles pis tu me diras comment il goûte.

Il ne me répond pas. Déjà dans sa zone. Il est en guerre. J'ai toujours admiré ça chez lui, cette switch on/off en une seconde. Pour certains fighters, ça prend une éternité. J'ai des chums qui ne me saluent plus deux semaines avant un combat.

Certains croient même à la légende qui recommande de n'avoir aucun orgasme longtemps avant le combat. Un boxeur que j'aime beaucoup, Gaétan Heart, rencontré sur le plateau du vidéoclip de *Tue-moi* que mon cher Pierre Falardeau avait dirigé, m'avait dit que lui, c'était six semaines. J'ai sursauté.

— Six semaines ? Ben woyons donc !

— Sérieux. Je sais pas si c'est prouvé par la science, mais quand je monte dans le ring pis que je vois mon adversaire, je me dis que ça fait six semaines que j'ai pas fourré pis que c'est de sa faute, fait qu'il va arriver de quoi.

— C'est clair, tu le slogues ou tu le fourres.

En attendant, le combat d'Ali a été violent. Ça a pas duré un round. Il est revenu de Thaïlande avec un nouveau ti cadeau : les Flying Elbows. Avec des projections de lutte et de judo, il amène son adversaire au sol, puis saute pour atterrir dessus avec ses coudes. Ça manque pas. Le gars se fait couper le front juste au-dessus de l'œil et l'arbitre arrête le combat. Règlement important, si la coupure est au-dessus de l'œil, le sang coule dedans et tu ne vois rien venir, c'est dangereux.

Ali n'est même pas essoufflé, mais il est encore dans sa zone. Il a un tout petit peu l'air d'un assassin.

— Souris osti, tes élèves…

SPARRING AVEC ALI

« Tendresse vaincra. »

Ça fait six rounds qu'on se bat comme des déchaînés. Épuisé, j'ai plus rien dans les bras.

Je déconseille généralement de faire douze rounds en pleine vitesse comme si c'était un vrai combat, mais aujourd'hui, en se touchant les gants avant de commencer, Ali et moi on s'est dit : sparring d'hommes. Ce qui est un peu idiot ; les vrais sparrings de malades sont ceux des femmes. Dans les sports de combat où on ne frappe pas, c'est-à-dire lutte, judo et jiu-jitsu, les femmes sont des techniciennes parfaites. Je me suis plusieurs fois battu avec des femmes et on s'est bien amusés. Mais quand on en arrive aux sports avec des coups (boxe, muay thaï ou karaté), les femmes, je vais vous le dire franchement et tendrement, vous êtes folles.

J'ai mis les gants une fois avec une femme et j'ai eu la peur de ma vie. C'était avec une chum qui faisait un combat quelques jours plus tard. Elle m'a, et je pèse mes mots, câlissé toute une droite. Surpris, je lui ai demandé :

— Coudonc, es-tu fâchée ?

— Ben non, on sparre.

— Tu vas sparrer toute seule, criss de folle.

Tout le dojo a éclaté de rire et moi je suis sorti du ring en me tenant le menton. Je ne suis pas près de recommencer. À mon âge, on veut vivre.

Je connais des fighters pros qui ont trente ou quarante combats derrière la cravate et qui ont de la difficulté à regarder deux femmes sparrer. On dirait que vous avez le mot « meurtre » tatoué dans le front aussitôt que vous mettez les gants. Et tout de suite après le sparring, vous redevenez les grandes copines que vous avez toujours été, comme si rien ne s'était passé. Si je me permets de vous traiter de folles, c'est parce que mes chums de filles fighteuses sont toutes prêtes à venir témoigner pour moi ; elles l'admettent volontiers.

Là, je suis dans mon sixième round et je suis aux dernières limites de mon corps et de ma volonté. Mon problème n'est même plus cardiovasculaire – je crois que ça fait dix minutes que je ne respire plus –, il est cardiomusculaire. Je n'ai plus aucune force dans mes muscles. Je n'arrive même pas à tenir ma garde, c'est-à-dire mes mains devant ma face pour me protéger des coups. Mes bras baissent tout seuls, tranquillement, laissant ma figure de moins en moins protégée.

Je m'attends à un semblant de compassion de la part de mon chum.

— Criss Ali, j'ai même pus de bras.

— Non, mais t'as du cœur.

Et il me balance une droite en pleine gueule qui m'assomme presque. Tout tourne. D'habitude, en cas de « knockdown » (knockdown tu es étourdi, knockout tu fais dodo), t'as dix secondes pour reprendre tes esprits. Mais j'ai pas dix secondes, j'en veux même pas une. « J'vas le geler drette icitte. » Les yeux me changent de couleur et je me mets à le plomber comme un chevreuil.

Ce coup-ci, il est obligé de danser. À ma grande surprise et pour mon plus grand bonheur, je suis en train de lui donner de la marde. C'est évidemment assez rare, ça n'est arrivé que dans mes journées de grande forme et jamais très longtemps. Il recule, je le garde dans les câbles et j'ai quasiment envie d'essayer de le coucher… mais la cloche sonne, on arrête et on se donne un bisou.

Ça prend une bonne minute avant que je sois capable de rentrer mon poumon qui me sort par la narine, de retrouver un semblant de souffle et d'articuler un semblant de mot. Je suis un peu secoué. Lui, il est très content. Je dis:

— Calvaire, je savais pas que j'avais ça en moi.

Et lui, de son plus grand sourire:

— Tu vois? T'as aucune espèce d'idée d'où sont situées tes limites.

Et la beauté de ce qui vient d'arriver me frappe aussi vite que sa maudite droite au menton.

Depuis longtemps, je trouve que la vie m'a beaucoup donné. Il y a un musicien sur dix mille qui a la chance d'être écouté comme je le suis, et je trouverais très gênant de demander plus à la vie. Je suis certain que j'ai atteint mes propres limites depuis un bon bout de temps déjà. D'ailleurs, du haut de mon «j'ai tout ce que j'ai voulu de la vie», je me sens un peu déprimé ces temps-ci. Je tourne en rond.

Et là, en un éclair, à cause d'une claque sur la gueule, je comprends que je n'ai jamais atteint mes limites. Je ne les connais même pas. Je m'en suis imposé des fausses.

— Ali, je t'annonce quelque chose.

Il me regarde toujours avec son extraordinaire sourire.

— Quoi?

— Je vais devenir cinéaste.

— M'en suis toujours douté.

— Il a fallu que tu me le rentres dans le crâne à coups de poing?

Il sourit.

— Ça a ben d'l'air.

L'amour a été un peu compliqué à apprivoiser pour moi, mais l'amitié, jamais. J'ai toujours été entouré d'amis extraordinaires, et lui, Ali, il remporte la palme aujourd'hui. Ça, c'est une claque sur la gueule qui va me faire sourire pendant longtemps. Ben oui. Malgré mon passé d'agressé, je vais me souvenir d'un monumental coup de poing sur ma gueule avec un grand plaisir et une grande tendresse.

DAVID LOISEAU

J'ai un souvenir rigolo de mon seul et unique sparring avec David Loiseau. Quand on lance un jab, il ne faut pas cligner des yeux. En lançant le mien, j'ai cligné. Pendant cette fraction de seconde, le plafond a soudainement décidé de devenir le plancher et vice-versa, et en même temps j'ai réalisé que mon bras pliait dans le mauvais sens. J'ai «tapé out» en réalisant que j'étais par terre, dans une superbe clé de bras que David tenait en souriant. Le « tap out » est le signe de soumission par lequel on demande à l'adversaire de lâcher prise, et qui signifie que le combat est fini et perdu.

David est un des plus grands champions que j'aie connus. Il a fait une belle carrière internationale. Mais en ce temps-là, il n'était pas le plus grand pédagogue. Il l'est devenu plus tard. Je lui ai dit merci pour le deux secondes et quart de combat mémorable, mais je n'ai pas appris grand-chose. David et moi, on sourit encore quand on en reparle.

Il a dernièrement ouvert sa propre école et c'est devenu un super prof. Paraîtrait même que ses élèves survivent aux cours. Je déconne. Il a fondé son école après sa carrière UFC et elle connaît un grand succès, ses élèves l'adorent.

Récemment, on s'est un petit peu attrapés. J'écris souvent mes conneries sur Twitter et cette fois-là, je constatais que c'était un peu idiot de remercier Dieu pour avoir remporté un Grammy, un combat, un match de boxe ou autre. Comme si Dieu n'avait que ça à faire, décider qui va gagner une compétition au lieu de s'occuper de la famine en Afrique.

La plupart de mes chums haïtiens ont une foi profonde, et David a cette foi. Alors immédiatement il répond :

— Dan, pas sûr que tu veux aller là.

Moi je me dis : « Cool, une chicane. Attends un peu, toi. »

J'ai attendu le prochain combat de mon ami Ali. Comme d'habitude, je suis son gars de coin, je suis donc concentré sur le combat.

Mon chum gagne. Je jette un coup d'œil dans la foule… Comme je m'y attendais, coucou David, attends juste une minute j'arrive. Je le croise près des toilettes et lui demande joyeusement :

— Salut mon Dave. Pour faire suite à notre début de discussion, pourrais-tu m'expliquer qu'est-ce que Dieu a contre ceux qui perdent leur combat ?

— Hein ? Rien.

— Alors pourquoi c'est toujours le vainqueur qui remercie Dieu ?

— Ben… c'est pas juste remercier pour la victoire, c'est remercier qu'on puisse tous rentrer chez nous sans être blessés… C'est ben des affaires.

— Alors pourquoi c'est jamais le vaincu qui remercie Dieu ?

Et lui, religieux comme pas deux :

— Parce que… parce que… PARCE QU'IL EST TROP EN TABARNAC !

Et on éclate bruyamment de rire tous les deux. David est un des meilleurs gars de la terre. Sa foi n'empêche pas son sens de l'humour.

Ils sont tous comme ça dans ma gang. On ne fait théoriquement pas de jokes racistes, mais je suis un des rares Blancs ici, alors quand on reçoit une boîte de jackstraps neufs, si jamais il y en a un plus petit que les autres, il y a toujours un smatt pour me le passer, dans l'hilarité générale.

Moi qui n'ai pas vécu de trip de gang quand j'étais petit, je me rattrape ici. Personne n'a de statut spécial, tout le monde a quelque chose à faire et, si on le fait bien, on développe un grand sentiment d'appartenance et d'accomplissement. Ce qui marche pour les jeunes marche aussi très bien pour les vieux.

LE JEU ET LA PEUR

« Hey Dan, tu te prends pour un acteur ?
— Quand je joue. Seulement quand je joue. »

— Daniel, je veux te parler !

Toujours la même maudite phrase. Elle vient du haut de l'escalier et annonce la même maudite tempête de marde, qui survient toujours après les bruits d'engueulade entre mon père et ma mère. En fait, c'est d'habitude ma mère qui crinque pis mon père qui pompe.

Je monte en tremblant de peur. Je sais pertinemment ce qui va arriver. Je me pointe dans le salon, qui sert aussi de cabinet de consultation, et me tiens devant mon père comme un soldat au rapport. Lui, il est assis dans son fauteuil de psy et il roule tranquillement un cigare entre ses doigts avec un air mauvais.

Il laisse passer une longue minute de silence qui me semble une heure, en me regardant droit dans les yeux. Ensuite, il me dit doucement :

— Je t'écoute.

Et cette phrase-là réussit toujours à déclencher toutes les terreurs chez moi. À chaque fois, il veut me parler, et quand je suis là, il me dit : « Je t'écoute. » C'est très habile et particulièrement vicieux. Pas seulement pour la peur, même si j'en ai déjà littéralement pissé de terreur (faut pas oublier que je suis un petit garçon de plus ou moins sept ans). Quand je dis vicieux, je veux aussi dire techniquement parfait.

Il m'écoute. Ce qui veut dire que pour éviter la volée, je dois avouer immédiatement la connerie que j'ai faite cette semaine. Il croit que j'ai commis UNE connerie. Moi qui en ai généralement commis trois ou quatre dans la semaine, d'après vous ? Il faut que j'avoue la bonne ou je suis mort.

Sa maudite face d'enragé m'a tellement fait peur que j'ai appris à la reproduire. Ça m'a beaucoup servi lors du tournage de la télésérie *Le Dernier Chapitre*, où je jouais un motard psychopathe. J'avais remarqué que plusieurs comédiens « jouaient » au toff. Moi, quand je joue au toff, ça se voit tout de suite. Quatre ans dans la rue t'apprennent à ne jamais faire ça. Je déconseille fortement à qui que ce soit d'y jouer avec un vrai toff, super mauvaise idée. Quand tu sors un gun, même si ton gun c'est ta face, tu dois absolument être prêt à tirer, sinon il va t'arriver de la marde.

Les toffs criminalisés ont tous une chose en commun. Pas la face de toff, ça c'est la conséquence générale. La chose qu'ils ont en commun, c'est la peur. Pour tous les criminels, deux possibilités : se faire tirer une balle ou finir en prison.

Alors quand je me suis retrouvé à incarner un motard psychopathe, au lieu de jouer au toff, j'ai joué la peur, j'ai joué mon père. Quand le réalisateur Richard Roy m'a demandé, pour une scène, de terroriser tout le monde, j'ai imité tous les silences de mon père. J'ai même demandé un cure-dents pour reproduire son cigare et j'ai appliqué la face de mon père sur mon partenaire, Frank Schorpion. D'après moi, ça a dû marcher parce qu'à la fin de la scène, Richard a oublié de crier « coupez ».

— Calvaire, Dan. On a vraiment cru que tu allais le poignarder.

Même le pauvre Frank, que j'aime bien, se demandait si j'étais vraiment fâché contre lui. Je rigole.

— Capote pas, Frank, y a une technique.

Ceci dit, ça a été un déclencheur. C'était la première fois que comme acteur, je pouvais faire ce que je faisais toujours en musique, c'est-à-dire prendre des émotions difficiles en dedans de moi et en créer quelque chose.

Je me suis promis cette fois-là que je ne me ferais jamais chier comme acteur. Que même si on me demandait de traverser bêtement la rue, je trouverais un moyen pour m'amuser. Je pense à mon père et remercie sa face de beu, qui a finalement contribué un petit peu au succès de mon personnage dans la série *Le Dernier Chapitre* et sûrement à celui de plusieurs de mes bebelles.

CADEAUX DE POLITICIENS

Je viens de m'attraper publiquement avec le maire Bourque.

Des jeunes réclamant le droit au logement occupaient un édifice abandonné, mais qui était aussi une propriété privée. La police hésitait à les évacuer de force, alors l'équipe du maire a eu la bonne idée de leur demander de changer de place. La ville leur donnerait l'ancien centre Préfontaine, qui avait été un hôpital et un refuge pour sans-abri maintenant abandonné, en échange de l'évacuation de l'édifice qu'ils occupaient.

Tout le monde s'est entendu, les jeunes se sont établis au centre Préfontaine, et le maire a bénéficié d'une image de bon gars qui prend soin des jeunes qui souffrent. Simple et mignon.

La suite est moins mignonne. Après quelques plaintes de citoyens, comme très souvent, des médias (qui réclament notre compassion pour les sans-abri à Noël mais aiment bien leur casser du sucre sur le dos le reste de l'année) ont diffusé des reportages insidieux pour faire peur à la population. Je me souviens d'un reportage télé qui montrait les « dégâts épouvantables » que les jeunes avaient commis, saccageant le centre Préfontaine en entier. En fait, les reporters avaient filmé sous plusieurs angles la même pièce, où les jeunes avaient arraché des divisions pour se faire une grande salle pour leurs quartiers généraux. En ce qui concerne les graffitis, ils étaient en général déjà là. Il est si facile de terroriser les téléspectateurs.

Alors le nombre de plaintes a augmenté, les articles d'épouvante se sont multipliés et le maire, sentant que la manœuvre était moins payante pour son image qu'il ne l'avait cru, commença les tactiques d'intimidation pour chasser les jeunes du centre qu'il leur avait lui-même donné. Soudainement la bâtisse n'était supposément plus sécuritaire, alors tous les jours on envoyait des inspections surprises qui ressemblaient plus à des descentes qu'à autre chose, pour finalement faire entrer la police qui délogea les jeunes à la matraque. Aux nouvelles télévisées, on a montré un monsieur d'une cinquantaine d'années qui crachait sur les jeunes. Il crachait pour vrai, physiquement, dans la gueule de jeunes qui essayaient de survivre. J'ai aussi vu une très jeune fille qui se faisait violemment sortir, une matraque dans la nuque.

Une double colère m'a envahi. La première me donnait envie de descendre au centre Préfontaine et de casser la gueule de ce monsieur qui profitait de la présence des caméras pour faire son show de haine. Mais bon, c'est une chose que d'avoir une envie violente, c'en est une autre que de l'exécuter pour vrai. Je n'aiderais pas beaucoup le Refuge si j'étais en prison.

Ma deuxième colère était dirigée contre le maire Bourque. Son show de générosité pour se gagner des politicopétro-points en se foutant du mal qu'il faisait aux jeunes, non seulement ça me mettait hors de moi, mais ça devait être dénoncé publiquement. Les jeunes ne sont pas de la viande à élections.

J'ai commencé à faire le tour des médias pour critiquer son hypocrisie destructrice et pour le forcer à un face à face public avec moi.

— Moi, je ne le trouve pas honnête. S'il aime être près de vos citoyens, il devrait être près de ceux-ci aussi. Ils ne sont pas moins citoyens que les autres. Je l'invite à venir passer deux nuits dans la rue avec moi pour comprendre la réalité des jeunes de la rue.

C'était pas seulement un défi. Je croyais sincèrement qu'avec son humanité (il n'est pas seulement qu'une tête, il a un cœur aussi), il verrait ce que les jeunes vivaient et que ça le changerait. Il a répondu que son horaire était trop chargé, mais qu'après les élections, si je voulais aider les jeunes, il m'offrait une job dans son administration. Celle-là, je l'ai bien ri. J'avais vu comment son administration « aidait » les jeunes.

Je suppose que son équipe s'est tannée de m'entendre chialer publiquement et elle a finalement accepté qu'il y ait débat. Il aurait lieu à l'émission de feu Jean Lapierre, à la station qui s'appelait encore à l'époque Télévision Quatre Saisons.

Le jour dit, je me pointe et prends place au pupitre face à Jean Lapierre. M'étonnant du fait que monsieur le maire ne soit pas là, non plus que son équipe, et constatant que j'avais le seul siège de l'émission, je demande à Jean :

— Le maire est pas là ?

— Son équipe a jugé que ce n'était pas une bonne idée de vous avoir face à face, alors il va faire ça d'un studio mobile quelque part en ville.

— Quoi ? Il m'avait promis un face à face. Un vrai, pas une joke. Bon, je viens de me faire fourrer. Ça m'intéresse pas, je crisse mon camp.

Sur quoi, je me lève et pars, laissant l'équipe un peu bouche bée. Jean me rattrape dans la rue. Je lui dis :

— Come on, Jean. T'as fait de la politique, tu sais ce que c'est de se faire fourrer avec un faux débat.

— Dan, je te jure que je vous donne les mêmes chances et le même temps de parole.

Je me dis que si je ne retourne pas en studio, l'équipe du maire va faire croire à tout le monde que je me suis défilé. Alors je rentre et reprends mon banc.

À la suite de ce « débat », j'ai démonté les arguments du maire un par un. Il ne pouvait même pas m'interrompre, il était dans une roulotte. Quand il me parlait d'évacuation négociée, je répondais qu'on avait tous vu les images de matraques à la télé. Quand il affirmait que les jeunes étaient retournés chez leurs parents, je lui disais la vérité : qu'ils étaient retournés dans la rue. S'ils avaient pu habiter chez leurs parents, ils ne seraient jamais allés au centre Préfontaine.

Bref, un dégât de relations publiques. J'ai l'impression qu'un conseiller politique du maire Bourque a dû se faire rincer les oreilles ; quand il y a eu distribution d'intelligence, ce gars-là devait faire de la plongée sous-marine.

Personnellement, j'ai rien contre le bonhomme. Mais il est hors de question qu'on se serve de jeunes qui en arrachent pour ses ambitions personnelles et qu'on les crisse ensuite dins poubelles. Tu veux te faire élire ? Montre ton programme pis laisse les jeunes tranquilles.

J'ai croisé l'ancien maire Bourque il y a un an ou deux au show de Fred Pellerin, au théâtre Outremont. Il a refusé de me serrer la main. Encore fâché. J'ai souri. Moi je crois que c'est pas un méchant monsieur ; il est peut-être juste meilleur avec les plantes qu'avec les jeunes de rue. Je sais pas.

L'EXPLOITATION DE LA PEUR

Quelques jours après le « débat » télévisé, je suis en route vers LCN pour terminer ce dossier. Dans la salle d'attente, il y a des télés partout. Je regarde distraitement l'écran. Un avion vole trop près d'un building… Puis mon univers change ; l'avion vient de rentrer dans la tour nord du World Trade Center.

Nous sommes le 11 septembre 2001.

Le chef de pupitre vient me voir.

— Dan, on va être obligés de remettre, il vient de se passer quelque chose…

— Oui oui, je comprends. T'en fais pas. Salut.

Je rentre chez moi dans tous mes états.

J'ai vu bien des images de gens qui meurent, de guerres, de famines, de bombardements, etc., mais de ce côté-ci de la clôture, jamais. La guerre n'est jamais ici, toujours chez les autres. On n'est pas habitués à ça ici. Comme tout le monde, je suis profondément choqué.

Plus tard, je réfléchis à tout ça en me disant que les puissances coloniales imposent beaucoup de guerres au monde entier, mais qu'elles ne se font jamais frapper chez elles. Ça crée un étrange rapport avec la guerre. Les habitants des pays puissants ne sentent pas que les guerres les concernent, ce qui permet à un paquet de politiciens de les manipuler. Là, il viennent de subir le premier vrai bombardement de leur vie et, par ricochet, moi aussi. Une horreur totale. Peut-être que le peuple prendra conscience de quelque chose, peut-être que le gouvernement va faire une analyse plus attentive de sa politique étrangère.

En fait, on le sait maintenant, il s'est passé exactement le contraire. Le gouvernement Bush a récupéré l'événement pour justifier l'attaque et le pillage de l'Irak, laissant une dette inégalée dans l'histoire des États-Unis et une blessure profonde dans le cœur du peuple américain, en faisant un nombre incalculable de morts, blessés et traumatisés. Il a d'abord invoqué la chasse à Al Qaeda. Quand son mensonge a échoué, il a évoqué les armes de destruction massive. Ce qui s'avérera être un autre mensonge éhonté.

Le 11 septembre 2001 nous aura tous profondément traumatisés, créant les débuts d'une grande vague de xénophobie à l'égard des Arabes en général et des musulmans en particulier.

En ce qui me concerne, cela fait longtemps que les politiciens, si bien intentionnés soient-ils, n'ont plus le bénéfice du doute. Je n'en écoute plus un s'il n'est pas branché à un détecteur de mensonges.

DEVANT UN KODAK

Quand j'avais vu le bonhomme cracher sur les jeunes du centre Préfontaine, au milieu de ma colère, une idée avait fait son chemin : je ferais un film pour montrer à ce monsieur qu'il avait pour ainsi dire craché à la gueule de ses propres enfants. J'ai souri, c'était très naïf; ce monsieur ne viendrait jamais voir mon film.

Je tournais comme un lion en cage, la boucane me sortait un peu par les naseaux… Puis un silence s'est fait dans mon tumulte. J'avais trouvé. J'écrirais un film, mais je l'écrirais comme s'il était écrit par ce monsieur. Ce monsieur qui a compris ce qu'il a fait et en fait une catharsis, un récit pour se guérir.

De cette triste histoire est né le premier jet de *La Rage de l'ange.*

Malgré le climat général, j'étais dans une période chouette en 2001. Je me sentais créatif. J'avais commencé à écrire un « film de peur » et j'ai rapidement écrit une première scène de *La Rage de l'ange.*

Ali et moi continuions à nous torgnoler dans la joie. Régulièrement, nous faisions notre journée, ensuite nous nous entraînions avec les pros trois heures par jour. À la fin de la journée, Ali fermait son gym et nous continuions à nous battre, quelquefois de façon très technique et quelquefois de façon plus « énergique », pendant un autre trois heures.

Ça faisait quand même de bonnes journées. J'avais beau avoir retrouvé toute ma forme et avoir perdu près de quatre-vingts livres en moins de dix-huit mois, à un moment donné, nous arrêtions toujours, à bout d'énergie, euh... à bout de *mon* énergie. Mon chum Ali a un des cardios les plus impressionnants que j'aie vus, non seulement chez les combattants, mais aussi chez les athlètes en général.

Nous arrêtions donc. On se retrouvait sur le dos dans le ring, en train de rêvasser et de se raconter nos vies. C'était des moments tellement beaux que je me suis surpris à avoir peur de les oublier. Je me suis tourné vers Ali et lui ai demandé:

— Ce qu'on fait là, ce qu'on se dit là, serais-tu capable de le répéter devant un kodak?

Il a réfléchi un instant. J'attendais qu'il me pose la question évidente, c'est-à-dire: pourquoi? Il m'a plutôt demandé:

— Pour qui?

Évidemment, tout de suite LA bonne question. J'ai réfléchi à mon tour et lui ai répondu:

— Sais-tu ce qui m'a le plus allumé dans votre gang dès le départ? C'est que vous avez trouvé vos propres solutions, et à vos propres conditions. Souvent, les solutions d'adultes pour aider les jeunes sont teintées d'une espèce de façon de les empêcher de déranger. Vous, vous ne niez pas votre violence, mais au lieu de détruire, vous vous en êtes servis pour construire. C'est clair pour moi maintenant, en vous regardant et en le vivant aussi, qu'on ne peut faire aucun combat professionnel si on n'a pas un contrôle total sur sa colère. Le voyage dans votre propre rage, vous l'avez tous fait, et je connais beaucoup de psys de soixante-dix ans qui ne l'ont même jamais commencé. Alors pour répondre à ta question, je te dirais: pour mon petit frère Guillaume. S'il avait connu des jeunes qui ont trouvé leurs propres solutions, il serait peut-être encore vivant aujourd'hui.

Ali me regarde de son doux regard perçant. Des fois, j'ai l'impression qu'il voit mes intérieurs. Alors quand il ne dit rien, ça me parle beaucoup. Au bout d'une minute je lui dis:

— Et pour les jeunes du Refuge. Ça serait cool pour les jeunes du Refuge…

Il m'observe toujours.

— Ah pis fuck la marde. La rage, c'est important pour tout le monde.

Ali me regarde en souriant. Là il est d'accord.

— Juste une chose : la réussite du film dépend de nous deux. Faut tout dire. Il faut que tu me promettes d'aller jusqu'au bout.

— Pas de problème. Si tu me promets d'aller jusqu'au bout de ton entraînement.

Je souris…

— Deal. Et si on va jusqu'au bout pendant, disons… deux ans, on se fait faire le même tatou tous les deux.

— Où ?

— Su'l chest.

— Pis on se fait tatouer quoi ?

— Sais pas. On verra.

— Deal. Je sais pas qu'est-ce que tu vas faire, mais je sais que ça va être bon… Sais-tu pourquoi je le fais ?

— Non.

— Parce que quand tu demandes « comment ça va ? », chez toi, c'est une vraie question.

FAIRE UNE VUE

« Hey Dan, tu te prends pour un cinéaste ?
— Quand je tourne. Seulement quand je tourne. »

La cinéaste Manon Barbeau, qui était à l'époque en résidence à l'ONF, m'a suggéré le titre de mon film. Je l'ai donc appelé *Le Ring intérieur*, parce que c'est là que se trouve le premier vrai combat. Tous les autres découlent de celui-ci.

Pierre Falardeau me téléphone. Il m'avertit de sa grosse voix :

— Le grand, faire une vue, c'est comme grimper l'Everest. Un jour, tu tombes dans une crevasse, le lendemain, tu te pètes une jambe, pis après ça c'est pire. N'importe quand que tu veux que je te remonte le moral, appelle-moi.

J'ai ri pendant une semaine.

Mais il avait raison. Pendant le tournage d'un film, quand tu te lèves le matin, tu as déjà une montagne de catastrophes devant toi. Je serais impressionné si je regardais la montagne, mais je ne fais jamais ça. Je n'ai jamais réglé en même temps une montagne de catastrophes. Tu en règles une, tu respires, tu en règles une autre, et un jour les catastrophes sont toutes disparues et il te reste une chose qui ne partira jamais : ton film. Je fais tous mes Shows du Refuge comme ça. En fait, tous mes projets, toute mon écriture et même ma vie. Je m'énerve rarement. Complètement inutile. Juste torturant pour rien. De toute façon, les catastrophes semblent énormes de l'extérieur, mais quand tu rentres dedans pour les régler, ça finit toujours par être simple.

Par exemple, le boss d'une fédération de combat a révoqué une autorisation pour filmer une soirée de combats où se battent mes chums. Si je n'ai pas ces combats-là dans mon film, je suis foutu. Calmement, je vais voir le boss, il me dit qu'il a un nouvel associé. Je vais rencontrer le nouvel associé.

Il n'est pas méchant, mais ses gorilles me semblent très capables de l'être. À mots couverts, il me fait sentir que pour autoriser le tournage, ça va lui prendre du cash. Pas compliqué à régler. Je lui explique que je ne suis pas producteur du film, que le producteur c'est l'ONF. Il devra dealer avec eux. Je me dis que ses gorilles peuvent s'énerver comme ils veulent, c'est un fait, ça ne se réglera pas autrement. Il me fait cette faveur pour cette fois. Une chose de réglée.

Dans *La Rage de l'ange*, que je tournerai en 2005, on devait filmer pendant une semaine dans un silo abandonné dans Verdun. C'est déjà pas super sécuritaire au départ, faut penser aux assurances, aux syndicats. Je comprends tout ça. Le matin, les producteurs parlent de tout canceller ça, il pleut des tonnes d'eau et ça rend le tournage très dangereux. Je me rends sur le plateau, constate qu'on est foutus et vais fouiller dans les pires racoins de la bâtisse. C'est un dédale énorme de couloirs, de la taille d'un pâté de maisons. Les assureurs, les syndicats et la prod s'entendent : on va filmer là. Quand la configuration d'un décor change à ce point-là, il faut réécrire les scènes sur place. C'est fou comme ça change tout.

Neuf fois sur dix, la catastrophe en question fait que le résultat s'améliore de façon surprenante. Un paquet de moments que j'aime beaucoup dans mes films, je les dois aux catastrophes.

Alors voilà, je sais ce que je veux faire. Faut que je trouve un producteur. Si je voulais faire un film où on donne des coups, j'irais voir Quatre Saisons. Si je voulais faire un film qui montre comment donner les coups, j'irais à RDS. Mais je veux faire un film qui montre *pourquoi* on donne des coups. Donc, je vais à l'ONF (Office national du film). Pierre Falardeau m'a recommandé de voir Éric Michel, qui avait fait une belle job pour son film *Le Steak* avec Gaétan Hart. Juste pour éviter les ambiguïtés, je lui apporte une cassette vidéo d'un combat particulièrement sanglant. Ça le surprend un peu, mais je n'ai pas besoin de lui écrire une thèse de doctorat pour lui expliquer ce que je veux faire.

Il me backera du début à la fin. Je lui dois d'avoir fait le film que je voulais faire. Meilleur producteur de film avec qui j'aie travaillé.

Je me rends ensuite à Kahnawake pour avoir les droits des images de combats qu'ils avaient produits. Tout le monde m'avait averti de ne pas y aller seul. On a toujours peur de ce qu'on ne connaît pas. Tu parles, ils sont tous gentils avec moi. Évidemment, ils ont fait une drôle de face quand je suis rentré dans leur dojo, mais aussitôt que je leur ai parlé de mon projet, ils ont tous été super gentils.

Et puis je commence à filmer *Le Ring intérieur* avec ma petite équipe. On tournera sur une période d'à peu près un an et demi. Ce qui explique qu'à l'écran, je fais des shadows pas pire ou complètement nuls, ou encore que je suis grassouillet ou mince. J'étais en train de changer. Le film et surtout le sport ont beaucoup changé ma vie.

On est une petite équipe, parfaite pour ce que je veux faire. Un DOP, ou directeur photo, et un preneur de son. On a quatre spots dans les chars pour éclairer les scènes et ça me convient parfaitement. La scène du générique de fin se passe dans un parking. Pour la tourner, on a sorti nos quatre spots, on a mis tous nos chars sur les hautes pis ça a roulé tout seul.

On part filmer une soirée de combat à l'aréna Maurice-Richard. Faut être rapides et mobiles, il peut se passer tout et n'importe quoi sur le ring ou dans les loges, ça fait que je tire-pousse pas mal mes deux pauvres esclaves. En plus, quand je suis dans le coin d'Ali, Michel doit décider lui-même de ce qu'il filme. Vraiment, un des grands directeurs photo avec qui j'aie travaillé.

Notre producteur délégué veut absolument venir diriger le plateau. J'ai beau lui expliquer qu'on n'en a pas besoin, sa décision est sans appel, il viendra.

On filme le premier combat. Qui je vois dans ma shot de caméra? L'osti de producteur délégué de l'autre côté du ring. Je le veux pas dans ma shot, mais je ne peux pas aller l'avertir. Soudain, un des combattants se prend une shot sur le nez et un long filet de sang gicle sur mon pauvre producteur qui s'évanouit. Je dis à Michel:

— Arrête de shaker, tu vas fucker la shot.

— Pas capable d'arrêter de rire…

Au début, à chaque fois qu'Ali partait pour un combat, il m'avait demandé de ne rien dire à sa mère, de lui dire qu'il allait juste faire une petite compétition de karaté. Et à chaque fois qu'on revenait, elle me demandait:

— Est-ce que ça a bien été? Est-ce qu'il s'est fait faire mal?

Un jour, je me tanne d'être l'entre-deux et demande à Ali:

— Me donnes-tu la permission de te faire un mauvais coup?

— Aucun problème.

Je suis donc allé interviewer sa mère pour le film. Elle me disait des choses tellement importantes:

— Pire que de l'imaginer prendre des coups, c'est de l'imaginer en donner… Et vous savez, le monsieur qui tremble, là…

— Oui madame, Mohamed Ali. Vous avez peur que votre fils finisse comme lui?

— Oui.

J'ai fait un montage de l'entrevue, j'ai apporté une télé au dojo et je l'ai montré à Ali… en le filmant. Il avait les yeux rouges.

Puis il s'est levé, est monté dans le ring et a commencé à faire un shadow extraordinaire, que j'ai filmé aussi. Quand on fait un shadow, on se construit un adversaire imaginaire et on se bat avec pour répéter nos techniques. Je l'ai vu se battre avec tous ses démons, et mon cœur s'est serré.

MON GROS NOUNOURS

Deux ans plus tard, comme promis, Ali et moi on est chez le tatoueur. Notre affaire fait un peu « à toi mon gros nounours pour la vie ». On a choisi de se faire tatouer tous les deux le signe chinois qui veut dire « amitié » sur le pectoral gauche. J'ai quand même fait revérifier en douce par des chums qui parlent cantonnais, parce que certains tatoueurs ont la réputation de vous promettre « joli soleil couchant » en chinois, alors que le caractère dit en fait « Kiss my ass ».

Donc, moi j'ai fini le mien. Super beau. Je lis tranquillement une vieille revue pendant qu'Ali est en train de se faire trouer la peau depuis une heure, quand il lui vient soudain le même doute.

— Euh... Dan ?

— Ouiiii ?

— T'as vérifié ? Ça veut vraiment dire...

— Oui oui, ça veut dire « je t'aime mon gros nounours ».

Et là, j'ai eu droit au plus beau double look que j'aie causé à qui que ce soit dans ma carrière de niaiseur de chums. Première fois qu'Ali perdait le contrôle de sa face. Le salon en entier en a pissé de rire.

LES GUERRIERS

« Avertis avant de mourir. »

En 2004, Micheline Lanctôt adapte la pièce *Les Guerriers* de Claude Gauvreau en téléfilm, avec Patrick Huard et moi. Est pas nerveuse, Micheline; un clown pis un chanteux pour jouer du Gauvreau.

J'étais assez anxieux d'avoir à apprendre autant de texte si rapidement, avec ce que je ne connaissais pas encore comme mon « déficit d'attention » (TDA), trouble diagnostiqué depuis. En fait, les neurochirurgiens du Royal Vic ont finalement découvert que j'avais depuis l'enfance une légère tourette. Ça vient généralement en triumvirat; pertes de mémoire, distraction extrême et difficulté à se concentrer sur des choses le moindrement contraignantes.

Le neuro en chef me demande:

— Veux-tu qu'on te soigne?

— Tu soignes ça comment?

— Avec des antipsychotiques.

— Es-tu fou, sti? J'aime ben mieux rester psychotique, c'est ben plus le fun. Au fond, je voulais juste savoir si c'était dégénératif, parce qu'en fait je fonctionne plutôt bien et j'ai une très bonne équipe qui pallie mes distractions.

— Tu as une autre petite chose, ton tremblement. Tu trembles un tout petit peu plus que tout le monde. Rien à voir avec ta tourette. En fait, c'est la seule séquelle de ton alcoolisme.

— Mon Dieu, si c'est la seule punition pour mes péchés…

Bon. J'ai quand même accepté la job, et j'ai beaucoup aimé mon expérience. Micheline est une directrice d'acteurs fantastique, et Pat est un super acteur.

Vers la fin du tournage, ma blonde est venue sur le plateau avec mon fils. On tournait une scène où je faisais une crise cardiaque et mourais.

Le docteur Alain Vadeboncoeur a déjà écrit que les acteurs ne savent pas mourir. C'est entièrement vrai. Je ne sais même pas si je joue un infarctus du myocarde ou si je fais un AVC, mais bon, je me tiens la poitrine, grimace de douleur et m'écroule de la façon la plus convaincante possible pour un acteur qui n'est jamais mort pour vrai.

Micheline dit « Coupez ! », et ma blonde vient me rejoindre avec mon fils dans ses bras, en pleurs.

— Euh… tu l'avais pas averti que tu mourrais.

Dans ma tête ça fait : « Osti de cave, tu viens de mourir devant ton fils. »

Je l'ai rassuré du mieux que j'ai pu, l'ai couvert de bisous et chatouillé comme un vrai papa pas trop nono, et on a à peu près oublié l'histoire. Mais si j'ai un conseil à donner, c'est : Avertissez ceux que vous aimez avant de mourir.

LA GRANDE BOSS

J'ai plusieurs tantes et cousins qui sont artistes, je trouve ça extraordinaire. Quatre de mes tantes aiment beaucoup chanter à la fête annuelle des Bigras. Malgré leur trémolo aiguisé, elles chantent bien en harmonie et elles mettent de l'ambiance. Elles demandent généralement à mon cousin de jouer du piano et font chanter les plus jeunes. J'adore ça. Ensuite, elles me demandent de jouer, et même si je dis toujours que je n'ai pas envie, elles insistent. Si je m'entête, il y en a toujours une pour me dire :

— C'est grand-maman qui te le demande ! !

Merde. Si c'est grand-maman, je ne peux évidemment pas refuser. Alors j'y mets mon cœur et je joue à chaque année.

Après quatre ou cinq ans, je me tanne et vais voir ma grand-mère en arrivant à la fête.

— Grand-maman, c'est-tu vraiment nécessaire que j'aille jouer cette année ?

— Hein ? Mais moi, je m'en sacre complètement si tu joues ou pas, mon garçon.

Osti. Est bonne. Chaque année, mes tantes me fourrent ben raide en me faisant croire que ça vient de grand-maman, alors que ça vient d'elles. Démones. Je les adore. Je rigole et, finalement, je finis toujours par jouer.

Le fait est que grand-maman, c'est kekun. Si elle était dans la pègre, elle ne serait sûrement pas un soldat, elle serait fucking Don Corleone. Mon grand-père étant décédé à l'âge de cinquante ans, elle a élevé onze enfants toute seule et porté la ferme à bout de bras. Femme de tête solide, brillante et facétieuse. Le sens de l'humour bigratesque qui me sort de temps en temps par les trous de nez, c'est elle.

Un jour, une de mes petites nièces se marie, alors son pauvre futur esclave découvre les Bigras à la cérémonie. Il en est visiblement impressionné. Le Bigras, ça prend de la place, c'est taquin et sans pitié. Le pré-marié a très hâte qu'une dame de grande sagesse, en l'occurrence ma grand-mère, prenne la parole pour qu'on le lâche un peu.

On demande le silence et ma grand-mère observe son futur gendre-martyr droit dans les yeux sans parler, ce qui a le don de le faire changer de couleur. Et alors, doucement, elle lui dit :

— Jeune homme, il va falloir que vous compreniez qu'à partir de maintenant… vous êtes MA propriété.

Elle continue à le fixer droit dans les yeux, le silence devient lourd comme une joke de politicien. Le pauvre petit gars est d'un superbe mélange écarlate-bleu-mauve-translucide... du Chagal. Et soudainement, tout le monde part à rire bruyamment. Ma grand-mère sourit avec ses yeux. Comment elle me disait quand j'était petit déjà? Ah oui: face haïssable, face crasse. Le jeune multicolore vient de se rendre compte qu'il a épousé une famille en entier, et il l'accepte de bon cœur. Courageux, le petit.

À l'âge de quatre-vingt-dix-neuf ans, l'état de santé de ma grand-mère s'est brusquement détérioré jusqu'à sa mort en 2004. Avec mon fils et ma blonde, je suis allé la voir à l'hôpital. Mes tantes chanteuses n'étaient plus des tantes, elles étaient redevenues des petites filles, comme tout le monde dans ces moments-là. Elles étaient tellement tristes qu'elles essayaient de réconforter ma grand-mère avec beaucoup de déni.

— Ben oui moman, vous allez être sur pied pour la fête des Bigras.

J'ai remarqué que ça lui tombait un peu sur les nerfs, à ma matriarche. Je comprenais la réaction de mes tantes, mais moi, dans les moments importants, je suis souvent partisan de la ligne directe. Souvent, aimer les gens, ça implique de leur donner un début d'heure juste.

— Grand-maman, avez-vous envie de mourir?

Elle m'a répondu avec une immense lassitude:

— C'est parce que c'est tellement plaaaate.

Elle a dit ça avec la face qui allait avec le commentaire.

— Grand-maman, vous avez toujours été le boss.

On tutoie nos premiers ministres, mais on vouvoie nos grand-mères. C'est très sain, on reconnaît nos vrais boss.

— Si vous décidez de partir, ma famille pis moi, on va vous appuyer. Si vous décidez de rester, on va vous appuyer aussi. L'important, c'est que ça soit vous qui décidiez.

Elle réfléchit un instant.

— Ok, mais il va falloir que tu me fasses une promesse.

— Tout ce que vous voulez.

— Promets-moi que tu vas prier pour moi.

Énorme désarroi dans ma tête, pas loin de la panique. J'ai une goutte de sueur avec du sang dedans qui coule sur mon front. Mais avec aplomb je lui réponds :

— Bien sûr grand-maman, avec plaisir. Je vous le jure.

Et le soir à la maison, je me mets à genoux au bord de mon lit, les mains jointes comme un petit garçon, moi le mécréant, l'anticlérical, le pire athée que l'on puisse trouver à l'est de l'Oratoire. J'ai prié pour le salut de l'âme de ma grand-mère. Et je l'ai fait sérieusement.

Je suis prêt à mentir à Dieu, pas à ma grand-mère.

LA BOSNIE

Un jour, un agent travaillant pour les Forces armées canadiennes me téléphone. Il me propose de faire une tournée avec l'armée, pour aller remonter le moral des troupes. Je le remercie, mais ça ne m'intéresse pas beaucoup.

Plus tard, je réfléchis à mon refus et je ne me trouve vraiment pas très gentil. Ce ne sont pas les soldats qui causent les guerres, ce sont les politiciens. Les soldats, eux, sont les premiers à en subir les conséquences.

Alors quand un gradé me rappelle en m'expliquant ce qu'ils essaient de faire en Bosnie, je lui dis qu'en fait, je suis peut-être naïf, mais pour une fois je suis d'accord. Il fallait arrêter le massacre et même y aller avant. Mais bon, c'est l'OTAN, soit l'Organisation du traité de l'Atlantique Nord, et non l'ONU, l'Organisation des Nations Unies; ils ont arrêté les massacres systémiques, alors je cracherai pas dans la soupe.

L'ONU était une bonne idée au départ, mais les forces politiques qui en font partie obligent l'organisation à de belles saloperies. Ils ont par exemple laissé se commettre, tout en l'observant, un authentique génocide au Rwanda. Ils ont fait la même chose en Bosnie.

Comment rendre quelqu'un fou? Premier moyen, la souffrance psychique. Forcer quelqu'un à faire des choses que sa raison lui interdit.

Premier exemple: les règles d'engagement interdisaient de riposter à une arme d'un calibre inférieur à la sienne. Traduction: Si un Serbe vous vise, vous devez absolument identifier le calibre de son arme et vous choisir une plus petite arme que la sienne pour riposter. Bref, vous avez le temps de mourir cent fois. Je mets votre cerveau au défi de résister à ça sans perdre la carte. Si on vous en donnait l'ordre, resteriez-vous en face d'un autobus qui fonce sur vous à toute allure?

Deuxième exemple: vous n'êtes que des observateurs, vous n'avez aucun droit d'intervenir. Si vous le faites, votre supérieur peut vous abattre sur-le-champ. Sous les yeux de votre patrouille, une dizaine de soldats serbes battent un enfant à mort à coups de crosse de fusil. Vous assistez à tout, du début à la fin, et vous ne faites rien.

En seriez-vous capable?

Le soldat qui m'a raconté cette histoire avait l'air d'avoir quatre-vingts ans… Il en avait vingt-cinq. Il est foutu, fini. Il le sait. Il est revenu de la guerre correct en apparence. Il a enduré tout ce qu'il a pu. Un jour, un de ses oncles s'est suicidé, et ce jour-là, tout lui est remonté à la gorge. Et il est comme… mort avec son oncle.

Pendant le massacre, des Serbes entraient dans la maternité située à quelques rues du stade de Sarajevo où se sont déroulés les Jeux olympiques d'hiver (et où, notamment, Gaétan Boucher a été médaillé en 1984). Ils ramassaient les femmes enceintes et arrachaient les bébés vivants du ventre de leur mère pour les brûler. Sans compter tous les autres carnages, camps de concentration, etc. Nos troupes canadiennes, qui étaient avec l'ONU, voyaient, mais ne pouvaient faire quoi que ce soit et nous revenaient complètement massacrées. Il n'y a pas si longtemps, ces soldats, c'était des petites filles et des petits gars qui n'avaient pas d'argent pour étudier, ou des jeunes qui cherchaient l'aventure, qui voulaient changer le monde. À la poubelle, nos jeunes. Maintenant, je pense constamment à la vraie histoire quand nos politiciens nous mentent en pleine face.

L'OTAN, elle, est intervenue, et elle a au moins shellé (bombardé) les Serbes et arrêté le siège de Sarajevo. Je dis donc à ce monsieur que j'irai avec plaisir.

La mission fait partie des tournées officielles pour remonter le moral des troupes. Je souris en me demandant s'il n'a pas peur que je les rachève. À part les *Trois Petits Cochons*, mes tounes ne sont pas toujours super joyeuses.

Avant de partir, on a eu une séance de briefing. On nous a entre autres expliqué qu'il ne pouvait y avoir aucun cruisage en mission. Ça me fait penser aux boxeurs qui arrêtent de baiser pendant des semaines avant le combat. Ça doit garder les troupes de mauvaise humeur. Je prends la main d'un soldat et demande :

— Ça, c'est du sexe ?

— Absolument. Personne ne se tient par la main.

C'est pour que les couples ne rendent pas les célibataires fous.

J'aime bien nos soldats. Personne n'a aucune idée de ce qu'ils endurent, dans leur corps et dans leur âme. Je n'aime pas que des gens les rendent responsables des guerres. Les responsables des guerres ne vont jamais au combat. Ils tirent les ficelles, mentent à tout le monde, surtout aux troupes, font des profits nauséabonds et des carrières marécageuses.

La meilleure façon de faire croire à des soldats qu'ils n'envahissent pas un pays, qu'ils ne l'agressent pas, c'est de leur faire croire qu'ils accomplissent une mission humanitaire. Le meilleur moyen de leur faire croire qu'ils accomplissent une mission humanitaire, c'est de leur faire faire un peu de travail humanitaire au travers de leur guerre et surtout d'en envoyer des images à leur pays.

Mais en Bosnie, la mission ne me semblait pas pourrie. Les soldats devaient installer un mur d'interposition entre les camps et arrêter les massacres. Sur place, j'ai constaté que c'était bien plus qu'un slogan : sur le terrain, nos soldats travaillaient solide. Et pendant leur seule journée de congé à Velika Kladusa, ils allaient piquer des pelles et des pioches et allaient reconstruire des orphelinats. J'y étais. Je crois que les soldats de l'OTAN, parce qu'ils ont pu faire quelque chose, ont peut-être un tout petit peu mieux survécu que ceux de l'ONU. Peut-être.

Donc, nous ferons le tour. Nous arrivons à Zagreb en Croatie, puis nous nous rendrons à Velika Kladusa, Zgon, Banja Luka et Sarajevo.

Première nuit à Zagreb. Ce sera notre seule nuit en Croatie. Hôtel et tout le kit. C'est tranquille, presque touristique, j'exagère à peine.

Le lendemain, on part pour Velika Kladusa, que tout le monde appelle VK. C'est une base canadienne dans le nord de la Bosnie. Les soldats canadiens sous mandat de l'OTAN passent leur temps à désarmer les villages. Certains villages voudraient bien reprendre les armes, ce qui fout la trouille aux autres, alors personne n'accepte de se faire désarmer. Ça devient un peu obsédant comme exercice. Les soldats désarment un village, pour s'apercevoir que les armes ont été secrètement transférées à un deuxième village. Quand ils vont désarmer le deuxième, les armes sont déjà dans un troisième village, qu'ils tentent de désarmer pour s'apercevoir que dans la nuit, les armes sont revenues dans le premier. C'est sans fin.

Ceux qui disent qu'ils ont gagné une guerre sont des imbéciles et/ou des menteurs. Le gros des agressions se termine, la ville de Sarajevo a été « libérée », mais la haine qui habite les gens est dix fois plus forte que celle qui les habitait avant la guerre. Les horreurs laissent des traces indélébiles dans les cœurs. Le gars qui a massacré ta famille habite à côté de chez toi. Tu peux bien déménager, il y en a d'autres partout où tu vas. Il faut apprendre à vivre avec tes bourreaux.

Il y a en Bosnie près de dix mille enfants du viol. L'avortement n'étant pas accessible, les bébés sont victimes du dégoût de leur mère dès la grossesse. Ils sont donc élevés non seulement dans le manque d'amour, mais dans la haine pure.

En ce moment, ils ont tous l'âge de prendre les armes. On a fabriqué des fous, et maintenant que ce n'est plus d'actualité, on regarde ailleurs.

LE PETIT MP

À l'entrée du camp de Velika Kladusa, il y a une photo polaroïd affichée à la vue de tous. Un homme avec seulement un torse et ses tripes répandues sur le sol. Il a sauté sur une mine antipersonnel. La mort est atroce.

La mine a la forme d'un brin d'herbe et est faite en plastique, aucun détecteur de métal ne peut la repérer. La technique de déminage est assez simple en Bosnie, ça se fait pouce par pouce avec une fourchette. Il y en aura encore dans trois siècles. Le sergent-major nous explique que la région en est truffée et nous montre la seule piste où nous pouvons circuler sans péter dessus. Le lendemain, un gros boum. Quelqu'un vient d'exploser dans notre sentier sécuritaire.

Je ne jouerai jamais au golf, allergique au gazon à jamais. Anyway, je pogne les nerfs au mini-putt.

À Banja Luka, le campement est sous contrôle britannique. Nous débarquons, il fait près de quarante-cinq degrés. Ça sent la merde, ça sent la mort. Ça peut bien, le campement est construit sur un dépotoir. On est logés dans des petits containers. Vous savez, ils en foutent quatre par wagon sur les trains de marchandises au Canada. On est quatre dans notre canisse.

Je me promène dans le camp, croise constamment des « Brits » qui m'ignorent royalement (normal pour des Brits) ou qui m'envoient des regards hostiles (bizarre, me semblait qu'on était alliés). Je comprendrai plus tard ; nous avons de très jolies danseuses avec nous et ils sont jaloux.

Des officiers nous expliquent qu'il y a déjà eu par le passé des agressions sur les filles. Semble-t-il que l'état-major canadien s'en était plaint aux officiers britanniques, qui avaient répondu :

— Guys gotta have fun, war's hard.

Alors ils nous donnent l'ordre de ne jamais laisser une fille toute seule. À chaque soir, on était obligés de toujours raccompagner les filles. Je le faisais tout le temps.

Le soir arrivé, on fait le show chacun son tour. Pendant le mien, ça parle tout le long plus fort que le show. Normal, les Brits ne me connaissent pas du tout. Quelques soldats québécois leur crient de fermer leurs gueules, mais les Brits s'en foutent. Les soldats de Sa Majesté me laissent indifférents, mais les nôtres me font sourire. Sont gentils, nos soldats. Mes chemins et les leurs semblent différents, mais on a beaucoup de choses en commun. Ça me touche.

Après le show, les danseuses signent des autographes aux Brits surexcités. Moi, je suis en arrière, hors du chapiteau, seul en train de boire une bouteille d'eau, quand un sergent arrive en trombe.

— Dan ! On est dans marde, fais-tu encore du combat extrême ?

Je souris.

— On dit ultime, et non, je suis trop vieux…

Mais je m'arrête, il a vraiment l'air énervé.

— Qu'est-ce qu'y a ?

— Les Brits viennent fous sur les filles, on est en train de perdre le contrôle.

Je me lève rapidement, entre dans le chapiteau et vois qu'effectivement les soldats de Sa Majesté sont en train de repousser les Canadiens et se rapprochent des filles. That's it. Je suis furieux. Faut dire que je suis assez traumatisé depuis mon arrivée en Bosnie, faque après toutes les histoires de meurtres, une petite bataille, ça peut pas être si pire. Avec le passé que j'ai, je supporte mal les bullies et les agresseurs de toute sorte, c'est physique.

Le sergent fait sortir les filles et moi je vais me planter devant un grand cave qui fait une demi-tête de plus que moi et qui a les mêmes dents que le prince Charles. Je regarde derrière lui et songe que quand même, ils sont au-dessus de deux cents devant une quarantaine de Canadiens. D'après moi, on va en manger une câlisse. Pas grave, il y a un grand cave qui va passer le restant de ses jours à se brosser les dents par le trou de cul.

Un bon coup de tête, ça se donne avec un ti peu d'abdos pis ben de la mauvaise humeur, pis aujourd'hui, j'ai un ti peu d'abdos pis beaucoup du reste. Ça pousse pas mal, j'attends que mon grand twit fasse juste m'effleurer pis j'en fais une ostie de pizza. Envie d'y casser kekchose. Tout ça me fait pousser un petit sourire.

Au moment précis où ça commence à pogner, un coup de sifflet résonne et tout le monde fige. De l'entrée du chapiteau, un MP (military police), soldat d'à peu près cinq pieds deux qui doit peser cent trente livres avec un frigidaire dans les mains, re-siffle. Terreur complète dans tout le chapiteau. Là, j'ai vraiment un grand sourire, je suis émerveillé. Ça, c'est de l'autorité. Je vous jure que ça se rassoit immédiatement. Brits, Canadiens et moi. Des vrais tits enfants de carte postale.

SARAJEVO

Nous avons fini la tournée par la capitale de la Bosnie, Sarajevo. Ville millénaire bouleversante parce que tellement belle, tellement ravissante... et tellement massacrée. En la découvrant, je suis sidéré, étrangement blessé, comme si on avait agressé ma blonde.

Je me promène plusieurs jours dans la ville et décide de la filmer. J'ai un appareil de qualité professionnelle. Je vais faire ce qu'on appelle en cinéma un « pan », c'est pas un plan compliqué. Je dois trouver l'endroit le plus surélevé possible en plein milieu de la ville, installer mon trépied, et de façon extrêmement stable exécuter une très lente rotation de trois cent soixante degrés. Sur un écran de cinéma de soixante pieds, l'effet sera saisissant.

Je trouve mon endroit : le stationnement du fameux stade. Une vue à couper le souffle.

J'installe ma caméra. Le stade est surréel pour moi. Je me souviens des images à la télé quand Gaétan Boucher a remporté ses trois médailles aux Jeux d'hiver de Sarajevo, avant la guerre. C'est aussi l'endroit où les Serbes ont massacré des milliers de civils. Le même endroit porte ces deux mémoires complètement opposées. On croit toujours que la guerre est faite dans des pays peu civilisés, mais ici, ils avaient des condos, des autos, des cartes de crédit, des restaurants, des bars. Nos préjugés ne tiennent plus.

Je commence donc mon pan. En pivotant, j'aperçois une toute petite montagne. C'est le Snow Hill Mountain, le cimetière de Sarajevo. Quelque chose cloche. Tout le monde l'appelle « Snow Hill » parce qu'elle est blanche. Nous sommes en juillet, la neige est impossible, fait plus de quarante degrés... Je zoom, j'ajuste ma lentille comme une longue vue pour me rapprocher et essayer de comprendre.

Ce que je vois alors me cause un malaise proche de l'anxiété. Ce qui semble blanc de loin, ce sont les croix blanches du cimetière. Mes yeux voient, mais mon cerveau refuse de comprendre. Les croix sont beaucoup trop rapprochées. Ça n'a aucun sens.

Un copain bosniaque vient murmurer à mon oreille :

— Il n'y avait plus de place, on les a enterrés debout.

Bon, tu ne vas pas dans une zone de guerre en t'attendant à atterrir à Disney World, je m'étais donc blindé. Mais cette vision-là vient de défoncer mes limites. L'horreur de trop. J'en ai entendu et vu beaucoup pendant le voyage, mais là, quelque chose se referme en moi. Je me sens vide. Je ne ressens rien. Une odeur de vomi dans mon cœur.

Je range ma caméra, embarque mes affaires et rentre à la base dans le silence le plus total.

Je ne parle à personne pendant plusieurs jours. Les gens me disent bonjour, mais je suis pétrifié, incapable de les regarder. Je ne réponds plus. Je m'enferme dans mon bunker et je ne bouge plus. J'ai quelque chose de brisé.

Plus tard, je commence à écrire. Je ne sais absolument pas si je pourrai en faire quelque chose. Un poème dans tout ça, ce n'est pas très utile, c'est un peu ridicule. Mais c'est mon système à moi.

SARAJEVO

On veut pas voir que ça existe
C'est juste un show pour la télé
Une invention des terroristes
Chaque soir pour nous réconforter

Chez nous chez vous il y a des fleurs
Il y a la télé pour les idiots
Et la prison pour tous les tueurs
Chez nous c'est loin de Sarajevo

La vie c'est un écran couleur
Le viol le meurtre l'amour aussi
L'indifférence ça cache la peur
On a rien fait on a rien dit

Les meurtres d'argent n'ont pas d'odeur
Chez nous chez vous c'est tellement beau
Un soir j'en ai perdu mon cœur
Je l'ai retrouvé à Sarajevo

Chaque fois que tu dis pas dans ma cour
Pour toi l'horreur c'est pour ailleurs
La journée où ça sera ton tour
Les powerfreaks paieront tes fleurs

Dans un jardin c'est beau les fleurs
Il n'en reste plus pour les tombeaux
Il y a plus de morts qu'il y a de fleurs
C'est un peu triste Sarajevo

J'en ai eu le cœur arraché
Je peux juste le recoudre avec des mots
Pour moi toujours l'horreur et la beauté
Vivront mariés à Sarajevo

Si tu fais pas mal au malheur
Quand un enfant a le cœur gros
À chaque fois c'est toi qui meurs
C'est dans ton cœur Sarajevo

Ils sont entrés par la petite porte
Les chiens passent toujours par la cour
Leur religion était plus forte
Alors la nuit a mangé le jour

Ils ont sorti les petits enfants
Encore vivants du ventre des femmes
Pour s'amuser ils ont tué le temps
Une vie un petit envoye dins flammes

Depuis les corps sont enterrés
Debout le soleil en pleine face
Les morts ne peuvent même plus se coucher
Pourrir debout ça prend moins de place

C'est quoi dis-moi c'est quoi la guerre
C'est juste un meurtre un million de fois
Un tueur qui fait pleurer sa mère
À Montréal ou Sarajevo

Les pauvres sont toujours en avant
Il n'y a aucun remède aux grands mots
Qui rendent les riches plus puissants
Plus riches à chaque Sarajevo

S'il y a une tuerie dans ton cœur
Arrête de croire tous les salauds
Qui n'ont ni tendresses ni douleurs
Sinon c'est toi Sarajevo

Après le massacre ils sont rentrés
Et ils sont tous devenus fous
Et les seuls qui en ont réchappé
Les powerfreaks ils sont chez nous

Vu d'un salon la guerre c'est loin
Mais aujourd'hui c'est un peu moins beau
Un enfant stoned est mort de rien
Ça sera toujours Sarajevo

Je me couche pour me perdre dans mon silence et réussis à m'endormir. Le lendemain, je montrerai mon poème à quelques chums soldats, que je verrai touchés. Bon… Mon poème n'est peut-être pas complètement inutile.

J'étais venu essayer d'apporter quelque chose aux soldats. Je repartirai avec bien plus. J'ai été capable de recommencer à parler grâce à ma petite carte postale qui rime.

Mais je ne veux plus qu'on s'en prenne aux soldats. C'est bien présomptueux de ma part. Tout le monde s'en prend aux soldats, à commencer par ceux-là même qui les ont envoyés à la guerre. Nos soldats reviennent blessés dans leur âme, on appelle ça très commodément le « choc post-traumatique ». C'est mignon, on dirait une petite maladie psychiatrique. Ce qui sous-entend qu'on peut traiter ça avec des pilules. C'est voulu. C'est pour qu'on les oublie.

J'en ai encore la nausée.

Les soldats connaissent l'enfer. Certains vont jusqu'au fond de l'horreur dans un conflit militaire, mais ensuite ils reviennent, et c'est un autre enfer qui les attend. Un enfer bien élevé, domestiqué, et hypocrite comme un animal qui fait semblant de ne pas avoir faim.

GUERRES

« Si tu réponds à la haine par la haine,
faudra pas t'étonner que la haine gagne. »

On vit dans un cocon ici. On voit une saloperie à la télé, et on se dit: « Ça n'arriverait jamais ici. » Comme si, automatiquement, on en était absous. On n'a pas à intervenir ni à se sentir coupable, ça concerne « les autres ». Non seulement on ne regarde pas ces autres, mais on ne regarde même pas dans notre cour. On hurle sur la chasse aux phoques, mais on ne dit rien sur la folle cruauté des abattoirs, sur la détresse de nos vieux placés dans des mouroirs ou sur la tristesse de nos jeunes abandonnés dans les rues. Notre argent nous a acheté des petites télés et... le droit de ne pas regarder. Les aveugles subissent souvent la cruauté. Nous, la cruauté nous a rendus aveugles, et elle nous rendra fous si on accepte de vivre enfermés dans notre petit Disney World.

Nous tolérons les images des pires horreurs, du moment que c'est un autre qui les subit. Au pire, nous allons faire un débat sur la pertinence de cacher ces images aux nouvelles, mais jamais nous ne nous commettons pour partager cette souffrance, la soigner ou à tout le moins nous y opposer. Les quelques rares qui s'y risqueront se feront publiquement insulter. Ils seront traités de gaugauche-caviar ou carrément de traîtres, et nous préférerons croire les faiseurs d'images, parce qu'entre deux solutions, soit la bonne ou la moins angoissante, nous choisirons toujours la moins angoissante. C'est comme ça que le pouvoir s'exerce.

Les guerres n'ont jamais été affaire de solidarité, patriotisme ou générosité. Toujours des conflits commerciaux entre puissants. Du temps des dictatures monarchiques, le roi décidait, appuyé par ses grands commerçants. Depuis l'avènement de la démocratie, le principe est resté le même, mais il a fallu un peu plus d'efforts pour se faire appuyer du peuple. La propagande a pris une place de plus en plus importante dans l'espace public, mais les objectifs sont toujours restés les mêmes.

Me semble que depuis le temps, on devrait le savoir. Cortez apportant « la bonne parole » aux sauvages en massacrant des peuples entiers... Nos propres ancêtres l'ont fait. Ils convoitaient les richesses d'un territoire, et ils les volaient en tuant presque tous ceux qui étaient déjà là. Les Américains qui apportent la « démocratie » aux Arabes en tuant et en volant toutes leurs richesses naturelles, sans vergogne... Les Russes l'ont fait pendant des années en Afghanistan. Nous les dénoncions comme des envahisseurs, et nous faisions exactement la même chose dans le même pays.

Nous le faisions pour des raisons « humanitaires » mais étions absolument infoutus d'installer une simple force d'interposition au Rwanda. Éviter un génocide aurait été le premier des gestes humanitaires. Nous n'avions même pas besoin d'envahir le pays pour cela. Nous nous en sommes crissé comme de notre première chemise, malgré les appels publics répétés du général Dallaire.

Pourquoi ? Sommes-nous des monstres ? Non. Nous ne sommes pas dans le secret des seigneurs, et nous nous contentons de leur propagande vasouilleuse et meurtrière pour nous complaire dans le silence et l'ignorance, en espérant qu'un jour ils nous jetteront des miettes. Mais les seigneurs ne jettent jamais de miettes. Et les riches conservateurs nous vantent leurs guerres parce que beaucoup de seigneurs y trouvent leur compte.

Est-ce que quelqu'un a vu, une fois, une seule fois, un débat honnête à une grande chaîne de télé entre quelqu'un qui était pour la guerre et quelqu'un qui était contre ? Pas une discussion entre experts militaires, un vrai débat ? Pas une seule fois. Pour un pays en guerre, c'est absolument anormal. Les grands médias n'ont pas voulu ou n'ont pas pu. Nous avons laissé faire et nous continuons.

En fait, nous aimons le mot « guerre ». On se sent toff quand on le prononce. Faut vraiment pas savoir ce que c'est.

RECRUTEMENT

Promettre une éducation contre la possibilité de se faire tuer, c'est encore une fois récupérer la pauvreté pour en faire de la chair à canon. Plusieurs jeunes n'auraient accès à aucune éducation s'il n'y avait pas cette entente morbide avec l'armée.

Comment ces jeunes en sont-ils arrivés là ? Souvent par simple manque d'argent. Quand on augmente de façon drastique le budget militaire et qu'on coupe en éducation, que croyez-vous que ça donne à long terme ? C'est ce qui arrive quand un gouvernement travaille pour des seigneurs et contre son peuple. Dans ce temps-là, faut pas chercher midi à quatorze heures pour trouver une solution. Un gouvernement qui travaille pour son peuple appliquerait exactement l'inverse ; il couperait dans les dépenses militaires et assurerait une éducation à tous nos jeunes. Comme ça, l'idée de devenir militaire serait une vraie décision, et non pas le fruit d'un odieux chantage : « Si tu n'acceptes pas d'être un soldat, tu n'auras aucune éducation. Rien. »

Il me semble d'ailleurs qu'un métier si difficile, si plein d'horreur, de mort et de torture devrait être choisi librement par des gens responsables. La meilleure façon de comprendre que ce n'est qu'un système de chantage éhonté est d'observer la nonchalance et l'hypocrisie de nos politiciens pro-guerre. Ils nous traitent de traîtres si on n'appuie pas nos troupes quand elles partent faire des guerres que personne ne comprend, mais ils abandonnent – je dirais plutôt trahissent – leurs soldats quand ils nous reviennent complètement massacrés.

Chair à canon inutilisable, on s'en fout. Demandez à ces politiciens combien d'entre eux enverraient leurs enfants à la guerre ; le résultat sera très près de zéro. Le système chair à canon n'est valide que pour les pauvres et les enfants des pauvres. Ensuite, les gouvernements coupent des centaines de millions dans l'aide aux anciens combattants.

Afghanistan, Irak, Tibet, la Grenade, Panama, le Vietnam. On tolère. Comment et pourquoi tolère-t-on l'intolérable ?

Le pouvoir aime la guerre. Ça unit le peuple derrière son gouvernement. Ça représente la stabilité. Tout le monde obéit ou se fait qualifier de traître. Pendant ce temps, toutes sortes d'abus économiques se font. Les USA se sont pris des centaines de milliards de dollars de déficit juste pour payer leurs deux dernières guerres en Afghanistan et en Irak. Les fabricants d'armes, les industries du pétrole et de « reconstruction » sont ceux qui empochent le gros de cet argent. Ils financent le pouvoir, le pouvoir leur donne notre argent, et il ne reste plus rien pour les classes pauvre et moyenne.

Bref, tout roule pour les seigneurs.

CHAPITRE 7

FABRIQUER DES MONSTRES

« Abandonner un enfant, c'est s'abandonner soi-même. »

Recette : Comment on fabrique un monstre ? Première étape : prenez un jeune être humain et faites-lui perdre la raison. La meilleure façon consiste à lui infliger des souffrances insupportables, dès la petite enfance. Les souffrances les plus efficaces proviennent généralement de la violence sous toutes ses formes : physique, verbale, psychologique ; agression sexuelle, abandon, écrasement de l'ego mais aussi de toutes les zones d'amour, de tendresse. L'enfant n'aura alors plus d'issues et il se repliera sur lui-même, fermant tous les canaux de communication dans un dernier geste de survie.

Certains de ces enfants brisés réussiront à garder un seul canal ouvert : la rage. Par ce canal, il est facile d'enseigner toutes les perversions possibles, mais aussi de ramener l'enfant à de l'amour. Faut pas avoir peur des coups, des tristesses, ni de la tendresse. Quand le seul canal de communication d'un enfant est la colère, on se doit de respecter ce canal, d'aimer l'enfant et d'aller à sa rencontre à son rythme, à ses conditions.

Quelquefois, je me demande ce qui a pu faire perdre la raison à notre société pour qu'elle se rende si souvent complice de notre plus grand crime : fabriquer des enfants foutus. Moi, j'ai l'extraordinaire chance d'avoir été admis dans le clan des répareux, d'abord au Refuge, puis chez AED (Assistance aux enfants en difficulté).

Mais je ne suis pas un sauveur d'enfants, Dieu merci. Quand tu prends soin des enfants et qu'il y en a un qui meurt, est-ce que ça veut dire que tu es un assassin d'enfants ? J'essaie d'être un des nombreux outils qu'ils utilisent pour se sauver eux-mêmes, quand ils décident de le faire. La victoire leur appartient toujours.

DOC JULIEN

J'ai rencontré le docteur Gilles Julien en 2006, à une émission de Radio-Canada où on devait mutuellement s'interviewer, lui et moi, autour d'un bon petit dîner dans un restaurant. On avait, pendant une heure, discuté de choses et d'autres, en revenant inévitablement sur le sort des enfants maltraités et de l'énorme difficulté de tenter de les soigner dans un système tentaculaire, figé dans son énormité et même, souvent, carrément hostile.

Le docteur Julien a mis en place au Québec ce qu'on appelle la « pédiatrie sociale », une approche de la pédiatrie élargie à tout l'entourage familial et social de l'enfant en difficulté. Un des points centraux de son intervention est que « ça prend un village pour élever un enfant ». Ce qui veut dire que quand un enfant atterrit dans son bureau et qu'il débusque un problème familial, sa première intervention est non seulement d'entourer l'enfant, mais aussi la famille.

Nous avons fini notre émission ensemble, et je trouvais ma rencontre avec ce fabuleux médecin absolument passionnante. Je me préparais à partir lorsqu'il me prit le bras.

— J'aimerais ça qu'on se parle à un moment donné.

— Certain. On peut se parler tout de suite si tu veux.

— Non non. Faudrait qu'on s'assoie ensemble pour discuter de quelque chose. J'ai peut-être une idée.

— Semaine prochaine ?

— Oui, on s'appelle demain.

Rendez-vous fut pris, et on s'est rencontrés à sa clinique la semaine suivante.

Une petite pancarte toute simple à l'entrée : « AED, Assistance aux enfants en difficulté. » À l'extérieur, le docteur Julien est un homme discret mais chaleureux. En dedans, un volcan. Comme France Labelle au Refuge, il esclavagise systématiquement tous les adultes qu'il rencontre, au service des enfants.

— Salut Gilles.

— Salut Dan. Bienvenue dans notre petite clinique.

— Pis, ton idée ?

— J'ai une quinzaine d'enfants et de préados que je suis en train de perdre. Des enfants massacrés. Ils sont mal en point et très en colère. Si on ne fait rien pour eux, dans une couple d'années, on va les retrouver à ton Refuge. Le chemin est tout tracé. J'aimerais ça qu'on fasse quelque chose avec toi. Tu as l'air à l'aise avec la colère des enfants et, en plus, tu es connu. Je crois que ça peut aider.

— Tu penses qu'ils auraient plus confiance en quelqu'un de connu ?

— C'est évident, et les parents aussi. Tu sais, ils n'ont aucun endroit pour exprimer leur colère. Peuvent pas exploser à l'école, peuvent pas exploser chez eux, peuvent même pas exploser ici, ils font peur aux autres enfants… et aux parents aussi. En fait, ils font peur à tout le monde.

Je souris.

— Tu sais, au dojo, un enfant qui pète une coche, ça impressionne personne. Pis la colère, pour nous, c'est plutôt un outil de travail… Je vais parler à mon chum Ali, c'est le propriétaire du dojo. Je crois que l'idée va lui plaire. Il a déjà un programme un peu similaire pour des plus vieux qu'il essaie de sortir des gangs de rue… Tu me présentes tes monstres ?

Gilles sourit.

— En haut.

Le téléphone sonne. Le doc doit répondre, mais il m'adjoint une intervenante. C'est sa vie. Tout le temps cinquante personnes qui le réclament en même temps.

On entre dans une pièce où il y a une quinzaine d'enfants. Ils dessinent. L'adjointe réclame leur attention.

— Salut les enfants, je vous présente Dan Bigras, dont on vous avait parlé.

Silence. Pas un ne lève la tête. Elle me regarde, attendant ma réaction. Il m'arrive quelquefois d'être très patient sans aucun effort. Alors je m'assieds et j'attends. Au bout d'une minute, une jolie voix de petite fille lance :

— Moi, Dan Bigras, j'm'en câlisse !

L'intervenante dit :

— Mélissa, voyons.

Moi, ça me fait sourire.

— Laisse faire, c'est la seule qui a remarqué que je suis arrivé, donne-moi une chance. Bon ben, salut les monstres, ça m'a fait super plaisir, d'après moi, on va avoir du fun… à moins qu'il y en ait qui aiment pas la bataille.

Oups. Tous les regards se sont levés. Visiblement, la bataille, c'est intéressant. Alors je leur explique l'idée du doc, puis je dis :

— Pour ceux que ça intéresse, on commence dans deux semaines. Super hâte de vous voir. À bientôt.

Nous redescendons. Gilles me demande :

— Tu vas parler aux parents ?

— Yep.

— Tu vas leur dire quoi ?

— Qu'ils peuvent pas venir. La rage des petits est presque tout le temps dirigée contre leurs parents. S'ils cognent sur un sac, ils cognent sur leurs parents. Si les parents sont là à les observer, les petits cognent pas. Les parents sont interdits, that's it.

Le doc sourit.

— C'est pas des psychopathes, les parents.

Je souris aussi.

— Ben non, mais ça reste qu'ils ont tous un défaut : c'est des parents. Bons ou pas, ça change rien. On leur fera une démonstration à la fin de l'année.

— Ils vont avoir peur que tu enseignes à leurs enfants comment donner des coups de poing sur la gueule.

— Ah non. Ça, ils savent déjà.

Je soupire.

— Mais il y a peut-être un problème.

Le doc lève les yeux.

— Tu sais Gilles, moi je suis un gars qui part. Je pars faire des shows, des films, des fois je pars des mois.

— T'as juste à le leur dire. Les enfants, il faut juste ne pas leur mentir. Tu pars, tu reviens, s'ils le savent, ça va. C'est des enfants qui se sentent facilement trahis, ils l'ont été tellement de fois… Tu sais, même si tu leur donnes juste un cours d'arts martiaux, ça peut rester avec eux pour le restant de leurs jours.

LES COURS DE BOXE

Une semaine plus tard, le doc et sa gang étant des phénomènes d'efficacité, les enfants sont réunis avec leurs parents dans la grande salle d'AED. Gilles prend la parole.

— Bonjour tout le monde, je vous présente Dan Bigras. Je suppose que vous le connaissez ?

Quelques parents font un signe de la tête, pas un enfant ne bouge. Tout le monde est un peu nerveux. Je souris gentiment.

— Premièrement, je veux vous rassurer tout de suite, je ne transformerai pas vos enfants en assassins… ils le sont déjà.

Julie Desharnais est une extraordinaire travailleuse sociale. C'est le bras droit du docteur Julien chez AED. Elle a toujours douze mille livres de pression sur les épaules et elle gère ça bien calmement. De la trempe du doc. À la fin de la réunion, elle m'entraîne discrètement dans un coin.

— Il y a une mère qui veut te parler.

— Tu peux pas t'en occuper ? J'suis meilleur avec les petits.

— Fais pas ta moumoune. Avance.

La mère est sur le bord de l'attaque de panique. Abus sexuels aggravés sur son fils par le beau-père. Toutes les démarches ont été faites. La police sait, la DPJ aussi, mais l'enfant ne veut pas porter plainte.

— Je veux que vous en parliez avec lui. Il faut que ça sorte.

— Vous savez, madame, c'est pas mal lui qui va décider de quoi on va parler. Moi, je vais le suivre… Et au sujet de « faut que ça sorte », je vous suggérerais d'en parler avec quelqu'un pour vous-même, madame. C'est très important, ça aussi.

Rien à faire, elle est en panique complète, Julie devra intervenir pour la calmer.

Le doc Julien fait énormément de choses très créatives pour les enfants. Moi je fais partie d'un de ses set-ups. La boxe et la bagarre ne fonctionnent évidemment pas pour tous les enfants. Le cinéaste André Melançon est venu régulièrement à la clinique leur donner des cours de théâtre, ils ont des ateliers de musique, et le doc a même ouvert une clinique de l'attachement. Pour les jeunes mamans qui n'arrivent pas à aimer leur nouveau-né ou à leur montrer leur amour, souvent parce qu'elles n'ont pas vraiment été aimées elles-mêmes. La clinique leur offre des cours, et les résultats sont positivement spectaculaires.

On appellera donc ça les « cours de boxe » pour rassurer les parents, mais en réalité, ce que je vais leur offrir, c'est des cours de massacre.

C'est très varié. On a des ballons qui ne font pas mal quand on les prend dans la gueule, mais que les enfants peuvent lancer de toutes leurs forces derrière la tête de l'adversaire avec un « quins mon tabarnac ». On leur donne aussi quelques cours techniques pour ne pas qu'ils se blessent en cognant sur un sac de frappe, mais ce qu'on cherche à leur offrir, c'est le défoulement pur. Les enfants en sont privés depuis toujours, alors ça sort dans de mauvais endroits. Il faut donc commencer par leur donner un espace.

Les cours sont épuisants mais extraordinairement amusants ; pour les enfants, mon chum Ali, les autres profs... et pour moi. On a un fun de fou. Il faut dire que les autres profs adorent nos enfants, ils sont souvent d'anciens enfants troublés eux-mêmes. Le dojo est une immense salle carrée, ouverte, avec des vitrines et pas de petits coins noirs où un adulte malade pourrait traîner un enfant pour lui faire du mal. Alors les enfants se sentent en sécurité, et plus le temps passe, plus ils s'amusent.

Ils ont développé quelque chose ; généralement, dix minutes avant la fin du cours, sans sembler même se consulter, ils me sautent sur le dos et c'est la bagarre générale. On ne frappe pas, mais le tiraillage est assez raide. J'aime beaucoup les enfants, mais s'ils essaient de me tuer, je n'ai aucune pitié. Du gros fun noir.

J'aime bien me tirailler avec eux, mais je n'ai pas leur forme physique. Alors quand on arrive à bout de mon souffle, je demande le calme, couché sur le dos sur le tatami, pas trop loin de l'attaque cardiaque. Et là, c'est toujours la même chose ; les enfants, rassasiés de bagarre, se sentant aimés dans un endroit qui leur fait du bien, posent leur tête sur moi et reprennent leur souffle. La confiance envers certains adultes est revenue. Et avec la confiance, qu'est-ce qui revient ? La parole.

LE PETIT JEFF

Le petit Jeff ne vient pas aux cours avec la navette de la clinique. Il vit en centre d'accueil. Ses intervenants, sous-financés mais excellents, ont parfaitement compris tout le bien qu'il pouvait retirer des cours de boxe. Ils laissent sortir le petit Jeff une fois par semaine, à condition qu'un taxi vienne le chercher, l'amène aux cours et le ramène au centre. Pas de trouble, on connaît un chauffeur qui semble parfait, très responsable et tout.

Un jour, après un cours où les enfants m'ont donné beaucoup d'amour, c'est-à-dire que j'ai mal partout, j'ai assez hâte de rentrer chez moi. Les enfants sont tous repartis avec la navette, sauf évidemment le petit Jeff. Alors moi :

— Jeff, va voir si ton taxi est arrivé.

Jeff monte, revient en me faisant un signe :

— Y'est pas là.

Je vais prendre ma douche. En ressortant, je vois le petit Jeff assis sur un banc.

— Toujours pas arrivé?

Il me fait signe que non.

— Ben, retourne voir.

Il monte, revient, fait encore signe que non.

Finalement, on va jouer à ce petit jeu pendant une demiheure, jusqu'à ce que je me rende à l'évidence: le taxi ne viendra pas. Je sens la colère me prendre, comme une main sur ma gorge. L'osti de taxi a abandonné un kid. Je me tourne vers mon chum Ali. Je lui chuchote:

— Le tabarnac, il a «oublié» Jeff ici. S'il se pointe tantôt, tu lui dis de changer de ville pis de changer de face.

Je prends deux secondes de réflexion et dis:

— Jeff, embarque, face crasse. C'est moi qui vais te mener aujourd'hui.

Sa figure s'illumine d'un immense sourire.

On monte et au moment où on est assis dans mon char, pas le temps de fermer la porte, le torrent se déverse; il parle, parle, parle, je ne sais même pas s'il prend le temps de respirer. Il me pose une question, je vais pour répondre, il me coupe la parole, mon temps de réponse lui prendrait du temps de parole, alors il enchaîne et parle, parle, parle. Je commence à être un peu étourdi. En arrivant à un feu rouge, je réfléchis à la possibilité de sauter en bas du char.

Mais bon, on arrive au centre jeunesse. Jeff me dit:

— Viens me reconduire à mon unité, viens me reconduire à mon unité, viens me r…

Je souris.

— Évidemment que je vais te reconduire à ton unité.

On traverse le parking et il parle et parle. On traverse de grands couloirs et il parle et parle. Il me présente ses intervenants, très sympathiques ; ils aiment visiblement beaucoup Jeff. Il me montre sa cellule… et mon cœur se brise. Comment est-ce qu'une société qui se prétend civilisée accepte que des enfants soient élevés dans des cellules plus petites et plus sinistres que celles dans lesquelles elle enferme ses criminels adultes ?

Jeff me donne une binne sur l'épaule, me cause presque une fracture, bref, de l'amour, et je lui frotte les cheveux par affection et aussi pour cacher ma tristesse.

— Salut monstre. Semaine prochaine ? Je vais te trouver un autre taxi.

Je rentre chez moi avec un malaise inexplicable. Ce n'est pas que la tristesse. Il y a quelque chose qui m'échappe. Je déteste quand quelque chose m'échappe. Je vais y penser toute la semaine.

La semaine suivante, j'attends les enfants au dojo. Je vois Jeff entrer avant les autres. Nos regards se croisent une fraction de seconde et, tout de suite, il se met à regarder ses bottes. Osti, je viens de comprendre. J'essaie de ne pas sourire. Ça marche pas.

— Jeff ! Viens me voir. Pas dans trente ans, tu-suite !

Il s'approche. Il regarde toujours le plancher. D'habitude, j'aime bien l'expression des petits criss qui ont fait un mauvais coup et qui savent que tu le sais… sauf chez ces enfants-là. Ils payent toujours leurs gaffes cent fois le prix des autres enfants, et le cœur me brise à chaque fois. Je soupire.

— Arrête de regarder le plancher, tu l'intéresses pas. Moi, tu m'intéresses. Dis-moi, tu m'as fourré en osti toi.

— Kwâ ?

— Fais pas semblant. C'est toi qui as renvoyé ton taxi. Pis tu l'as fait parce que c'était le seul moyen pour qu'on puisse être tout seuls, sans la gang. Tu voulais me parler, faque tu m'as manipulé, menti, tu m'as fourré ben raide pis je suis... extrêmement fier de toi.

Il lève un œil, un peu surpris. Je rigole.

— Osti de belle shot. J'ai hâte de conter ça au doc.

Il panique.

— Dis-le pas au doc, dis-le pas au doc!!

— Arrête. Il va te donner une médaille... Je vais juste te demander une petite faveur. Prochaine fois que tu veux me parler seul à seul, fais-moi un petit signe. Tu triperais pas ben ben si les cours étaient annulés parce que tu verrais dans le journal que Dan Bigras a décapité un chauffeur de taxi.

Il éclate de rire et s'enfuit au vestiaire pour se mettre en tenue de combat. En fait, je ne suis pas certain que ça lui déplairait tant que ça... Osti de Jeff. Comment est-ce qu'on peut abandonner ces enfants-là?

Plus tard, je raconte au téléphone toute l'affaire au doc qui est complètement émerveillé.

— On devrait lui donner une médaille.

— Oui, me semblait que ça serait probablement ton opinion.

On rigole ensemble. Puis il me passe sa merveilleuse Julie qui a quelque chose à me dire.

— Dan, la petite Mimi ne viendra pas au cours aujourd'hui.

— Il y a un problème?

— Elle a essayé de se tuer. Elle a avalé un litre de détergent.

Je pâlis.

— Dan, ça va arriver des fois. Il y a des enfants qui se pendent.

J'avale difficilement.

— Je sais. Neuf ans, criss… Ça va aller. Faut juste que je sois un peu plus attentif aux signaux d'alarme.

Au dojo, mon ti-frère Ali vient me parler.

— On devrait envoyer un kit d'entraînement à la petite Mimi. Gants, vêtements, sacs, tout. Et faire coudre son nom dessus. Juste un message comme quoi elle a encore une gang ici, même si elle ne vient pas pendant un bout de temps.

Je le regarde et me dis encore une fois que je ne pouvais pas avoir un meilleur chum.

LES BLESSURES DE GUERRE D'ALICE

Alice arrive à son premier cours en chandail à manches longues. Quelquefois, les enfants portent des cols roulés. Les cols roulés cachent la marque de corde après une tentative de suicide par pendaison. On appelle ça une cravate.

Les manches longues, c'est autre chose. Je lui dis doucement:

— T'sais Alice, que tu te mutiles, ça m'impressionne pas. Les raisons pourquoi tu te mutiles, ça, ça m'impressionne. T'as pas à en parler si tu veux pas, mais si ça te tente, j'suis là. Tes cicatrices, c'est pas une honte, c'est tes blessures de guerre. Moi, je les porterais fièrement.

Elle n'a rien dit, mais la semaine d'après, elle est arrivée en camisole et on a eu du gros fun, ça a brassé pas à peu près.

Elle est toff Alice… et merveilleuse.

LE PETIT « C'EST DE MA FAUTE »

On essaie toujours d'expliquer aux enfants victimes de violence que ce n'est pas leur faute. Le concept même du « ce n'est pas de ta faute » est extrêmement douloureux pour le petit Gilles. Si ce n'est pas lui qui est méchant, pourquoi se fait-il frapper?

Aujourd'hui, il fait du sac à poings nus. Je m'approche de lui. Doucement, je lui prends les poignets et lui examine les mains. Ça commence à craquer et à saigner.

Je lui dis :

— Il va falloir que t'apprennes à fesser sans te punir. C'est pas facile, mais ça se fait.

Je lui bande les mains et lui mets les gants de boxe. Il recommence, méthodiquement. La rage et la tristesse sont tellement lisibles sur sa détermination. Je me dis que, au moins, ça ne fait plus juste entrer, ça sort.

Petit Gilles m'avoue qu'il s'est pris une volée. Il m'en parle en regardant ses souliers. Ça faisait longtemps que je m'en doutais.

— C'est de ma faute. J'ai été tannant en osti.

Évidemment, gros flashback. Mignonne image de mon enfance surgie dans mon cœur. Le pire dans les coups, c'était le sentiment de culpabilité. Je devais sûrement être un enfant atroce pour mériter ça, sans ça la vie n'aurait aucun sens.

— Il y a une chose qu'il faut absolument que tu saches… C'est pas de ta faute. Jamais.

Il lève les yeux. Ils sont rouges. Criss, il faut que je reste solide, ses yeux m'arrachent le cœur.

— Tu peux être tannant, faire des ostis de mauvais coups, ça peut sûrement mériter qu'on te confisque ton PlayStation, mais quand ton père te crisse une volée, c'est pas parce que t'as été tannant, c'est parce qu'il est malade. Il est violent. Ça n'a rien à voir avec toi.

Ti-Gilles, embarrassé, commence à pleurer tout doucement. Sans sanglots. Les larmes coulent, c'est tout. Je le vois fouiller l'Univers afin de trouver de l'amour et un minimum de sens dans ce qu'il vit. Il est tout perdu.

Après un moment, il va au vestiaire pour se changer et pour tenter de digérer tout ça. Ali s'approche de moi et, ensemble, on pense au petit Gilles. Ça nous rappelle des affaires à tous les deux.

Il n'est juste absolument pas question qu'il trouve normales les horreurs qu'il vit. Plus tard, il pourrait tout aussi ben poignarder quelqu'un et trouver ça normal, ou bien, dans un avenir rapproché, se faire pogner le cul pour des bonbons et trouver ça normal.

Le problème de la violence à la maison ne sera jamais réglé tant que nous n'aurons pas les programmes d'aide adéquats pour les victimes et… pour les agresseurs.

RUN DE LAIT

Sans trop m'en apercevoir, j'ai commencé à écrire *La Rage de l'ange* avant de faire *Le Ring intérieur*. Pendant ma tournée avec Laurence-Garnouille en 2000, j'avais écrit une scène étrange : une jeune fille, tripotée par son père dans son enfance, était en pleine « run de lait ». C'est le terme qu'on utilise pour parler du trajet rue-drogue-prostitution, courant chez les jeunes agressés.

Un enfant qui a été agressé va beaucoup s'en prendre à lui-même au cours de sa vie. Il éprouve un énorme sentiment de culpabilité qui, logiquement, devrait affecter l'agresseur, pas sa victime. La vérité est que les agressions du genre « l'enfant se fait sauter dessus dans une ruelle et se fait violer à la pointe du couteau » sont très rares. La plupart des agressions pédophiles se produisent à la maison ou chez des gens de confiance. L'agresseur n'a pas de couteau ; il manipule. Il manipule de toutes les façons possibles, dont la gentillesse et la tendresse. Par exemple, il peut commencer par caresser l'enfant d'une façon convenable, d'une façon tendre, chaude et rassurante pour l'enfant, qui reçoit ces caresses avec bonheur. L'agresseur se met ensuite à transformer graduellement toute cette chaleur par l'agression sexuelle. Au début, l'enfant ne comprend même pas que c'est mal. Quand il le réalise, il a souvent, à cause de la chaleur des premières caresses, l'impression d'avoir laissé faire son agresseur. Un peu comme s'il avait participé à sa propre agression. Il se blâmera et se punira pendant une grande partie de sa vie. C'est ça, la « run de lait ».

Cette première scène d'un film dont je ne sais pas encore s'il existera se déroule sur la rue Sainte-Catherine. J'ai nommé cette jeune fille Lune. Elle fait sa run après avoir passé son enfance à se faire agresser par son père. Elle fait le trottoir comme les autres prostituées. Parallèlement, son père, au volant de sa voiture, se cherche une prostituée. Il embarque sa propre fille sans s'en rendre compte. On retrouve l'auto dans une ruelle et la première réplique prononcée est :

« Pourquoi tu m'aimes pas, papa ? »

Tandis que j'écris, je n'ai pas vu que derrière moi, Laurence Garnouille lit par-dessus mon épaule, émue, les yeux rouges. Je me dis : « Tiens, ce n'est peut-être pas juste pour moi. » C'est ce qui m'a donné, des années plus tard, l'élan pour le continuer.

Mon film s'appellera *La Rage de l'ange*, parce que pour moi, c'est ça, la rage d'un ange. L'ange, c'est l'enfant, et la rage, c'est ce qui lui reste à la suite d'une agression. Soudain, fini l'enfance. Ne reste que la dévastation.

LA RAGE DE L'ANGE

Je repense à la chicane que j'ai eue il y a quelques années avec le maire Bourque, à propos des jeunes au centre Préfontaine. Je me dis que, dans le fond, il a sûrement essayé de bien faire. Il avait juste pas les meilleurs attachés politiques de la planète à ce moment-là. Le maire Bourque était un bon monsieur et je crois, sous plusieurs aspects, un bon maire.

Ce qui me fait réfléchir, c'est plutôt ma tendance à partir en guerre quand j'ai l'impression que des gens se font bullyer. Si je suis si prompt, c'est que ça me fait souffrir. Quand ça me fait souffrir, ça me fait écrire. Utiliser une trame venue de mon passé pour alimenter une fiction est un exercice périlleux, mais je me dis que si je le réussis à mon goût, je peux faire quelque chose d'utile. Pour le reste, l'écriture est toujours une aventure.

Je repense donc au monsieur qui avait craché à la figure de jeunes de l'âge de ses enfants au centre Préfontaine. Je ressasse l'idée que j'avais eue alors, celle de faire un film comme s'il avait été écrit par lui. Comme s'il avait compris sa propre haine. Mais ce n'est pas suffisant, ce n'est pas encore assez intérieur ; je ne me mouille pas assez. Je ne peux pas écrire ce film comme si j'étais un observateur extérieur. Ça me prend une référence émotive, quelque chose d'encore plus près de moi.

J'ai pas à chercher longtemps, ça s'impose d'un coup. Cette référence-là était sous mon nez : papa. Il a compris trop tard ses dégâts, et il l'a payé de sa vie.

Papa écrira donc ce film par mes mains. Là, je tiens quelque chose.

Il existe des fonds d'aide à l'écriture mais je n'en veux jamais ; il y a toujours quelqu'un qui vient foutre son nez dans mes affaires, et il n'en est pas question avant que je sois prêt à montrer mon scénario à maman. Référence très importante pour moi, qui date de ma période de bars. T'as pas de nouveau show ? Dérange pas ta mère. Qu'elle soit décédée n'y change rien. Donc, j'implique jamais une équipe de production sans avoir poussé le scénario suffisamment à mon goût. Pour le reste, un film est toujours un « work in progress », tu peux même le réécrire au montage si tu veux.

Faire financer un film est toujours un sport un peu extrême, mais ça s'est somme toute bien passé. Mon scénario s'est fait refuser une première fois et accepter à la deuxième. On s'est foutus au boulot avec l'équipe.

J'ai passé pas mal d'acteurs en audition. Tellement de jeunes sont venus tenter leur chance, mais trop avaient les manies qu'on retrouve chez les finissants d'écoles de théâtre. Je leur expliquais qu'il fallait casser tout cela, la belle diction et autres tics, j'avais besoin de voir mes jeunes de rue. Ils en étaient souvent incapables, et je m'énervais à l'idée que ces écoles enseignaient le théâtre comme matière principale et, en matière secondaire, le cinéma. Ils faisaient perdre des rôles précieux à tous ces jeunes acteurs.

Alexandre Castonguay est venu auditionner pour le personnage de Francis. J'ai ressenti pour lui une sympathie immédiate. Il partait de Rouyn sur le pouce, venait passer ses auditions et repartait. Il n'a jamais voulu habiter Montréal. Il a les yeux un peu durs. Pour détendre l'atmosphère, je lui demande :

— Nerveux ?

— Pantoute.

Osti, baveux à part de ça. Il me fait penser à qui, donc ?... J'ai un flash. Calvaire, il me fait penser à moi. Je rigole. Comme il doit jouer le fils de mon personnage dans le film, ça se peut que ça se passe bien. J'ai quand même été dur à l'audition, il a travaillé fort.

Au moment de partir, je l'ai pris dans un coin :

— T'sais, c'est évident qu'il faut que je me mette d'abord d'accord avec ma productrice, mais en ce qui me concerne, t'as le rôle. Tu es fucking clairement Francis.

Quelques années auparavant, j'avais joué dans la télésérie *Tag*, où j'avais découvert Isabelle Guérard. Elle était physiquement et intérieurement exactement comme je voyais mon personnage, Lune, depuis toutes ces années. Elle a passé une audition d'enfer, on a tous été jetés à terre. Plus tard, à chaque fois que ma productrice voulait que j'examine la possibilité d'une autre Lune, je lui refaisais jouer l'audition d'Isabelle et la discussion était close.

Comme chum-de-rue-protectrice-slash-mère-de-remplacement de Lune, il y avait le personnage de Sandra. Une prostituée de rue à la fois extrêmement dure et d'une tendresse infinie. Pour être franc, j'avais écrit ce personnage en pensant à ma chum Lulu Hughes. Je l'ai donc appelée et, usant d'un terme méprisant que je n'utilise jamais dans la vraie vie, je lui ai gentiment dit :

— Lulu, j'ai besoin d'une vieille pute.

— Je te demande pardon ?

— Pour mon film.

Et là, elle m'a fait une réponse Luluesque classique :

— Mais… chus pas vieille.

Je suis parti à rire et ai répondu :

— Dans la rue, on vieillit plus vite.

— Mais j'ai jamais joué.

— On s'en sacre, mais faut que tu passes l'audition, je suis pas tout seul à décider ici.

Elle est venue, mais comme elle avait vingt-six shows en même temps, elle n'avait pas eu le temps d'apprendre son texte. Ma productrice doutait, avec raison. J'ai pris Lulu à part :

— Lulu, faut que tu passes ton audition sans lire et comme si tu voulais aller te chercher un Oscar. Il y a d'autres actrices qui vont vouloir ton rôle. Reviens la semaine prochaine.

Elle est revenue au pas de charge, habillée comme une prostituée d'un film des années trente avec colliers, robe décolletée pis toute, et elle a tout arraché. Elle a été encore trois fois meilleure dans le film. Je le savais. La plus grande qualité d'un acteur ou d'une actrice est de savoir écouter, bien avant de savoir jouer. Lulu est musicienne, elle sait écouter. Dans une de ses scènes avec Pierre Lebeau, on avait fini les shots de Pierre et on l'a filmée qui écoute. J'avais des gros techniciens tatoués qui pleuraient.

Mais bon, il fallait d'abord préparer tout ça. Moi, en préproduction, je prends peu de temps pour faire répéter le côté mécanique avec mes acteurs. Je préfère les « spychanalyser ». Cette « spychanalyse » du dimanche leur donne une profondeur qu'ils atteindraient plus difficilement par des répétitions techniques. On fouille et on sort tout un backstory pas nécessairement écrit dans le scénario. Mes méchants sont surpris que je leur sois attaché. Ils croyaient jouer des trous de culs. Mais ces personnages-là sont des humains, et j'explique aux acteurs pourquoi ils sont méchants.

Tout se passait bien, et puis nous sommes arrivés au moment de tourner la scène d'ouverture. Le film commence par un homme qui est en train de battre… quoi ? On ne le sait pas en début de scène. Vers la fin de la scène, on voit apparaître entre les grosses mains de l'homme deux petites mains d'enfant. Ça, c'était en fait ma volée, celle que je prenais régulièrement quand j'étais enfant, avec tous les mêmes mouvements.

C'était une scène bien facile à écrire, à la limite c'était même un peu libérateur, de prendre la place de mon père qui me frappait. Euh… la jouer, c'est autre chose. La scène exigeait que je fasse semblant de crisser une volée à un enfant. J'étais paralysé, incapable d'y aller. J'ai appelé ma blonde, qui a essayé de me calmer. J'ai fini par me pointer… en retard de dix minutes. Première et dernière fois que je suis arrivé en retard sur un plateau de cinéma, mon propre plateau.

J'avais engagé Marina Orsini pour jouer le rôle ambigu de la femme de mon personnage. Il n'y a pas de petits plaisirs. Elle a fait une job extraordinaire et cette fois-là, ressentant instinctivement ma détresse, elle s'est tout de suite mise à me regarder comme son personnage devait regarder le mien. Sans même que j'aie commencé à filmer. Tout le temps où je plaçais mes caméras, mon éclairage, le son etc., elle me regardait avec une intensité profonde qui faisait que peu à peu, sans m'en rendre compte, je devenais mon père.

J'ai finalement pu dire « action » pour le tournage de la première scène du film.

J'ai commencé à faire semblant de frapper ce fantastique petit acteur, le jeune Marc-Olivier Lafrance. Je tenais ses poignets d'une main en frappant de l'autre. Ce qu'il faut se foutre dans les yeux pour battre un enfant, c'est quelque chose. Pour que ma scène soit réussie, je devais me mettre ce « quelque chose » dans le regard pendant que le petit me regardait droit dans les yeux.

Puis je crie : « Coupez ! »

Je regarde Marc-Olivier.

— Mais arrête de me regarder.

Il me sourit.

— Ça me dérange pas, chuis un acteur.

J'éclate de rire.

— C'est pas toi que ça dérange criss, c'est moi.

Je n'ai jamais oublié à quel point Marina s'est préoccupée de moi sur mon plateau. Nous sommes devenus amis et nous le sommes toujours. Ce sera elle qui, plus tard, m'appellera pour me faire engager dans *30 Vies*.

J'ai fait des erreurs dans ce film. En voulant illustrer le désarroi d'un de mes personnages, j'ai écrit le moment où j'avais presque tué ma mère à l'hôpital. Grosse erreur. Quand tu reprends des choses qui sont arrivées factuellement, tu y crois parce que tu y étais. Personne ne peut te dire que ta scène est tirée par les cheveux. Sauf qu'eux n'y étaient pas, et le public non plus. Le cinéma, c'est l'art de prendre du faux pour conter une vraie histoire. Que ce soit une fiction ou un documentaire n'y change rien. La caution de la réalité fonctionne rarement.

J'ai coupé la scène au montage. Dommage, Alexandre m'avait livré toute une performance. Mais le cinéma ne pardonne pas les erreurs épaisses. C'est gros, un écran de cinéma.

Quand on écrit, réalise, joue et fait la musique d'un film, il faut comprendre qu'on n'a plus de vie pendant un an ou deux. Je réussissais quand même à voir mon fils, qui avait passé l'audition du personnage d'Éric jeune. Pas seulement auprès de moi, mais aussi de mon équipe et de ma productrice. Je le voyais sur le plateau où il excellait, et il venait souvent y traîner dans ses temps libres, alors on se voyait quand même pas mal. Je me rends maintenant compte que je l'avais en fait engagé dans ce qui me volait à lui. Le cinéma est très prenant, alors on se voyait dans le film. Il avait le talent pour devenir acteur, mais il s'est choisi un autre chemin, le sien. J'en suis fier. Nos enfants ne sont pas des « Mini Me ».

Julie, ma pauvre amoureuse, a beaucoup plus souffert de mes absences. Même quand je suis là, j'ai la tête dans les nuages. Elle a dû me demander mille fois : « Quand est-ce que tu finis ? Quand est-ce que tu reviens ? »

J'ai fini par finir mon film et je suis rentré à la maison. On a dormi comme des bébés. Au matin, on s'affairait dans la cuisine en même temps et, forcément, on a fini par se marcher sur les pieds. Elle a eu un soupir d'impatience et, sans réfléchir, elle m'a demandé :

— T'as pas un autre film à faire, toi ?

On a rigolé comme des madames dans un show de Mariana Mazza. La réalité est souvent beaucoup plus drôle que la fiction.

Important pour moi, le cinéma. Dans la vie, j'ai besoin de faire face. Si la menace est derrière moi, je ne peux pas la voir et elle me terrorise. En la mettant en face de moi, je la vois dans son entièreté et je finis par savoir ce qu'il faut faire avec. Le cinéma est extraordinaire pour ça. J'aime beaucoup faire des films. Je sors des choses de moi et je les mets sur un écran de soixante pieds. C'est gros, un écran de soixante pieds. Si on n'arrive pas à faire face à ça, c'est qu'on a un gros problème de vision.

Amusant. Je crois faire des films sur la vengeance et la rage, et finalement j'en fais sur l'amour et le pardon… Exactement comme quand je veux écrire une toune de cul et que ça finit par être une chanson d'amour. L'art, même modeste, répare à ma place.

MON BROUILLARD NOIR

Le doc Julien m'appelle au téléphone.

— Comment vas-tu ? J'ai à la clinique un petit toff, chef de gang de huit ans, qui fait casser des gueules quand on lui doit de l'argent.

— Huit ans ?

— C'est sérieux. Je lui ai demandé: « Veux-tu faire de la boxe avec Dan Bigras ? » Il m'a demandé: « Y va-tu me faire mal ? » J'ai répondu: « Peut-être. »

Je l'entends presque sourire au téléphone. C'est un doc facétieux. Je lui réponds:

— Tu me l'envoies ou je vais le chercher à la clinique ?

Finalement, je ne le verrai jamais. Me suis un peu fucké la colonne vertébrale. Cinq hernies discales. Si je continue, je vais finir en chaise roulante.

Criss. Je suis furieux. C'était ce que j'aimais le plus faire au monde. J'ai tiré les plus grandes leçons de vie des sourires des enfants et de leur résilience extrême. Mais il y avait autre chose; mon grand brouillard noir recommençait à m'envahir…

J'avais commencé à donner des conférences quelques années auparavant. Après la sortie en salles de mon premier film, *Le Ring intérieur*, les gens voulaient d'abord regarder le film, puis en discuter avec moi. Je trouvais ça extraordinairement amusant et instructif pour moi. Quand je donne un show de musique, les gens applaudissent (j'espère), mais on n'en discute pas. Et quand ils voient un de mes films, je ne suis pas là avec eux pour en parler. Le cinéma est un média de distance. Ce que les gens voient « maintenant », on l'a travaillé pendant des années. Ce qu'ils voient maintenant était avant, sans eux, alors que dans une conférence, les gens sont là avec toi.

Quand les gens peuvent te questionner directement, et même à l'occasion te confronter, ça fait éclater l'espèce de bulle qui se forme avec le temps quand on ne fait que « créer » des choses et qu'ensuite les gens applaudissent et c'est tout. C'est de la vraie communication, de la vraie vie, contrairement à la création, qui est pour moi un délire que je dois absolument faire seul.

En fait, j'ai besoin des deux. De la grande solitude et de la grande socialitude. Et l'une me repose toujours de l'autre. Je délire seul et viens me resocialiser en vous montrant ce délire. Cet équilibre entre deux univers très différents, mais très connectés, m'a toujours créé une très jolie vie.

Après les films-conférences, les gens se sont mis à oublier mon film et à ne demander que les conférences, alors j'ai continué d'en donner. On dirait qu'ensuite, plusieurs se sont souvenus que j'étais musicien, et on m'a demandé de plus en plus une espèce de combo-filet-de-poitrine-côtes-levées, sous forme d'une heure de conférence et une heure de spectacle. Ce que je continue régulièrement à faire aujourd'hui. J'aime bien le contact proche.

L'ANGE DE CHICOUTIMI

« Premier conseil : méfiez-vous des conseils. »

Une petite conférence donnée à Chicoutimi pendant l'hiver 2008 a déclenché quelque chose. Ça couvait depuis des années. Mon brouillard noir lance toujours de petits signes que je refuse de voir, jusqu'à ce que…

Quand je donne des conférences, le public me pose toujours beaucoup de questions personnelles.

— Monsieur Bigras, comment sont vos relations avec vos parents maintenant ?

— Suuuper ben, sont morts.

Certains rigolent, d'autres font le saut. J'explique toujours avec un sourire :

— Vous savez, je me suis pas réconcilié avec mes parents sur leurs lits de mort, mais à mon retour de Québec, on a eu beaucoup de belles années ensemble. Je ne suis pas Aurore, le chanteur-martyr.

Et on me demande souvent des conseils. Mon conseil est toujours le même: « Méfiez-vous des conseils. »

En fait, les questions sont toujours très différentes et un peu pareilles à la fois. « Comment moins souffrir, être plus heureux, comment faire avec nos enfants ? » Ce sont des questions extrêmement pertinentes, mais je ne suis pas un expert. Je n'ai pas les osties de clés du bonheur et je veux pas gérer le service après-vente. Et des experts, il y en a plein: les enfants eux-mêmes. Si on arrive à les entendre, ils savent très bien ce qu'ils ont, ce qu'ils veulent et ce qu'ils ne veulent plus.

Ça se passait donc à Chicoutimi en février 2008. On en était à la période de questions de la partie conférence, quand un monsieur accompagné d'un jeune gars s'est levé.

— Monsieur Bigras, ça fait un an que j'attends pour vous dire ça: merci. Merci beaucoup.

Je me dandine sur une patte. Ça me met mal à l'aise. Je ne sais jamais exactement de quoi ils me remercient. Quelquefois, on me remercie pour une de mes chansons et je me sens un peu imposteur. Quand j'ai écrit cette chanson-là, je ne pensais pas à eux... Je remercie toujours avec un petit sourire un peu épais.

— Sérieusement monsieur Bigras, merci beaucoup pour tout ce que vous faites pour les sans-abri. Moi, je suis propriétaire de la Maison des sans-abri de Chicoutimi, et on vous a fait faire une plaque.

Ah oui, je le connais. C'est Sylvain Plourde. Il se dévoue tellement pour les sans-abri au Saguenay que les gens d'ici l'ont surnommé « l'Ange de Chicoutimi ».

Il continue:

— Le petit gars qui est avec moi est un de mes pensionnaires et ça fait longtemps qu'il attend pour vous la remettre.

Alors le jeune s'avance vers la scène avec sa plaque, assez intimidé, pendant que monsieur continue à me parler :

— Monsieur Bigras, si je pouvais vous faire juste un petit reproche, c'est que vous ne parlez pas assez des régions. Il y en a plein de sans-abri dans les régions, et il y a jamais personne qui parle d'eux.

Bang ! Dins dents. Ah ben calvaire, il a raison.

— Monsieur, j'écoute votre reproche, je le prends personnel et vous avez entièrement raison. Je vais commencer demain matin et…

Je n'ai pas le temps de finir ma phrase. La foule pousse une exclamation. C'est étrange, une exclamation de foule, on dirait un grand soupir qui se prolonge. Je ne vois pas bien dans la salle, j'ai l'éclairage dans les yeux, mais je comprends rapidement que le monsieur est tombé. Mon éclairagiste est un gars qui réagit vite. En s'avançant, il me crie que le monsieur a eu un malaise. Nous sommes déjà sur nos cellulaires.

— L'ambulance ! Tout de suite ! Et appelle la Maison des sans-abri, je ne veux pas que le petit gars reste tout seul !

Le monsieur ne respire plus. La foule s'écarte. Quelques personnes qui connaissent la RCR se mettent au travail. Ça dure longtemps. La foule commence à demander où est l'ambulance. La vérité, c'est que l'ambulance se grouille sûrement le cul, mais les secondes pendant lesquelles quelqu'un ne respire plus semblent être des minutes et les minutes des heures. Je connais la mort, je l'ai rencontrée souvent, et là, ça ne sent pas bon.

L'ambulance arrive enfin et d'instinct, je cherche le ti-gars et le trouve. Il est pétrifié. Il me demande d'une voix blanche :

— Y va pas mourir, hein ?

— Il y a juste un menteur qui pourrait te dire oui ou non. Moi, je peux juste te promettre que c'est des gens super compétents qui s'en occupent, pis que toi, tu te ramasseras pas tout seul à soir.

Mon éclairagiste arrive et me dit que la Maison envoie quelqu'un pour venir le chercher. Les ambulanciers ont pris la relève des bons samaritains et s'activent énergiquement. À un moment donné, il y en a un qui s'écrie :

— Il revient !

Effectivement, l'ange recommence à respirer. La foule applaudit bruyamment, fantastiquement soulagée… puis, il arrête de respirer. Un autre ambulancier dit :

— Ok, on l'emmène.

Ils l'embarquent sur une civière et sortent en continuant leurs manœuvres jusque dans l'ambulance. On les suit. Une fois dans la rue, mon ti-gars avise un caméraman. Merde, c'est le caméraman qui a été appelé pour prendre des images de la conférence et du show pour le visuel de l'émission *Salut bonjour week-end*, que je vais tourner à Québec demain. Mon ti-gars le voit et le prend pour un charognard.

— M'as filmer ta famille pendant qu'a crève, toi, câlisse !

Et au travers de ses larmes, il saute dessus pour le massacrer. J'ai juste le temps de l'attraper. Merci à mes années de lutte, il faut que je le soulève littéralement, il est fort comme un bœuf.

— Arrête, c'est pas une charogne, c'est un gars qui est venu filmer le show. Je le connais.

Je le colle sur moi et il se laisse faire. On attend ensemble le gars de la Maison des sans-abri, qui arrive quelques minutes plus tard, catastrophé mais plein de sang-froid. Il est visiblement habitué de gérer des crises. Pour l'instant, pas grand monde n'y pense, mais si l'Ange meurt, qui va s'occuper de la Maison ? Je me dis qu'il me reste pas mal de choses à faire. Cibole, en plus ils ont des images, ça va brasser en osti dans les prochains jours.

Le lendemain matin, on apprend le décès officiel de Sylvain Plourde: «L'Ange de Chicoutimi est parti rejoindre les autres.» Les médias diront qu'il a été terrassé par l'émotion. Mouin, je connais ça. C'était plutôt le genre d'ange qui a toute sa vie pensé aux autres, mais peu à lui.

Plusieurs de ces aidants sont en mauvais état physiquement. Je nous souhaite d'autres anges comme lui, mais je souhaite surtout que nos impôts aillent enfin aux bons endroits. On devrait pouvoir payer de bien meilleurs soins pour nos abandonnés, et les anges pourraient penser à eux un minimum.

Alors je prends mon téléphone et appelle mon attachée de presse:

— C'est atroce, mais on va en faire kekchose. Il voulait que je parle des régions, ça va se faire tu-suite. On accepte toutes les émissions qui vont faire un appel à la population pour envoyer de l'aide à sa maison. Les émissions qui refusent, on les fait pas.

Pas eu besoin. Tout le monde a été généreux. Ils ont tous fait appel à la population. Au point où j'ai appelé à la Maison des sans-abri pour leur demander s'ils avaient vraiment reçu de l'aide ou si on brassait de la marde pour rien.

— Si on a reçu de l'aide? Ça arrête pas depuis à matin, même pas eu le temps de compter. Il y en a même un qui est venu nous porter une dinde.

— Quoi?

— Fais-toi-z-en pas, on va la manger la criss de dinde.

Bon. On a le droit de sourire un peu, même dans la tristesse.

Pendant trois jours, j'ai fait le tour de tous les médias. Une vraie tournée de promo. Mon éclairagiste me dit:

— Dan, je veux être prudent dans ce que je dis, mais s'il avait choisi son endroit pour mourir, il n'aurait pas pu en trouver un meilleur.

Je le regarde, un peu estomaqué. Il continue :

— Quoi ? Regarde-moi pas de même, s'il était décédé dans la tour de la Bourse, tu crois vraiment qu'il y aurait eu quelqu'un qui aurait tout fait pour attirer l'attention sur sa maison ?

Il a raison.

Je rentre chez moi, complètement épuisé. Je me couche. Ça me prend une éternité avant de m'endormir.

Le lendemain, je me réveille. Je devrais déjeuner, pas envie. Au moins me faire un café, pas envie. J'ai plein de choses à faire, pas envie. Bon ben reste au lit pis ouvre la télé. Pas envie. Va au moins pisser, criss ! Pas capable.

Ça se confirme : gros brouillard noir. Dépression. Câlisse.

Quand le cœur souffre, le corps pleure. Pis si tu l'écoutes pas, il va crier comme une crise d'angoisse pis ça sera le dernier avertissement. Après ça, il est capable de te pogner une maladie de marde. T'avais juste à écouter.

ANTÉCÉDENTS

C'était pas la première fois que ça m'arrivait. J'avais eu une attaque une vingtaine d'années auparavant. Je soupçonne même que j'en ai fait d'autres, mais j'étais trop saoul et gelé pour m'en rendre compte. J'en ai même fait enfant, je crois...

Mon médecin m'a fait remplir un questionnaire :

— Êtes-vous fatigué ?

— Oui.

— Avez-vous envie de lire un livre ?

— Non.

— Avez-vous envie de voir un film ?

— Non.

— Avez-vous envie de faire une sortie ?

— Non.

— Avez-vous envie de faire l'amour ?

— Es-tu malade osti ?

Chez moi, c'est mauvais signe. Ma libido suit mon humeur comme un lobbyiste son politicien.

— Avez-vous envie de…

— Non.

— Avez-vous envie de…

— Non.

— Avez-vous envie de…

Une bonne cinquantaine de non.

— Avez-vous envie de mourir ?

— Non. Je sais juste plus trop comment vivre.

Mon médecin examine le questionnaire avec mes réponses.

— Mmmouinn… ça me semble assez clair.

— Quoi ?

— Dépression nerveuse. Pis assez sérieuse.

— Dépression nerveuse ? On dit pas burnout ? Me semble, dépression nerveuse, c'est pour les vieilles madames aux cheveux bleus.

— Oui. Burnout, ça sous-entend que tu as trop travaillé, trop donné à la société. C'est cute… Toi, tu fais une dépression nerveuse de vieille madame aux cheveux bleus.

Bon. J'ai beau être déprimé, il me fait sourire quand même. Maudit bon médecin. À la retraite maintenant, dans la foulée du beau nettoyage du PQ. Dommage. Moi, je l'aurais fait travailler jusqu'à la mort. Un ange, lui aussi…

— Tiens, je te prescris ça.

— C'est quoi ?

— Pununes de vieilles madames. Tu es obligé de les prendre. Je suis sérieux.

— Fais-toi-z-en pas, je vais les prendre. J'aime pas ça être déprimé. D'ailleurs, je me demande en osti comment ça m'est arrivé, cette affaire-là, comme ça, tout d'un coup.

— Je crois que l'élément déclencheur a peut-être été l'arrêt de boisson. Tu as arrêté tellement brusquement. Si je lis bien ton dossier, tu es passé de trois litres de vin, une demi-bouteille de scotch, plus la cocaïne à… rien. En une nuit. Pas de sevrage, rien. Tu n'as même pas essayé d'habituer ton corps en réduisant progressivement.

— Tu sais bien que j'arrive à rien si je transforme pas tout en bataille.

— Je ne critique pas, mais c'est extrêmement dangereux. Tu n'es pas le seul et, pour la plupart, vous m'arrivez tous au bout d'un an en rechute ou en… burnout. Cela dit, une fois qu'on gratte un peu, on découvre toujours autre chose. On ne devient pas déprimé comme ça du jour au lendemain. On refuse de l'être pendant vingt ans et ça craque d'un coup.

Six mois plus tard, comme je me sentais mieux, j'ai arrêté les pununes. Ce qui m'a presque valu de me faire passer par la fenêtre de mon médecin. Troisième étage, quand même.

— On ne niaise jamais avec les antidépresseurs ! Tu te prends pour qui ? Tu ne vas pas mieux, tu nies ton malheur. C'est-du-dé-ni ! ! ! Si tu recommences une niaiserie comme ça, trouve-toi un autre médecin. Tu veux une corde aussi ? !

Wow. Ça s'appelle se faire frotter les oreilles. Je peux vous jurer que j'ai fait attention par la suite et que j'ai réduit la dose progressivement, sous sa très haute supervision.

LE KID

Mon grand brouillard noir frappe fort. L'effoireur effoire d'aplomb. Alors moi aussi, comme les Bigras, comme beaucoup de monde effoiré, il faut que je fesse. Je comprends la détresse qui transforme en bully, je ne fesse pas les proches. Je ne ramènerai pas ça à la maison, je vais le rendre utile.

Les voleurs d'âme me foutront toujours en guerre d'une façon ou d'une autre, et l'écriture restera toujours mon meilleur moyen de tout faire. Alors avant de fesser, j'écris. Je suis quand même conscient que ça ne donne généralement pas des beaux petits pouèmes qui tournent à la radio…

JIMMY LE KID

Bang bang à la porte, déjà la violence. Mon poing
se resserre.
Il fait ça tout seul quand les ogres s'en viennent cogner
dedans. Encore tout seuls à manger tout, ma gang
de généreux?
Ah… Désolé, le département des horreurs
est fermé après cinq heures.
Pas le droit de souffrir les jours fermables.
C'est un tantinet tannant d'être tanné les jours fériés.
Diable merci. Y a le royaume des indignés qui parfois
font l'amour ensemble.
L'amour quand c'est pas donné, il faut l'apprendre
alors on se colle… C'est notre fortune.
Ben oui Jimmy, ça paraît pas comme ça,
mais les voleurs sont tristes.
Ils cherchent ce qu'ils ont déjà, car ils oublient à chaque

fois qu'ils jouissent. Alzheimer de leurs cœurs qui ne se
parleront jamais, ils oublient tous les jours ce qu'ils ont
et ce qu'ils auraient pu donner.
Parce qu'ils ne savent pas chercher l'amour,
ils ne savent que voler la soumission la plus basse.
Pauvres caves éventrés à force de se fouiller le cœur
disparu dans la puissance inutile au bonheur
et je suis comme eux, je n'ai pas de pitié.
Ils ne sacrent pas, mais ils ne savent pas ce qu'est le vrai
blasphème. Le vrai blasphème c'est la tombe d'un enfant.
Hey mon kid, regarde-les même pas. C'est pas des modèles
à suivre. Des rapides de l'esprit et des caves du cœur ?
C'est pas brillant, il n'existe pas de salauds intelligents.
Ces monstres abandonnés qui ont la peur avant la
tendresse comme ils ont l'argent au lieu du désir se sont
fait abandonner des terroristes et laisser seuls face à
l'amour. Ça, ça terrorise.
Un bâtard, ça ne se fabrique pas, ça s'abandonne.
Les bébés ont tellement pleuré et personne n'ayant répondu,
ils n'ont eu d'autre choix que de couper le cordon
sentimental.
Ils se sont tus à jamais.
Un monstre, ça se fabrique tranquillement en regardant
ailleurs. Fie-moi sur toi, ils le regarderont bien un jour.
Ils peuvent bien chialer, il leur reste des larmes, eux.

ABANDONNÉ

Un jour vous regarderez
La tristesse des enfants
Dans le noir tous cachés
De vos yeux fermés grands

Et ce jour vous verrez
Toute la reconstruisance
Et la peine mal aimée
Des vieilles amours d'enfance

Parce qu'ils ont dû grandir
Tout seuls par en dedans
Juste pour ne pas salir
Vos yeux de morts-vivants

Ils vivaient sous votre scène
Personne ne les voyait
Plus de cœur plus de peine
Le froid qui les brisait

Pourquoi s'occuper d'eux
Tuons l'inoubliable
On et nous ça fait deux
C'est trop pour votre table

Dans vos yeux y avait rien
Pendant qu'ils suppliaient
Reprenez-nous dans vos mains
Et votre Purell coulait

Ils ne voulaient que vos miettes
Mais vos yeux ont dit rien
Plongés dans vos assiettes
Et vos faces dans votre pain

Le mal montre aux enfants
Que la haine et l'amour
Se sont mariés en riant
Des petits pour toujours

Et un jour ils feront
Tous un grand feu de joie
Les bonriens brûleront
Les papiers de votre foi

Ils feront le ménage
De toutes vos cochonneries
Plus besoin de partage

Pour avoir un pays

Et comment ferez-vous
Pour l'amour et pour vous
Quand il n'y a plus d'enfants
Ça coupe un testament

Ils achèteront l'amour
Vous avez acheté la paix
Des bouchons pour rendre sourd
Et des yeux qui fessaient

Faites la haine pas d'capotes
Et l'amour on verra
Un jour l'autre bord de la porte
Le bonyeu vous pardonnera

Il l'fera Yé ben d'adon
Eux c'est une autre histoire
Vous lirez leur pardon
Les yeux ouverts dans le noir

Et un jour vous verrez
Qu'il n'y a plus rien à voir
Les enfants se sont sauvés
Et tout l'amour hier soir

Aujourd'hui est trop tard
Vos jouets se sont brisés
Quand on fait des bâtards
On finit abandonné

MYRIAM

J'ai une grande amie. Une très grande amie. Comme pour presque tous les autres, je vais changer son nom pour les fins du récit. Tiens, Myriam. C'est un beau nom, Myriam…

Comme plusieurs de mes amis, Myriam a un passé. Un passé lourd qui l'a amenée dans les bras de la prostitution. De la prostitution jeune, de la prostitution hard. Je n'ai pas très envie de répéter ici les sévices qu'elle a subis, c'est inhumain.

Depuis plusieurs années, elle s'est sortie de son enfer, mais ses relations avec les hommes sont compliquées. On peut le concevoir. Même sa relation avec moi n'est pas simple. On a couché une fois ensemble, pas terrible. Elle me suppliait de l'insulter et de la claquer. Je ne juge jamais la sexualité de qui que ce soit, à moins qu'elle fasse des victimes, mais pour que ça marche, ça prend une zone de complicité. Moi je suis plutôt tendresse, alors j'ai décroché. On a même pas fini.

Ceci dit, on a gardé notre immense tendresse. Je l'aimerai jusqu'à la fin de mes jours.

Un jour, on bouffe ensemble dans un resto de la rue Saint-Laurent. Elle me provoque régulièrement avec ses récits de hard sex, border tolérables pour moi. Mais bon, chacun ses affaires. Je ne juge toujours pas.

Sauf qu'aujourd'hui, elle est déchaînée. Elle raconte, en remet et en remet. Je vois bien qu'elle essaie de me choquer. Je résiste, mais elle en remet encore.

— Et là, depuis que j'ai rencontré François, ça va plus loin. Regarde les marques…

Elle me montre des bleus gros comme des poings sur sa cuisse.

— Ben oui la smatte, mais ton gros brillant, il est gelé sur la coke pis le viagra. Un jour, tu vas en rencontrer un qui va te faire ça sans être gelé, et peut-être que lui il s'arrêtera pas quand tu vas lui demander. On va te retrouver dans un fossé.

Elle boude un peu et décide d'en remettre une autre couche.

— T'sais ce soir, je vais enfin pouvoir aller chez eux… Il a des armes.

Bon that's it, sacrament. Là je m'énerve.

— Quand même étrange que tu puisses juste jouir quand on te brutalise. Toi, t'as jamais envie de le fesser ?

— Oh non… tu comprends pas.

— Je comprends pas quoi ?

— Si je commence à fesser, je pourrai pas m'arrêter.

Et là j'ai comme un flash, une illumination.

— Ookaaayy. Là je commence à comprendre. C'est pas eux qui sont violents, c'est toi. T'es juste pas capable de l'assumer, faut que tu leur fasses faire la job. Toi tu veux ben regarder ta rage, mais par le trou d'la serrure. C'est pas toi, c'est l'autre. Bon, tu vas te secouer les puces. Demain matin au dojo. Tu vas aller te battre un petit peu, ça va te replacer les chakras, osti.

— Oh non Dan, je peux pas.

— Pourquoi ?

— Je t'ai dit que je pourrais pas m'arrêter. J'ai peur de tuer.

Je rigole un peu.

— Bof. Même que t'essayerais…

Je m'écarte et appelle mon chum Ali.

— Salut, c'est moi. J'ai quelqu'un pour toi.

Et je lui explique en détail.

— Pas de trouble. Demain matin neuf heures au dojo.

— Fie-moé su toé, elle va être là. Euh… mets deux jackstraps. Elle a souffert par là, elle va fesser là.

Il rigole.

— Fais-toi-z-en pas.

À l'époque, j'habitais L'Île-Perrot. Le lendemain, Myriam me croit à la maison. Je suis en fait dans un resto juste à côté du dojo. Je la vois arriver, un peu blême. Je me dis qu'elle est courageuse. Elle s'est rendue là toute seule comme un soldat. Je vois Ali lui ouvrir et ils disparaissent.

C'est moi qui suis un peu nerveux.

Une heure plus tard, Ali me téléphone.

— Tu peux venir, ça va mieux.

Les bons combattants sont souvent d'excellents psychologues. Quand tu te bats contre un adversaire, tu fais tout pour le comprendre, pour lui donner l'inverse de ce qu'il veut, contrairement à un thérapeute. Ça peut être commode quand tu veux aider.

Ali me raconte rapidement :

— Elle passait son temps à me jabber. J'en ai déduit qu'elle voulait que je reste loin, faque je l'ai collée tout le long.

— Et ?

— T'avais raison, j'aurais dû mettre trois jackstraps. Entre les rounds je lui donnais de l'eau et elle revenait au combat comme une grande. Elle a pleuré tout le long, mais elle s'est battue solide. Elle a jamais ralenti. Est toffe, ta chum.

— T'as aucune idée. J'arrive.

J'entre au dojo. Elle est surprise.

— Qu'est-ce tu fais là ? Je te pensais chez vous.

— Tu crois vraiment que j'allais t'abandonner pis que tu serais la seule à avoir du fun ?

Elle est couverte de sueur, mais de la sueur honnête, ça pue pas. Alors on se colle. À moi et à Ali, elle finira par nous conter toutes les horreurs de son passé d'escorte. Je ne raconterai rien ici. Sachez juste qu'elle a mentionné le verbe recoudre…

Le lendemain de son combat, elle m'appelle et me dit que la veille, c'était la première fois qu'elle ne s'endormait pas face au mur avec l'intention de se tuer.

Les années ont passé. Je la vois un peu moins souvent, mais on se texte régulièrement. Elle est mariée à un type super, et ils travaillent dans la restauration haut de gamme et ils se sont fait un beau bébé d'amour qui… fait maintenant du jiu-jitsu.

Je n'ai évidemment pas la prétention d'avoir fait un changement majeur dans son existence, mais j'aime bien nous voir vieillir en parallèle avec chacun nos histoires. Ça me fait aimer le temps qui passe.

CHAPITRE 8

DUOS DE LA TENDRESSE

Je fais partie des musiciens chanceux qui ont leur propre studio à la maison. J'avais établi mon premier studio en 1995, dans ma cave de cinq pieds de haut. On ne pouvait même pas se lever debout, mais j'avais un petit huit-pistes sur lequel je pouvais quand même atteindre des résultats qui techniquement me satisfaisaient.

Mon deuxième studio, je l'ai ouvert sur la rue Beaubien. Je suis retourné au studio Multisons, où Gerry m'avait traîné au départ et où je m'étais lié d'amitié avec les proprios. Ils ne se servaient plus de leur studio B et n'utilisaient plus la console de son sur laquelle Gerry avait enregistré *Rendez-vous doux*. J'ai acheté l'équipement qui me manquait, et le studio B est devenu le Studio B pour Bigras.

J'y suis resté plusieurs années et, par la suite, j'ai rapatrié mon studio chez moi. J'avais l'espace, et grâce aux nouvelles technologies, on peut travailler de façon beaucoup plus compacte et moins chère. Si la technologie a permis aux gens de télécharger nos chansons sur Internet et de ruiner notre gagne-pain, elle a aussi beaucoup démocratisé la musique. De jeunes musiciens peuvent maintenant envisager de se bâtir leur propre studio sans avoir à payer des fortunes.

En 2008, je suis dans mon studio à Pincourt sur L'Île-Perrot et je m'amuse à rejouer mes tounes de façon un peu plus moderne. Je repense aux grandes complicités de voix que j'ai eues dans ma carrière, principalement avec des femmes. L'idée pousse toute seule: un disque de duos avec seulement des femmes que j'aime, que j'admire et avec qui je peux recréer ces complicités.

Marie-Mai a remarqué tout de suite une chose à laquelle je n'avais pas pensé. Elle me dit:

— Ça doit être fantastique de savoir que tant de chanteuses aiment assez tes chansons pour venir les chanter avec toi...

— Eh oui, le temps a passé. Maintenant, les jolies filles comme toi viennent me demander des autographes... pour leur mère.

On rigole, mais c'est la vérité, et pour moi c'est un signe très encourageant. Ma gang me suit, je pourrai peut-être continuer un bon bout.

On taquine souvent Michel Louvain et son public de madames, sans comprendre que ces madames, c'étaient les jeunes admiratrices de ses débuts. Elles l'ont suivi toute sa vie. Certains artistes veulent devenir les Beatles, moi je veux devenir Michel Louvain.

AVEC CÉLINE SUR LES PLAINES

René Angelil a téléphoné à Luc Phaneuf, qui en ce temps-là était mon agent. Céline aimerait chanter *Tue-moi* avec moi, sur son show aux plaines d'Abraham pour le 400e de la fondation de Québec. J'en suis surpris et enchanté.

Je me présente aux studios Piccolo pour les répètes avec Céline. Je suis aussitôt subjugué. Je comprends pourquoi on l'appelle « la plus grande ». On répète sans micro. Sa voix parfaite est d'une puissance qui n'est égalée que par le peu d'effort qu'elle y met. Tout est naturel. Elle est aussi très musicienne. Si je lui suggère de chanter la tierce, la quinte, l'octave ou la onzième diminuée, elle tombe immédiatement dessus. Plus ça semble dur, plus c'est facile pour Céline.

On monte notre duo, et je répète avec Scott Price et ses musiciens pour mes autres chansons.

J'arrive à Québec l'après-midi du show. Je constate de visu ce que je savais déjà : c'est fucking big. Une scène énorme sur les plaines d'Abraham, pour une énorme foule qui se pointera ce soir. Les organisateurs me parleront de deux cent cinquante mille personnes, d'autres de trois cent mille. M'en fous un peu. Quand je chante, j'ai pas le temps de compter.

Sur la scène, on répète *Tue-moi* en premier. Tranquillement, Céline commence à changer l'arrangement. Ça devient tout petit et on chante collés l'un sur l'autre. C'est très touchant, je n'avais jamais entendu *Tue-moi* comme ça. René, qui parle toujours dans les écouteurs de Céline, dit que c'est ben cute, mais qu'on a l'air de chanter juste pour nous deux ; ce soir, ça passera moins avec toute cette foule. Il a comme d'habitude raison, et Céline et moi reprenons la version plus « power ».

Céline et René sont un team de l'enfer. Ils font toujours tout à deux et sont en parfaite symbiose. Les grandes carrières sont faites par ces grandes symbioses. Un grand talent ne peut percer le marché mondial sans une équipe, et aucune équipe ne peut créer un talent qui n'existe pas.

Le soir venu, Céline me présente au public d'une façon extrêmement gentille et tendre. Mais quand j'embarque sur scène, ses yeux me lancent du feu. Je comprends très bien ces yeux-là. Ça veut dire : « Viens pas niaiser sur mon stage. » Ah bon, elle veut que ça brasse ? Attache ta tuque, ma grande.

Ça a brassé. On a tout arraché avec le sourire, j'en ai presque le souffle coupé. Céline est d'une intensité terrible, une vraie démone comme je les aime, mais elle ne vole jamais la vedette. On s'entend qu'elle n'a jamais besoin de le faire. Je me dis que ça prend quand même quelqu'un de généreux et d'intelligent pour faire briller l'autre sur une scène. En fait, c'est comme une scène de cinéma. Si l'autre n'est pas bon, tu ne le seras pas non plus. Céline serait capable de monter un sérieux Show du Refuge si je n'étais plus là, elle comprend la complicité nécessaire entre les artistes.

J'ai passé une super soirée. La finale du show, entre Céline et Ginette Reno, m'a laissé sans connaissance.

LE « VA CHIER »

Le lendemain, je réfléchis au succès. Je viens de voir la grosseur de la machine et je suis impressionné.

Les Québécois ont souvent été écrasés au cours de leur histoire. L'écrasement provoquant des sursauts, certains de ces sursauts ont créé quelques grandes carrières. Je pense à Céline, mais aussi au Cirque du Soleil et au nombre très élevé de chanteurs, chanteuses et poètes d'exception qui brillent au Québec et ailleurs. Je pense aussi à mon propre succès, évidemment beaucoup plus modeste (le succès, pas moi), et me dis que les Bigras sont comme ça aussi.

C'est un réflexe d'opprimé qui refuse l'oppression, ces gros flashs, ces réussites qui explosent au milieu de nous qui ne croyions pas cela possible. On dit : « nés pour un petit pain », alors on va manger une ostie de grosse pizza.

Mais le show avec Céline, ça m'a fait comprendre que le vrai succès, c'est pas ça. C'est quand tout le monde s'élève, pas juste quelques-uns. Il faut qu'on réussisse en très grand nombre, alors on pourra parler de succès collectif durable. Pas juste le gros succès fulgurant et éphémère de quelques-uns de temps en temps. Ça, ce n'est pas un progrès, c'est juste un flash. Je veux travailler pour ça aussi, sinon j'aurai été inutile.

La réussite personnelle permet plusieurs choses, entre autres le droit au « va chier ». Un boss veut te forcer à faire une job dégradante ? Va chier. Il veut t'insulter ? Va chier. Il veut t'écraser avec ses avocats ? Tu lui envoies les tiens. Va chier. Tu restaures ta dignité blessée, tu te redonnes du pouvoir, tu n'es plus écrasé. Ça fait du bien, mais c'est dangereux.

Ce qu'il y a, c'est que c'est par là en premier que les gros tapent sur les petits et que tu peux y succomber aussi, comme les enfants victimes d'agression sexuelle. Je ne suis pas très pro-statistiques, mais le neurologue, psychiatre et psychanalyste Boris Cyrulnik, également spécialiste en éthologie humaine, en avait compilé beaucoup. D'après lui, cent pour cent des agresseurs ont été des agressés, ont subi ou ont été en rapport avec une agression, ce qui les a atteints au plus profond de leur estime personnelle. Quand on agresse un enfant, on brise son âme en lui enlevant son libre arbitre. Il n'y a aucun autre choix pour l'enfant que de subir. Par contre, d'après Cyrulnik, seulement cinq pour cent des enfants agressés deviendront des agresseurs. Quatre-vingt-quinze pour cent d'entre eux trouvent d'autres solutions. Pas toujours bonnes, d'ailleurs ; quelques-uns se suicident, se prostituent, bref, s'en prennent à eux-mêmes… Mais ils n'agresseront pas les autres.

Si tu crois que tu es plus malin parce que tu as le pouvoir du va chier, tu vas apprendre rapidement que le va chier n'est pas un argument. Tu n'auras raison que par la justesse de tes arguments, tu ne pourras participer au débat qu'avec logique et humanité. Ton cash devient vite inutile s'il ne sert qu'à envoyer chier, à humilier ou à briser du monde avec tes avocats, et quand tu te regarderas dans le miroir, tu y verras ceux qui t'auront opprimé. Ça te laisse très peu de chances de t'en sortir si tu te vois comme un trou de cul.

J'ai vu Céline vivre avec son public et les gens autour d'elle. Elle a définitivement un grand pouvoir, mais ce pouvoir passe par une sorte de gentillesse, de bonheur. Rien à voir avec ce pouvoir d'envoyer-chiage. Même riche et puissante, elle vit avec les autres, elle n'écrase pas. Même moi, si j'avais voulu toute la place, elle me l'aurait laissée. Son succès passe par la tendresse, pas par la puissance. On brille ensemble ou pas du tout. Personne n'est un cas désespéré, personne n'est né pour un petit pain. Personne. L'humanité n'a pas de prix.

LA VRAIE MORT DE GUILLAUME

Le ti-gars de quarante-quatre ans

Un homme que je ne connais pas a contacté mon avocate, qu'il connaît vaguement, et lui a dit que quelqu'un veut me rencontrer pour me dire la vérité sur la mort de Guillaume. Un peu méfiante, mon avocate, qui est aussi une très grande amie, a demandé à ce qu'il confirme sa demande par courriel, et me l'a ensuite transmise.

J'ai parlé au téléphone avec l'homme qui faisait le message, et nous avons fixé une rencontre avec le gars en question. Il était à l'Hôpital Notre-Dame, dans un très sale état.

La journée en question, je me rends à Notre-Dame pour rencontrer le messager. Il m'explique que son ami est un drogué très malade, qui a passé sa vie à essayer de vaincre son addiction, mais n'en a jamais été capable. Le messager est son seul ami.

On arrive devant sa chambre, et je constate qu'il est en isolement. Je dois donc mettre un masque, des gants et, merde, l'ostie de petite chemise qui s'attache en arrière. Je suis profondément emmerdé, ça va complètement boucher l'objectif de la mini caméra qui est camouflée dans mon bouton de chemise.

Désolé pour vous deux, les gars. Mais si on m'a convoqué pour confesser un meurtre, la dernière chose dont j'ai besoin, c'est d'en être complice par mon silence ou de vivre avec mon manque de preuves. Finalement, je fais semblant que je ne connais pas bien ça, je mets la chemise à l'envers, c'est-à-dire avec l'ouverture devant, ce qui libère le champ de ma caméra. Puis j'entre dans la chambre.

Cibole. Pauvre ti-gars. Je dis ti-gars, même si c'est un homme. J'ai devant moi un pauvre ado de quarante-quatre ans complètement détruit. La dope l'a presque tué plusieurs fois. Là, il a une grave infection à la colonne vertébrale. Les médecins l'ont opéré et sa colonne en entier est complètement à l'air libre. Je comprends l'isolement. Je m'assieds, le regarde doucement dans les yeux et attends qu'il me parle.

Il prend son temps. Il me jauge. Se demande encore comment je vais réagir. Au bout d'un bout de temps, il me dit :

— Je t'ai vu plusieurs fois à la télé. Tu as souvent parlé de Guillaume, et je m'étais dit qu'il fallait que tu saches la vérité. Mais dans le temps, tu ne me semblais pas prêt pour la vérité.

Je souris un peu dans ma tête. « T'avais surtout peur que je te casse la gueule, oui. » Mais je continue de l'écouter attentivement.

— Guillaume a pas été victime d'un meurtre. Celui qui l'a tué, c'est lui, un peu moi… pis un autre. Guillaume prenait de la dope comme un fou. N'importe quoi, à toute vitesse, sans aucune limite. C'est pour ça que moi, je suis encore vivant, j'arrête toujours après un bout. Pas lui. Jamais. Après son arrestation, ça a été encore pire, il était tellement désespéré. Ton père lui avait dit qu'il l'aiderait pas. Un jour, on a été chez un gars qui faisait des partys et qui dealait. Comme moi, comme Guillaume. Pour survivre pis payer sa dope. Je me suis shooté plusieurs fois pendant une couple de jours et lui aussi, mais lui il mélangeait. N'importe quoi je te dis, il mettait même de l'alcool dans la seringue. La seringue était pleine, y avait plus de place dedans. J'ai fini par partir, lui est resté. Ensuite, il s'est fait un autre gros shoot, pis tranquillement, il s'est endormi. Dan, il faut que tu comprennes que dans les partys, la moitié du monde s'endormait sur les sofas, on était gelés comme des balles. Sauf que lui, il s'était pas juste endormi… Il restait plus grand monde, pis au début, personne l'a remarqué. Quand ils s'en sont aperçus, ils ont paniqué pis ils ont crissé leur camp en laissant le pusher pis le corps de Guillaume tout seuls. Le pusher capotait, il savait que sa maison était surveillée. Des fois, la police se cachait même pas, ils se parquaient drette en avant. Ça fait qu'il a fait la seule chose qu'il pouvait faire… il a enroulé le corps de Guillaume dans un tapis, il l'a rentré dans son coffre de char, pis il a été le domper dans le fossé de l'Université de Montréal.

— Et pourquoi tu te sens responsable ?

— Parce que la dope que le pusher vendait, il y en avait une partie qui venait de moi, je faisais des voyages en Inde pis j'en ramenais.

Je réfléchis un peu. Pas beaucoup… J'ai attendu ce moment ou son inverse toute ma vie d'adulte. Je respire profondément.

— Je vais te dire une chose. De ce que je comprends, il y avait de ta dope dans son sang quand il est mort, mais le lendemain ça aurait pu être l'inverse. Ça t'a pris un sérieux courage pour me dire ça, pis je vais te dire ben franchement, tu te rends pas compte du bien que tu me fais, à moi pis à ma famille. Pis je t'en remercie sincèrement. Vraiment, du fond du cœur, merci beaucoup. Pourquoi tu l'as fait ?

— J'ai quarante-quatre ans pis j'ai pas fait grand-chose de bon. J'ai été élevé par personne dans une super grosse maison à Outremont. Ma mère a passé sa vie à faire le tour du monde avec son chum. Je vais peut-être te faire rire, mais j'ai été abandonné dans un environnement de riches.

— Ça me fait pas rire du tout. Je te crois complètement.

— J'avais la grosse cabane, le char, l'argent pour la bouffe et tout, mais j'avais personne dans grosse cabane, ça fait que j'ai commencé à faire des partys. Personne m'a jamais montré qu'il fallait travailler, ma mère était tellement riche qu'elle pouvait voyager toute sa vie. Je l'ai jamais même vue travailler. J'ai jamais su ce que c'était. Regarde-moi maintenant. Une fois que je vais être rétabli, ils vont m'envoyer en désintox à Portage. Je vais faire la cure comme il faut, je suis pas mal bon dans les cures, j'en ai fait plein. Après ça, je vais rentrer à Montréal, et là, je vais faire quoi ? Je savais déjà pas travailler avant, mais là mon corps est ravagé. Je serais physiquement incapable de travailler dans une shop, j'ai aucunes études dans rien, pis la seule chose que je sais faire, c'est des petites passes. Je vais toffer le plus longtemps possible, mais quand j'aurai pus rien dans le frigidaire, qu'est-ce tu penses que je vas aller faire ? J'ai même pas de BS. Ils sont sans pitié pour les histoires comme la mienne.

Son chum, le messager, ouvre la bouche pour la première fois.

— Ce qu'il vient de faire lui fait un bien énorme, Dan.

Ça touche le ti-gars.

— Lui, une chance que je l'ai. Il a été là toute ma vie. J'ai un chum. Un, mais un osti de vrai, tu peux même pas savoir combien de fois il m'a sauvé la vie. C'est lui qui a été te chercher.

Tout en parlant, ses larmes coulent. Le messager pleure doucement lui aussi. Je regarde ce ti-gars de quarante-quatre ans complètement brisé par l'abandon. Il a tout joué sur la dope et, évidemment, il a perdu.

Je lui dis :

— Tu viens de faire quelque chose d'extraordinaire. Laisse jamais personne te faire la morale. Tu vaux beaucoup plus que ben du monde qui ont des jobs. Merci encore, pis je t'embrasse pas, je veux pas t'infecter.

Je sors en silence, rentre chez moi, j'appelle mon frère pour tout lui raconter, et je brûle la micro-puce qui contient l'enregistrement de notre conversation.

Mon grand chum Ali me l'avait bien dit: si je commence à fesser avec une rage comme la mienne, il n'y a absolument aucune garantie que je sois capable de m'arrêter. Mais là, je n'ai plus envie de massacrer quelqu'un. L'histoire de ce ti-gars de quarante-quatre ans, ça m'a enlevé dix mille livres de sur les épaules.

L'HOMME QUI FAISAIT PLEURER MA MÈRE

C'est à Ottawa que j'ai joué avec Claude Léveillée pour la première fois, il y a plusieurs années, à l'occasion d'un événement qui s'appelle le Festival des Tulipes. On m'avait demandé de mettre en scène un show avec juste des pianos, avec Claude Léveillée, Pierre Flynn, Daniel Lavoie.

La mise en scène musicale, ce n'est pas de décider qui va descendre du plafond avec des paillettes, c'est simplement de faire sonner quatre pianos ensemble. On devait jouer l'extraordinaire *Grande valse fofolle* de Claude, alors j'avais distribué les rôles. Daniel jouerait la basse sur son piano, Pierre les accords et Claude le lead.

Si, du vivant de ma mère, je lui avais dit que je donnerais des ordres à son idole, j'aurais probablement reçu des coups de fouet... Tout le monde a été super fin, et ça m'a permis d'organiser quelque chose qui se tenait ensemble. Claude a été d'une douceur et d'une gentillesse infinies.

En 2006, mon ami producteur Guy Latraverse m'a demandé de mettre en scène et de faire la direction musicale d'un hommage à Claude Léveillée à la Place des Arts, qui serait rediffusé à Radio-Canada. Et Claude serait là. Ok. Bonjour la pression.

Un peu avant, mon pauvre Claude avait subi un AVC en plein spectacle. Une chance qu'un médecin était dans la salle, ça lui a sauvé la vie. Il en était quand même resté assez handicapé et ne pouvait plus gagner sa vie, alors Guy avait décidé de ramasser des fonds pour lui. Chaque invité devait chanter une chanson de Claude.

Le soir venu, ça s'est bien passé. Claude était au balcon juste à quelques pieds de moi. J'avais l'impression qu'il aurait pu me siffler dans les oreilles. Le show était ben le fun, mais tout le monde avait choisi des chansons smooth de Claude. Je les comprends, Claude était probablement le plus grand mélodiste que j'aie jamais entendu. Sauf que ça donnait un show vrrrraiment très smooth ; le public ne faisait pas d'ovations, et à cause de son accident, on ne savait jamais si Claude écoutait ou s'il était en train de refaire son jardin dans sa tête. Alors, j'ai parti le bal en voulant lui faire plaisir. J'ai remonté sa *Grande valse fofolle* avec mon band. Ça a levé pis pas à peu près. Mon band était en transe. Claude s'est animé, m'a fait un grand sourire et m'a envoyé un grand thumbs up (pouce en l'air). Le public a vu Claude, s'est levé et nous a donné une ovation monstre, à nous et à lui.

De voir mes musiciens en sueur et Claude l'air ravi m'a fait sentir une chaleur qui réchauffait profond. Claude, c'était le grand artiste de ma mère.

Ce fut un moment inoubliable pour moi. Après le show, Claude est venu dans la loge. On a discuté longtemps. Ça me réchauffe le cœur d'y repenser, encore aujourd'hui.

Quelques semaines plus tard, le show passait à Radio-Canada. En le regardant chez nous, j'ai fait un moyen saut : le réalisateur avait coupé le seul numéro qui avait reçu une ovation, et il avait recopié le pouce en l'air de Claude dans à peu près tous les applaudissements de toutes les autres chansons ! Ça c'était croche en tabarnac.

Ce gars-là, c'est un excellent réalisateur et metteur en scène. Je l'ai engagé plusieurs fois sur mes Show du Refuge, mais avec lui, ce n'est jamais simple. Très nulle bataille d'ego avec moi. J'en ai un et je ne lui jetterai pas la pierre, mais il est habitué de tout diriger lui-même. Il n'aime pas prendre mes consignes, il va voir les artistes derrière mon dos et fait ce qui lui plaît. Tant que ça ne saccage pas les numéros, je laisse aller. Là, il venait de me faire une belle cochonnerie.

J'ai décidé de ne pas le foutre dehors de mes shows sur un mouvement d'humeur. J'étais trop blessé, ça aurait été dangereux… mais j'ai pris note.

C'est le 9 juin 2011 qu'on a perdu notre grand Claude Léveillée. Celui qui faisait pleurer ma mère. Émouvoir ma mère, c'était le rêve de ma vie. J'ai jamais réussi. Je fais pleurer des gens des fois, et c'est bien, parce qu'il y a des gens qui savent pas pleurer. Mais ma mère, jamais.

À la mort de Claude, je lui ai écrit un adieu dans le journal *Le Soleil.*

HEY BAM BAM…

J'ai un souvenir de petit garçon. Je t'appelais Bam Bam parce que ta chanson *Frédéric* finissait comme ça. Deux notes seulement. Tu disais « Salut ! » et puis ton piano faisait : Bam ! Bam !

Mon autre souvenir de petit garçon, c'est ma mère qui pleurait en t'écoutant. Et moi, je ressentais une grande tendresse pour toi d'avoir réussi l'extraordinaire : faire tomber les barrières « cache-tristesse » qu'ont souvent les mères avec leurs petits garçons, pour ne pas les inquiéter.

Ma mère était une femme forte, on la voyait jamais pleurer. Et moi ce jour-là, je la regardais t'écouter et j'en étais bouleversé. Je voyais ses larmes jaillir au grand jour de ces zones profondes dont elle ne parlait jamais, et qui sortaient grâce à toi.

C'est ça que tu fais aux gens. Tu leur fais sortir des émotions qu'ils n'arrivent pas à sortir autrement. Toutes ces choses enfouies en toi, qui avaient besoin de sortir en beauté si intense qu'elles faisaient pleurer ma mère, me faisaient un motton dans la gorge à moi aussi... et autre chose.

Tranquillement, presque insidieusement, j'avais envie de ça. De me perdre dans un piano pour un jour en ressortir avec une histoire qui ferait à des gens ce que tu avais fait à ma mère. Une histoire qui ferait pleurer ou rire, en tout cas, qui ferait du bonheur... En fait, je voulais le faire moi-même à ma mère.

Dans mon adolescence, j'ai été pendant quelques années un petit gars de rue à Québec. Ma première vraie job a été de jouer du Claude Léveillée sur la Terrasse de la Nouvelle-France. Le patron de la terrasse ce jour-là m'a peut-être sauvé la vie en me demandant de jouer du « toi ». Moi qui m'ennuyais de ma mère et qui ne le disais pas (on ne dit pas ces choses-là dans la rue), je le jouais dans tes chansons.

Des années plus tard, on m'a demandé de mettre en scène un spectacle à plusieurs pianos avec toi, moi, Daniel Lavoie et Pierre Flynn. L'idée de diriger LE Claude Léveillée qui était dans mon cœur me terrorisait. Et puis, je voulais juste que tu me joues Bam Bam.

Finalement, je n'ai pas dirigé grand-chose, et toi, tu m'as joué mon Bam Bam... et tu m'as montré ta superbe *Grande valse fofolle*, qu'on a jouée ensemble ce soir-là. J'étais un petit garçon qui ne voulait plus descendre du manège.

Et puis, il y a eu ton putain d'AVC. En plein sur scène. Bam Bam ton cœur... et le nôtre. La vie explose soudainement et te rapproche de la mort d'un seul coup.

Et mon ami Guy Latraverse, tu te souviens, Claude ? Ton ancien agent et celui qui produit mon Show du Refuge me demande de mettre en scène un spectacle à la Place des Arts, télédiffusé pour toi, pour lever des fonds pour te soigner et s'occuper de toi.

J'ai voulu un show pour te faire plaisir. Je voulais que tous les artistes puissent te dire tout le bien qui t'appartenait, et j'ai voulu te jouer ta fameuse maudite *Grande valse fofolle* en jouant mes mains et les tiennes en même temps. Toi, tu étais là, au premier balcon, juste derrière moi, et je crevais de trouille. Je te voulais heureux.

J'ai respiré profondément et je l'ai joué comme si j'étais possédé. Et toi, tu as fait ton premier sourire de la soirée et tu m'as levé ton pouce. Tu m'as fait rire… et tu as fait pleurer ma mère. Ma vie est pleine de beaux moments, mais ceux-là resteront gravés dans ma mémoire à tout jamais.

Et j'ai une vie extraordinaire. Des fois, je fais un peu rire et pleurer des gens… grâce à toi.

Hey Claude, salut Bam Bam !

BOOM ! TOUT TOMBE EN PLACE

Une personne que j'aime (et dont je dois taire le nom, je lui ai juré) m'a raconté son agression sexuelle par papa.

Je sursaute comme si on m'avait tiré dessus. C'est arrivé une fois, me dit cette personne. Une seule fois quand elle était enfant. Du tripotage, mais évidemment non désiré.

Je suis partagé entre l'horreur de ce que j'apprends, mais subodorais depuis longtemps sans jamais pouvoir l'envisager réellement, et la clarté que ça m'apporte. Non seulement je comprends beaucoup de choses en même temps, mais j'arrive enfin à faire un sens clair de ma propre histoire. Les choses se mettent en place comme des blocs Lego. Tout vient de s'emboîter.

Oh mon Dieu, c'est pire que tout.

Je comprends ma ragitude et ma sinistrose. Papa était rendu beaucoup plus loin que je pensais. Un point de non-retour.

Étonnant, tout le bien et tout le mal qu'il a fait. Ça confirme clairement que je ne pourrai jamais le classer dans les bons ou les méchants. Il était pris dans une guerre secrète qui l'a amené à soigner les autres, il était extrêmement compétent dans ce qui le faisait si profondément souffrir, ce qui faisait de lui un psychanalyste hors du commun. En même temps, il n'a pas pu échapper à son sentiment de vengeance et il a fait beaucoup de mal. Quelque part, je trouve que ça n'enlève aucune validité à son travail, au contraire. Mais ça n'efface aucun de ses gestes d'enragé.

Quel désespoir. Il ne lui restait que la peine de mort auto-infligée, comme un soldat se serait crissé son gun dans la gueule pour mettre fin à l'innommable, pour terminer l'interminable. Papa ne se posait même plus la question : « Est-ce que j'ai été un bon être humain ? » On parle d'abus. Il pouvait bien vouloir mourir.

Quelle fin de vie terrible. Tu as commis une horreur que tu portes sur ta conscience, et elle est tellement épouvantable que tu ne peux même pas tenter de faire la paix avec toi-même. Ça te tue et tu ne peux rien raconter à personne. Tu meurs entouré des tiens, mais complètement seul, enfermé dans ta guerre contre toi-même. C'est ça la guerre, la vraie. Et il l'a perdue de la plus atroce des façons. Peine de mort, enfermé avec sa honte et sa rage.

De tout ce que j'ai vécu, c'est de loin la pire chose, mais étrangement, ça me donne encore plus de raisons d'essayer de m'aimer et d'être fier de moi.

Plus de honte.

LES FORCES DU MAL

Les films d'action présentent toujours un combat bons contre méchants. Les pouvoirs s'appuient sur ce thème pour nous faire gober des mensonges. C'est très facile, personne ne veut être le méchant. Quand on s'engueule, on s'attribue automatiquement le rôle du bon et on fait porter à l'autre le rôle du méchant.

C'est confortable d'être légitimé, mais la vie est plus complexe. J'ai compris ça en étant tiraillé, tous les jours de mon existence, par un besoin de donner du sens à ce qui n'en avait pas.

J'ai tout fait pour donner à mon père le rôle du méchant. Puis je constatais toutes les belles choses qu'il avait faites, et ça l'auréolait un peu pas mal à l'occasion. Quand j'ai appris pour l'agression sexuelle, j'entrais dans une période de ma vie où j'essayais de lui donner le rôle du bon. C'est un exercice un peu schizophrène et assez souffrant. Je n'arrivais pas à donner de sens à ma propre histoire, parce que je n'arrivais pas à faire rentrer mon père dans une case pour pouvoir enfin fermer le dossier et tourner la page. Je me sentais un peu comme ces enfants agressés enfermés en centre jeunesse, qui menacent de se suicider le jour de Noël parce que leurs intervenants ne les laissent pas voir leurs parents agresseurs. On peut en devenir fou si on n'en revient pas.

La vérité est pourtant toute simple; les gens ne sont pas des bons ou des méchants selon ce qu'ils vous ont fait, ils sont les deux. Les deux dans le même corps, le même esprit et la même âme. Mon père a fait des saloperies et des choses extraordinaires. Il a profondément aidé des gens, en a massacré d'autres, et a fait un peu des deux à plusieurs, dont sa propre famille.

Quand j'ai accepté cela, ma vie a pris plus de sens. Les gens sont capables du meilleur et du pire, ce sont des humains. Essayer de les simplifier, c'est se simplifier soi-même. Et les humains ne sont pas simples, ils sont juste complexes. Pas compliqués, complexes. C'est-à-dire avec beaucoup de ramifications. Quand on accepte cette vérité, il faut faire notre deuil du juste courroux, de la rage de victime et du détournement du mot «justice» en vengeance pour enfin trouver un responsable et fermer les livres.

C'est un autre deuil. Le deuil de sa rage. La colère qui me portait était la colline qui me cachait la montagne. Ce qui germait en moi enfant et qui m'a donné une partie de mon courage pour m'inventer ma vie ne me sert plus à grand-chose maintenant. Je ne fermerai pas les livres, je n'aurai jamais de revanche. Je ferai la paix dans mes guerres autrement que par une victoire étincelante. La paix se suffit à elle-même. La grande victoire, obtenue en écrasant ses adversaires, perpétue la guerre intérieure de génération en génération, continue les dégâts et fabrique de nouvelles victimes. C'est une roue sur laquelle il faut poser des breaks.

Tout le monde mène un combat que je ne connais pas. Il faut que je respecte ça. Je comprendrai mieux, agirai mieux, me soignerai mieux, vivrai mieux dans ma société et serai plus heureux. Je m'énervais beaucoup parce que je comprends très tard. J'aurais été capable de passer cent fois à côté de la beauté sans même la frencher.

J'ai instinctivement lié mon sort à celui des jeunes abandonnés, de tous ceux qui souffrent en général et de toute ma société, et j'essaie d'en faire quelque chose d'utile avec mes chansons, mes films, mes arts martiaux, le Refuge et même ce petit livre. Pour moi, tout est connecté. En participant à tout ça, je me rends heureux et je fais partie de ma société. Je n'avais pas de société quand j'étais petit, et je l'apprécie maintenant.

Je suis enfin quelqu'un ensemble. Fini les vendettas de la vie, criss.

Je ne ferai plus la guerre
et la guerre au temps des seigneurs.

MES FANTÔMES

Je me pose la question en ce moment: Comment je vis avec mes fantômes? Mes fantômes sont tous bienveillants avec moi maintenant, même celui de papa. Quand je parle de fantômes, je parle de ce qu'ils sont dans ma mémoire.

Comment je vis avec celui de mon petit frère? Guillaume est le plus difficile. Je me sens extrêmement coupable. Il a été le catalyseur d'une descente aux enfers amorcée bien avant lui, mais aussi d'une reconstruction. Il est mort par surprise, il n'a pas eu de longue maladie où on aurait pu se dire les vraies choses avant qu'il ne meure. On m'a annoncé qu'on l'avait retrouvé dans un fossé, et mon histoire a bifurqué. Point. Sans pouvoir discuter, se dire adieu, se dire je t'aime ou tu m'énerves… En fait, tout ça.

Je ne sais pas s'il aurait apprécié mon livre, mais il aurait sûrement apprécié mes tentatives de trouver du sens et de faire la paix. Il devait chercher ça de toutes ses forces. Je crois aussi qu'il aurait apprécié un outil pour les jeunes, ces jeunes qui ne comprennent pas ce qui leur arrive, qui n'y trouvent aucun sens.

Mais évidemment, ça c'est ce que je crois. Tout ce livre n'est que « ce que je crois ». Je ne peux vous raconter ma vie, le sens que j'en fais, que par mes yeux à moi, ma lorgnette.

Je promets au fantôme de mon petit frère que si j'écris un livre de règlements de comptes, je ne le sortirai pas. Si le livre peut être une espèce de tentative d'outil pour le mieux-aller de ceux qu'il touchera, comme j'ai voulu *Le Ring intérieur* et *La Rage de l'ange*, je le publierai. Et il ne m'appartiendra plus, les gens en feront ce qu'ils veulent… comme d'habitude.

LE PETIT DANIEL ET LE GRAND DAN

Il a souffert, tous les jours, non-stop. Il a souffert seul. Personne n'était intéressé à sa souffrance, comme s'il était quelque chose de pas normal dans le paysage et même de vaguement menaçant. Alors il s'est dit au début: «Moi, je souffre tellement que les autres vont souffrir avec moi. Je ne serai plus seul. Je vais vous faire souffrir ce que je souffre. Si on ne veut pas m'aimer, je vous emporterai tous avec moi. Les seigneurs, mais aussi les gens d'honneur, de bonheur. Vous n'aurez pas droit au bonheur qui m'est refusé, à moi qui ai sûrement été gentil avant ma naissance.»

Voyez-vous, la souffrance peut fabriquer des Marc Lépine, des Hitler, des Ted Bundy, mais aussi tous les écrivains, tous les musiciens, les peintres, cinéastes, tous les artistes du monde entier qui communiquent, par leurs tentatives de créer la beauté, le «plus jamais seul» dans la souffrance, comme une forme de solidarité. Y compris les acteurs de films, de théâtre et tout le reste, capables d'interpréter de façon extraordinaire les Marc Lépine, les Adolf Hitler et les pédophiles meurtriers. Pour nous faire pleurer, nous qui y arrivons souvent difficilement sans un petit coup de pouce. Pour nous faire rire aussi, pour nous faire vivre un peu plus, un peu plus vite.

Ça peut aussi fabriquer les médecins, les travailleurs sociaux, humanitaires et tous ceux qui font partie des réparateurs de la terre.

C'est quelque chose, la rage de vivre. Le combat contre la souffrance donne des amours féroces, des combats sociaux épiques contre les powerfreaks, les seigneurs psychopathes et les fous de Dieu, des frénésies de l'extraordinaire, l'utilisation de l'enfer pour construire des paradis maintenant, jamais trop tard.

Il faut beaucoup de rage pour faire toutes ces grandes choses. Et souvent, ne trouvant nulle part pour évacuer, pour transformer leur souffrance, certains vont retourner leur rage contre eux-mêmes. La drogue, le saccage sexuel de leur âme, le suicide plus ou moins déguisé, ou pas déguisé du tout. Chemins de vie la plupart du temps anonymes, quelquefois publics, spectaculaires avec quinze minutes de gloire inutile. C'est la vie, elle est mariée à la mort. Il n'y a que ce mariage qui est éternel.

J'apprends tous les jours des malheureux lucides. Eux qui, tous les matins, doivent faire de la vie avec de la mort. Ne serait-ce que pour en tirer une leçon, voir le prochain Lépine arriver... et peut-être même éviter de le fabriquer. Faut y aller, faut pas avoir peur. Sans ça, pour éviter de se faire mettre le nez dans notre caca, on se cache dans la merde. Comme le gars qui se cache dans sa piscine pour éviter la pluie.

Cette violence mélangée à un amour étrange m'a appris une chose : je ne voulais pas être comme tous ces fous qui font du mal. Je pouvais peut-être prendre ma revanche sur l'existence, mais pas faire mal aux gens. C'était un enseignement précieux pour un petit garçon plein de colère. C'est une forme de presque équilibre qui ne s'atteint pas sans essais-erreurs. J'étais étrangement plus souvent en position de légitime défense que les autres jeunes de mon âge. Ça a été commode un temps, puis je me suis aperçu que, seulement pour vivre dans un monde à peu près équilibré, ça prenait beaucoup de colère. Les gens qui font bouger les choses ne sont pas toujours des enfants de chœur, mais ils ont en commun le désir de vivre ensemble, et ils bougent et font bouger. Le but, c'est l'amour et la paix. Du mieux qu'on peut.

Partout, les gens ont réécrit leur histoire. Il y a près de un million de bénévoles au Québec. Des gens qui soignent et se soignent. C'est le beau côté de l'humain, de ne pas que travailler seul sur lui-même, pour lui-même, mais de relier son histoire aux autres. Ça, c'est une société, ma société, ma gang, ma famille. Je lui appartiens. Le petit Daniel n'est plus seul.

J'ai, avec le temps et quelques efforts, fait un peu de ménage dans mon univers familial. Malgré toutes les colères et les tristesses, je suis arrivé à une forme de paix qui ne sera évidemment jamais complète ou totale, mais qui est néanmoins très vivable pour moi. J'ai une belle vie. Je sais, je suis absolument convaincu que nous pouvons atteindre cette paix pour notre société, au moins aussi souffrante et malade que ma famille.

Il y a les choses avec lesquelles nous devons faire la paix, et les autres, que nous ne devrions jamais accepter.

J'ai bataillé de toutes mes forces pour ne plus me sentir comme un monstre et pour me refaire une famille. Je suis certain que nous sommes plusieurs à être capables de faire partie d'une société qui ne deviendra pas un monstre. Une société où l'on ne tolère pas les abus des plus forts, l'abandon des enfants, l'agression et l'indifférence des plus démunis. Une société qui n'aura plus peur de l'autre parce qu'au lieu de préjuger, elle combattra l'ignorance et ceux qui l'encouragent, et elle apprendra de cet autre.

Tout ça est possible. J'ai vu tellement de gens partir de tellement loin et se reconstruire que je suis obligé d'en tirer une leçon extraordinaire. Tout est réparable. Le combat est beaucoup plus égal que nous ne le croyons, et nous avons les outils pour réparer tout ce qui est réparable et pour faire la paix avec nos anciennes souffrances. Collectives comme individuelles.

On y arrive toujours au moins un peu, même si on a perdu du monde dans la bataille. On s'harmonise.

L'HARMONIE

Le monde est un orchestre symphonique désaccordé, et moi je suis juste un musicien parmi les autres. Je cherche la beauté, les notes qui veulent dire quelque chose. La beauté harmonique n'est qu'esthétique. La vraie beauté est quelquefois discordante. Elle part des tripes et fait pleurer, rire ou guerrer.

Elle exprime l'inexprimable, la folie, l'amour, la guerre, le trop. Je ne réussis pas à l'exprimer souvent, mais des fois, cette harmonie me trouve.

Ces adultes qui me présentent leurs enfants en me révélant qu'ils sont eux-mêmes des anciens du Refuge, ces amoureux qui se perdent dans leurs yeux, *Jessie*, la chanson de Richard Desjardins, Bob Walsh qui hurle son âme dans un bar, ces enfants qui rient comme des fous et quelquefois des paysages. Quand la beauté me trouve, souvent elle me fait brailler. Rien de spectaculaire, juste les yeux rouges et la voix qui se tord un peu, motton dans gorge. Je pleure pas quand ça va mal. Il faut aller mieux, alors je gère, je fais de l'urgence, mais la beauté viendra toujours me donner du grand bonheur avec les yeux un ti peu rouges. Un couple de petits vieux amoureux me fera toujours pleurer.

Finalement, je suis assez heureux pour mon bonheur. Pour ça, je peux remercier les seigneurs, les vrais. Les autres ont piqué le terme à la vraie noblesse, celle qui est composée de gens capables d'avoir mal aux autres et d'en faire quelque chose.

Mes seigneurs à moi, ce sont les soigneux et les répareux de la terre. Des poètes aux infirmières. D'où je suis, de ma petitesse, de mon studio de gars qui ne changera pas le monde, qui fera ses erreurs mais qui fera sa part, je dis :

Voici venu le temps des seigneurs.

ÉPILOGUE

LETTRE AUX BIGRAS

Vous trouverez peut-être ce livre dur, mais j'espère que vous le trouverez tendre aussi. Papa était, et serait encore de nos jours, contre toute forme d'enfouissement de la mémoire. J'ai gardé pour votre Julien toute ma tendresse de fils, et mon vœu le plus cher est qu'une phrase, une seule phrase de ce petit livre, et même une de ses phrases à lui, puisse peut-être, un jour, devenir un outil pour un de nos enfants.

Je pense à vous tous les jours. La souffrance bigratesque est impressionnante, mais sa résilience est énorme. Chacun à sa façon, à sa créativité. J'ai tellement de cousins artistes... Je suis extrêmement fier de mes Bigras. Je vous ai toujours aimés et je vous aimerai toujours.

LETTRE À MON ONCLE SIMON

J'écris ce livre alors que tu as fini le tien sur les Bigras et qu'une miette de cette salope qu'on nomme l'amiante, logée dans tes poumons, t'a tué sans même te laisser le temps de faire la paix avec ton existence. Tu ne sauras jamais à quel point ton étude sur les Bigras, qui t'a pris quarante ans de ta vie à écrire, a été un outil extraordinaire pour que je puisse nous comprendre, ma famille et moi. Tu as fait cette étude en partie avec papa, et je te dois sûrement une partie de ma vie maintenant.

Je te souhaite la paix de toute ma tendresse, mon oncle. Tu es un guerrier de la résilience qui m'accompagnera jusqu'à la fin de mes jours.

LETTRE À GUILLAUME

Tu ne sauras jamais à quel point je t'aimais. Mais malgré tout l'amour, je n'ai pas été capable de voir. Tu ne sauras jamais à quel point ta mort aura déclenché une chute et une renaissance, sur plus de quarante ans. Tu as été la révélation de tout. Comment pouvions-nous être des petits frères qui habitaient ensemble sans savoir tout ça ? Comment ce système de silence pouvait-il fonctionner ?

De retour de mes années de rue à Québec, nous avons continué à nous voir, à avoir du fun, à voyager ensemble, à deux, entre nous, pour nous, à dormir dans mon vieux truck tout croche, et je n'ai toujours pas compris. Tu étais tellement rieur, souriant, féroce, extraverti et créatif, c'est sûr que tu serais devenu l'artiste que je ne serai jamais. Ç'aurait pu être Jean-François qui serait mort dans un accident pas clair, ou moi avec ma dope, mais c'est toi qui as payé le gros prix. Tu es le seul avec qui je devrai encore travailler ma paix. Je ne me pardonnerai jamais.

Je n'ai plus personne à tuer. Je ne peux plus te venger, tu t'es tué toi-même. Je te laisse partir. Tu resteras mon inspiration au-delà de ta mort. Je te dois ma reconstruction. Nos parents me doivent ta mort, mais ils ont déjà payé le pire prix. Je veux maintenant qu'ils dorment.

C'est fou le nombre de gens, dans notre famille, qui sont morts en silence. C'est dans ce silence que nos parents sont morts. Et tu y étais emmuré aussi. Ça a fait que je n'ai pas pu t'aider, alors je t'ai bordé.

J'ai été un bon bordeur, souvent dans les situations où je n'ai pas bien aidé. À défaut de l'un, j'ai fait l'autre.

Le silence empêche d'aider et de se faire aider. J'essaie de le briser. Quand le silence est tueur, c'est lui qu'on doit tuer.

LETTRE À JEAN-FRANÇOIS

Je me suis toujours demandé si toi et Guillaume entendiez quand je mangeais mes volées. La réponse est non. Tu fais tes affaires seul, tu parles moins et c'est très bien. On se construit chacun avec nos moyens, et les silences sont des notes aussi.

Les enfants qui n'ont pas confiance s'isolent et se protègent. Ils ne comptent que sur eux-mêmes, comme dans une jungle. L'histoire commune est toujours là, mais elle s'est comme embrouillée. Il n'y a que dégâts séparés. Ce sont des histoires différentes, même si elles ont été massacrées par la ou les mêmes personnes. Quand un enfant se retrouve menacé par ceux qu'il aime, il ne mènera pas une révolution organisée, il se protégera. Mon apprentissage de la jungle aurait dû être extérieur; il était à la maison, en moi.

Mais avec le temps, toi et moi, on s'est quand même bien retrouvés, on a eu des discussions fantastiques. J'ai enfin réussi à te dire que je t'aimais et je te le répète ici: je t'aime.

J'ai pardonné à papa ce qu'il m'a fait il y a longtemps, je vis paisiblement avec ça maintenant. Ce qu'il a fait à Guillaume, moins. Faut comprendre, Guillaume n'est plus là, il ne peut plus pardonner. S'il le faisait, je suivrais. C'est ma zone trouble. Et ce n'est pas moi le plus dur, c'est papa. Il ne s'est non seulement jamais pardonné, mais il s'est tué… lui-même. Calvaire, faut-tu s'haïr. Faque, pardonne, pardonne pas, il a été plus que puni. Moi je serai toujours contre la peine de mort, même auto-infligée.

J'ai fait ce que j'ai fait. Tu es devenu ingénieur naval, tu t'es fabriqué des bateaux, tu es parti dans tes vagues, et moi à Québec et New York, dans les miennes. Tu es revenu, moi aussi. J'ai eu mon fils, tu as eu tes filles. Notre histoire est rendue là : nos enfants, et bientôt peut-être, nos petits-enfants. C'est quand même pas pire, on s'est pas trop ratés… et on s'a.

LETTRE À MA MÈRE

Salut m'man,

Je suis en train de terminer mon livre. En fouillant dans la cave chez nous, j'ai trouvé ton journal. Tu y inscris tes rêves, tes réflexions et tes états d'âme. Tu as écrit textuellement :

« Et ce goût de vivre qui me déteste. »

Criss que t'en as arraché. Plus je lis ton journal, plus je me dis que ça a juste pas de bon sens. J'en suis soufflé. En même temps, ça me démontre une chose : on règle quelques affaires et on se retrouve impuissant face aux autres. Ta mère en arrachait sûrement elle aussi, pour avoir été si dure avec toi.

Aujourd'hui je me souviens des quelques fois où j'ai dû aller te porter à l'hôpital psychiatrique. Tu étais tellement, complètement à bout de forces. Je me souviens de ton soulagement quand les psychiatres disaient qu'ils devaient te garder. Enfin, quelqu'un pour s'occuper de toi. Il n'y avait pas beaucoup de monde pour s'occuper de toi. On appelle ça de la grande dépression, et quand personne ne s'occupe de nous, on peut y rester. C'est effrayant. Pauvre petite maman.

Moi, il y a plein de choses que je ne peux pas changer, notamment le passé. Mais je peux faire partie d'une famille des familles qui s'emmieute. J'y travaille tous les jours en pensant à toi.

Le mortier qui forme nos êtres est fait à partir des autres. Je vis avec les autres maintenant, et j'aime ma vie. M'en suis gossée une belle avec le temps et grâce à ces autres.

J'ai appris l'amour difficilement et j'apprends toujours. J'ai appris les impossibilités de dire, les caresses paralysées, les amours cachées, les colères non dites. J'ai appris qu'on pouvait aimer de toutes ses forces et être incapable de le manifester. Tu m'as amené chez les enfants qui en arrachent, tu m'as amené au Refuge et à tous ces endroits extraordinaires de résilience. Notre famille aurait eu bien besoin d'un refuge comme celui-là. Un endroit où poser nos cœurs et réapprendre qu'on vaut la peine.

J'ai appris qu'on pouvait parler, même enfermé dans ce silence. Ta créativité me restera toujours, j'ai appris le piano parce que je t'ai vue jouer. Je t'ai vue pleurer en écoutant chanter et jouer Claude Léveillée. J'ai précieusement gardé ça de toi… Il m'arrive même quelquefois de réussir à faire pleurer ceux qui ne savent pas comment.

J'ai rencontré plusieurs de tes anciens patients. Ceux que je connais vont bien. Je t'ai surnommée la « psy du gros bon sens ». Je te jure que des psys comme toi, on en prendrait plus. À l'occasion, tu réussissais même à me conseiller. Moi. Je me souviendrai toujours, dans ma jeune vingtaine, je vivais une relation un peu étrange avec une femme extraordinaire. Je t'ai demandé :

— On couche ensemble, mais elle vit avec quelqu'un d'autre, on ne se doit rien et on est bien, personne n'est jaloux. On est pas chum-blonde, est-ce qu'on est des amis ? Des amants ? Rien en particulier ?

Et tu m'as répondu :

— Mon fils, une relation, ça s'invente.

Grande et belle leçon pour moi. C'est ce que j'ai fait. J'ai inventé mes relations à mesure, je n'ai pas essayé de les faire entrer dans un moule. On a pas à entrer dans un moule sauf si on est une tarte. C'est ce que j'ai fait avec les femmes, avec tout le monde et même avec toi. Maintenant, j'aime mes relations avec tous ceux que j'aime, en grande partie grâce à toi.

Ton lupus de merde a attaqué ton cerveau à la fin de ta vie, ce qui t'a complètement arrachée à la réalité. Nous n'avons pas pu se dire adieu comme il faut, mais jamais je ne dérangerais qui que ce soit avec mes écrits si je n'étais pas d'abord capable de te les montrer à toi. Tu es ma référence, et c'est une présence. Toute une. Je t'embrasse et je te garde dans mon refuge à moi…

J'ai appris avec le temps que tu m'aimais. Moi, je t'aimerai toujours.

Ton grand.

LETTRE À MON FILS

Mon grand, un rêve c'est un rêve. C'est personnel. On ne juge pas de la grandeur ou de la petitesse d'un rêve. On ne juge pas un rêve. J'ai appris que généralement, plus un rêve est farfelu aux yeux des autres, plus il est personnel et, donc, fantastiquement efficace.

Comme tu vois, mon amour, mon garçon, mon fils, je n'ai pas fait grand-chose. J'ai juste vécu pas mal de choses. De jolies choses, de moins jolies, des horreurs et j'y ai réagi… comme je pouvais, comme toi, comme tous, chacun à sa façon. Il n'y a pas de manuel d'instructions des bonnes réactions.

Tu m'as connu j'avais trente-sept ans. J'ai attendu avant de t'avoir. Je crois que j'ai bien fait. Je souffre beaucoup moins, c'est plus facile d'être heureux, je suis plus calme. Au lieu de m'énerver trop vite, je prends des notes. Je te connais. La vie n'est pas toujours facile, mais depuis que tu es petit, je vois bien comment tu fais, tu prends des notes toi aussi, tu réfléchis beaucoup, tout le temps, beaucoup mieux que moi. Tu es tellement différent de moi à ton âge, je t'admire et ça me rassure l'existence.

Tu connais la théorie sur les enfants qui font l'inverse de leurs parents pour s'affirmer ? Lâche pas, ça va rouler tu-seul.

Alors, tu vois, j'ai fini par écrire mes notes. Les osties de notes que je prenais dans mon téléphone pendant une grande partie de ma vie. Tu vas peut-être lire le livre, ou pas. C'est ben correct. J'ai peu lu mon père, et tu n'es pas obligé de lire le tien. Un père, ça comprend pas toujours à quel point ça peut être emmerdant avec ses histoires compliquées.

Mais j'aimerais bien que tu continues à venir aux Shows du Refuge. Tu es le seul qui les a tous vus, ta mère t'y amenait bébé, et même dans son ventre. La moitié du show est toujours pour toi.

Je t'aime.

Papa.

LETTRE À MON PÈRE

C'est étrange, p'pa… c'est toi qui passais pour le plus violent. Tu m'as fait mal, tu m'as appris la douleur physique et la terreur. Tu m'as appris l'amour aussi.

Quand tu venais me voir jouer dans les bars, j'ai remarqué tes larmes de tristesse et de joie mélangées, à sentir mon cœur dans ma musique. J'ai lu ton livre, *Ma vie, ma folie,* où à la fin tu mourais en écoutant ma musique.

J'ai fini par accepter que tu n'étais ni « le bon » dans cet étrange film de nos vies, ni « le mauvais », mais que les deux allaient ensemble dans la même personne. Ça a été un énorme conflit dans mes intérieurs de ne pas savoir dans quel tiroir te ranger. J'ai aussi compris que rien ne devait être abandonné au silence et qu'on devait tout s'avouer à soi-même pour pouvoir commencer la résilience et l'amour. Tu le disais toi-même : « Tout ce qu'on porte de honteux dans le silence finira par nous tuer. » Je comprends que tu as essayé, tu es même devenu psychanalyste pour ça. Mais ton brouillard enragé t'a tué et a fait des dégâts autour de toi.

J'ai compris que tu n'avais pas toujours pu t'avouer les choses à temps, ni éviter les dégâts que tes pulsions de désarroi provoquaient. J'ai aussi compris, au travers de tes colères et de tes violences, tes gestes d'affection et de tendresse, tes livres, nos discussions et ces centaines de gens qui sont venus, complètement ravagés par la peine, au salon funéraire lors de ton décès, que tu t'étais battu toute ta vie contre la détresse. La tienne et celle des autres.

J'ai aussi compris que tu avais définitivement perdu ton combat lorsque Guillaume est mort. Tu as capitulé, hissé le drapeau blanc. Tu t'es laissé mourir, comme ton fils que tu avais entraîné dans tes tourbillons. Dans le fond, tu es juste parti le rejoindre. Cela a été une des grandes leçons de ma vie : les gens qui partent de loin et qui veulent du bien à la vie perdent souvent. Moi, je continuerai plus loin que toi. Je te le dois aussi. J'essaierai de toute mon âme de faire mieux, sans garantie. Des gens lisent mon livre et diable merci, je n'ai pas les « clefs du bonheur ». Je voudrais pas gérer le service après-vente…

Je suis et serai à jamais le fils terrorisé, mais aussi le petit garçon endormi sur ton ventre parce qu'heureux d'amour et en sécurité.

La vie c'est l'amour, et il vient toujours.

Moi j'vole pas dans les airs
Je n'aime pas les voleurs
J'voulais te donner la terre
Mais ma terre c'est ton cœur
Et nos rêves en couleurs
En couleurs
Au temps des seigneurs

Je voulais tuer l'enfer
Le faire crever de peur
Tu m'as ramené sur terre
M'as bordé dans ton cœur
Je ne ferai plus la guerre
Plus la guerre
Au temps des seigneurs

CONCLUSION

Un jour, quelqu'un m'a demandé :

— Quand vous en êtes-vous sorti ?

Un grand sourire est monté de mon cœur. J'ai répondu :

— J'attends toujours… au temps des seigneurs.

FIN

CRÉDITS MUSICAUX

Les œuvres reproduites en tout ou en partie dans *Le Temps des seigneurs* sont le fait des auteurs-compositeurs suivants, en collaboration avec les maisons d'éditions mentionnées ci-après.

Soleil noir
Auteurs-compositeurs : Dan Bigras, Michel Rivard
Éditeurs : Éditions Sauvage, Éditions Contre-Temps

Naufrage
Auteurs-compositeurs : Dan Bigras, Gilbert Langevin
Éditeurs : Éditions de l'Ange Animal, Éditorial Avenue

Ange animal
Auteurs-compositeurs : Dan Bigras, Gilbert Langevin
Éditeurs : Éditions de l'Ange Animal, Éditorial Avenue

La bête humaine
Auteurs-compositeurs : Dan Bigras, Christian Mistral
Éditeurs : Éditions de l'Ange Animal, Éditorial Avenue

Pourquoi tu veux
Auteurs-compositeurs : Dan Bigras, Christian Mistral
Éditeurs : Éditions de l'Ange Animal, Éditorial Avenue

J'ai inventé le désespoir
Auteurs-compositeurs : Dan Bigras, Roger Tabra
Éditeurs : Éditions de l'Ange Animal, Industrie Musicale enr.

Fou
Auteur-compositeur : Dan Bigras
Éditeur : Éditions de l'Ange Animal

Rivière Perdue
Auteur-compositeur : Dan Bigras
Éditeur : Éditions de l'Ange Animal

L'Astronaute
Auteur-compositeur : Dan Bigras
Éditeur : Éditions de l'Ange Animal

Pas fort
Auteur-compositeur : Dan Bigras
Éditeur : Éditions de l'Ange Animal

Sarajevo
Auteur-compositeur : Dan Bigras
Éditeur : Éditions de l'Ange Animal

Je me souviens
Auteurs-compositeurs : Dan Bigras, Roger Tabra
Éditeurs : Agence X27, Éditions de l'Ange Animal, Industrie Musical enr., Éditions Toutankamon

Rue St-Denis
Auteur-compositeur : Dan Bigras
Éditeur : Éditions de l'Ange Animal

Boucle d'oreille
Auteur-compositeur : Dan Bigras
Éditeur : Éditions de l'Ange Animal

Abandonné
Auteur-compositeur : Dan Bigras
Éditeur : Éditions de l'Ange Animal

Jimmy le kid
Auteur-compositeur : Dan Bigras
Éditeur : Éditions de l'Ange Animal